Benito Pérez Galdós

# El amigo Manso

EDITED BY

DENAH LIDA

BRANDEIS UNIVERSITY

New York

OXFORD UNIVERSITY PRESS

1963

Library of Congress Catalogue Card Number: 63-8469
Printed in the United States of America

# Preface

### THE EDITION

The length of the original text has made it necessary to cut briefly, but I have respected Galdós's style and preserved all of the characters and episodes. Only Manso's cat has been eliminated, and that regretfully, because the affectionate presentation of animals is characteristic of Galdós. The chapters follow the original order, and no extensive passage has been taken out. I have limited myself to excluding just those portions which amplify statements that can be clearly comprehended. All such excisions are indicated with [. . .]. Since a number of these are similes, I wish to call the attention of the reader to the fact that they are more abundant than this edition reveals, although I have maintained as many as possible.

### NOTES AND VOCABULARY

Simple words and cognates have not been included in the vocabulary. Derivatives generally do not appear; only the first form that occurs in the text will be listed. Idioms, for the most part, will be found in the vocabulary, unless they are composed entirely of basic words not listed. In that case, they will be footnoted and the translation will be given at the bottom of the page. Notes will also be furnished on important aspects of Galdós's style, but once attention has been called to a point, the reader is urged to continue finding other examples. In addition there will be notes on unfamiliar names or references in order to facilitate more rapid reading with full comprehension.

### TEMAS

At the close of each chapter we have listed some topics or questions for general discussion or for written composition. They furnish a key to the most important events in the novel and may serve the reader as a guide and a study aid.

I wish to express my gratitude to all those whose support, knowledge, and effort have made this edition possible. Special thanks are due to the staff of the Oxford University Press for their interest, good humor, and patience, to Professor Walter T. Pattison for his very useful comments, to Don Antonio Rodríguez Moñino, whose generosity in sharing his store of information solved more than one mystery, to the Radcliffe Institute for Independent Study for the grant which provided the necessary time and financial assistance, to doña María Pérez Galdós for permission to publish her father's novel, and to Mrs. Beverly Chico, whose competence transformed a mass of notes into a manuscript.

*Waltham, Massachusetts* D. L.
*September* 1962

# Contents

# El amigo Manso

# Introduction

*El Amigo Manso* could be read with pleasure and profit without any explanation of the climate in which it was written, but for a genuine understanding of the significance of many events and characters, some further knowledge is essential.

To those familiar with other works of Benito Pérez Galdós it is not surprising that he fixed his attention on the most important and influential philosophic movement in the Spain of his day. There was little, if anything, of the immediate contemporary scene that escaped his scrutiny and re-elaboration in literary form. In all of his works, whether it be the *Episodios Nacionales* which cover the history of Spain from 1805 to 1880, the *Novelas Contemporáneas,* which depict the Spain of his own years, or his theater, Galdós confronts man in his society. His capacity for observation is not limited to the picturesque detail or concrete reality, but penetrates the more subtle regions of the spirit. The milieu is vividly Spanish, as are the human types, but their souls, their problems, doubts, and sufferings may range from the purely domestic to the universal reactions and longings of men of all ages and places.

In this book, Galdós focused on the *krausista* movement, which was to dominate the intellectual lives of Spaniards for several generations until the Spanish Civil War in 1936. The name derives from the German philosopher Karl Christian Friedrich Krause (1781-1832), contemporary of Hegel, Fichte, and Schelling, whose search for the rational explanation of history greatly influenced the Spaniard Julián Sanz del Río. Sanz was already interested in the theories of Krause when in the early 1840's he went to Germany to spend two years rounding out his studies in philosophy, prior to occupying a chair at the Universidad Central de Madrid. On his return to Spain, he chose to pursue his studies in solitude, and spent ten years elaborating the Krausian theories and evolving a practical system of education by which each individual's talents could be developed to the fullest.

Confident that he had a new formula for human progress, Sanz took up his academic duties in 1857. The young professor, fresh from his long retirement, was at first timid and austere, not unlike our Manso, but the lecture hall warmed to the enthusiasm of the intellectuals who thronged to it.

Inspired by Krause's *Ideal of Humanity*, Sanz affirmed the fundamental principles of gradual progress through reason, tolerance, morality, and harmony. Harmony could be attained if each social sphere or order—Marriage, the Family, Friendship, Truth, Beauty, Science, Art, Law, Morals, Religion, the State—fulfilled its special function and purpose without infringing on the others. Each individual must come to know himself through personal scrutiny, must feel free and capable of controlling the conditions of his environment and his actions must be incorporated into those of the milieu.

This life governed by reason did not exclude, by any means, a concept of God as the Absolute Being. For the Krausist, God is the knowledge which encompasses all; God is in the world, in everything, is the cause and explanation of everything. Because of these views the Krausists were accused of being pantheists by the Neo-Catholics, who opposed them. The difference is that pantheism defines God as the universe, as a whole or in any of its parts, whereas panentheism, as the Krausist religious doctrines have been termed, maintains that God is in the universe, in its parts—distinct from nature, things, and individuals—and that all of the world is contained in the concept of God. If God is in the world, then he can be known directly and personally through reflection. It is the lack of reflection that leads to atheism. The search, then, is subjective and not bound to the creed or dogma of any given church. Prayer is intimate and private: even a mystic experience. There must be tolerance toward all who seek God regardless of how they go about it; there must be universal love and charity. A deep moral sense and good will should prevail and inspire the practice of good. This idealistic morality is not sufficient in itself to better the condition of man. It must be accompanied by a utilitarian pragmatism. The complete Krausist is both moralist and man of action.

Special attention is paid to the role of the woman and her education, for she has a great influence on the early formation of the child. If she is to be a worthy companion and mother, a worthy citizen in her own right, it is necessary to develop her intellectual capacities and cultivate in her social graces, emotions, and sentiments.

How were such people to be formed? This is the aspect of *krausismo* that is closest to the development of these ideas in Spain and to our study of *El amigo Manso*. The relationship of teacher and pupil must be an intimate one of understanding and mutual confidence and friendship. The student must be allowed freedom of expression and spontaneity so that his natural tendencies may be revealed, cultivated, and channeled. In this way each person's abilities can produce the maximum good for society. The teacher must be unprejudiced, open to the directions which his student's talents demand he follow, ready to help the student in that course, even if it is not his own. No aspect of the student's physical, moral, spiritual, and intellectual training should be neglected. This education is best achieved when begun in childhood and followed through to the university. If this sounds to the reader very similar to what was preached in the name of progressive education, he is not mistaken; yet in Spain it was applied almost a century ago in the only practical way in which it can function successfully—with great teachers and small numbers of students, making possible the individual attention which such education requires.

This program was put into effect by Francisco Giner de los Ríos, disciple of Sanz del Río, at the Institución Libre de Enseñanza, one of the first autonomous institutions of learning in Spain. Giner founded it in 1876, in collaboration with other students of Sanz, after he had lost his chair at the Universidad Central for his unorthodox views. Either directly or indirectly, the Institución Libre affected the thinking and intellectual formation of several generations of great Spaniards, among them Unamuno, Ortega y Gasset, Juan Ramón Jiménez, Azorín, and Antonio Machado.

### GALDÓS AND THE KRAUSISTS

Though not a follower of the Krausists, Pérez Galdós could scarcely avoid reacting to a system of thought which proclaimed progress, tolerance, rationality, love. Born in Las Palmas, Canary Islands, in 1843, the young Benito had arrived in Madrid at the age of 19 to study law at the University. The Krausists were in full swing there and his professor of history was a prominent figure among them. Despite the fact that Galdós was not a model student, he must have been exposed to the excitement which their ideas generated in traditionally closed and conventional Spain. More important were Galdós's frequent visits to the Ateneo, the very core of intellectual discussion, far greater in influence than the classroom. There he had the opportunity to hear speeches, debates, conversations, and to inform himself well on Krausian philosophy. Furthermore, many of his friends were partisans of the new theories and he contributed with them to journals of the Progresista party which supported their views. Some of the early enthusiasts of his work who most encouraged him to pursue the line of social reform he had inaugurated were *krausistas.* And sometimes they were the only favorable critics.

When *La desheredada* appeared in 1881, marking the first in what was to become the long series of *Novelas Contemporáneas,* it was coldly received by the critics, with the exception of the talented and sharp-tongued Clarín (Leopoldo Alas). Galdós was discouraged and uncertain, but he pursued his own convictions and started to work on *El amigo Manso.* To reassure himself about the value of his work and the direction it was taking, he sent the two volumes of *La desheredada* to Giner de los Ríos, an early admirer of one of his first novels, *La Fontana de Oro* (1867-68), whose opinion he esteemed highly. Giner's reply brought all the encouragement he needed, and *El amigo Manso* came out in 1882. The affinity between the three principal male characters in this novel and Giner's essay "Teoría y práctica" has already been pointed out by Esther B. Sylvia.

### KRAUSISM AND THE NOVELS OF GALDÓS

What form of expression does Galdós's contact with Krausism take in the novel? To be sure, this is not the first time the ideas appear in his work. Some religious attitudes had previously been explored in *Gloria* (1876, 1877); the failure of the protagonist to control the conditions of his own life and his surrender to social pressure are treated in *La familia de León Roch* (1878). The need for enlightened education to produce a new breed of men appears in *La desheredada,* which immediately precedes *Manso;* and in the novel which follows it *El doctor Centeno* (1883), Galdós presents the lamentable state of education in Spain in the 1860's from the three R's through the university. This work is the "*crimen novelesco*" on the subject of education which the author promises (in the first chapter of *El amigo Manso*) to perpetrate and which he postpones because of the immediate lack of material. In the interim he presumably has persuaded Manso to sell him an easy plot. Besides, critical comments on the existing state of education in Spain are frequent in all of his works.

It is in *El amigo Manso,* however, that Krausism receives its fullest and most positive treatment. Although the author never mentions Krause, he leaves no doubt in the reader's mind about Manso's relationship to those Hegelian-oriented Krausists of the years in which Galdós was writing. Very early in the novel we find Manso at work on an introduction and notes to a translation of Hegel's *Philosophy of Fine Art,* and there are numerous references to philosophers, who were more or less contemporaries of Krause, to psychologists, economists, etc. Furthermore, the excerpts from his class lecture which are reproduced in chapter XLIX reveal certain Krausist concepts such as the philosopher's role in society, the gradual triumph of reason over evil and ignorance, the praise of moral conscience, the desired goal of synthesis.

As Manso tells us in this same passage, the philosopher's function, *his* function, is to work silently in society in search of truth. With a secret strength he controls the accidents of life. He is a Christ-like and quixotic figure who is persecuted, who dies, but who reigns on as a force in the world of ideas, expressing eternal and profound truths. The superficial, temporal pleasures and triumphs are not for the "priest of reason." They are for the Peñas, the men of action who utilize the truths discovered by the philosopher and who move in the sphere of specific historical occurrences.

Thus it is that we see Máximo Manso, 'the Greatest Meek,' pursue his studies in philosophy with quiet perseverance. Like the Krausists, his faith is in rational objectivity and not in any dogmatic religion, and he resembles Sanz, Giner, and other masters of their school in his moderation, frugality, and withdrawal from mundane activities. Of course, no Galdosian character is ever a simple stereotype, and Manso has his foibles and peculiarities which individualize and humanize him. His great weakness is his passion for chickpeas—a most prosaic dish for a sophisticated intellectual! The author treats this earthy element and Manso's generally good appetite regardless of his spiritual state with much humor and irony. Unfortunately, the disdainful epithet *el garbancero,* the 'chick-pea seller or eater,' came to be applied to Galdós himself by the younger generation of writers who found him too far removed from their new aesthetic ideals, even when they may have been interested in some of his novelistic experiments. Such is the case of Unamuno, who was attracted to Manso and the idea of the autonomous character, which he later developed in his own novel *Niebla* (1915). Still another human trait of Máximo's is his tendency to have bad headaches, especially at the theater, an affliction that Galdós suffered from himself.

These human touches may lull the reader into accepting Manso as a living being, but we must not forget that he begins his tale by expressly telling us that "*yo no existo.*" And the fact is that as a true Krausist, he does not live, for he does not fulfill the ideal of the complete man, both rational and social, who harmonizes all the various spheres of life. Therein lies his inability to handle his sentimental problems and the necessity of the final decision once his mission is achieved. Sanz had admitted that everything can not be reduced to scientific analysis and that life contains surprises, especially of a sentimental nature. But these serve to reveal us to ourselves and others to us, so that we may know them and ourselves better. Manso's error is precisely that he tries to reduce those surprises to reason, to an abstract, universal reasoning. He himself confesses his failure to evaluate correctly the personal and emotional. How could it have been otherwise, since he is not a man of his moment—"*Yo no existo*"?

The man of the moment, the living, breathing man of flesh and bones, is Manuel Peña, 'Rock,' the charming, lively, talented student, who is frittering his abilities away until he comes under Manso's wing. The gentle, unimaginative, solemn professor of philosophy gives him the direction he sorely needs by opening up the world of the spirit to him. His approach resembles that of the Krausists, for it is intimate, multifaceted, and tolerant of the student's natural bent. Peña is a vibrant fellow with his feet on the ground and a calling for the public life. Manso recognizes this immediately and observes the superiority of his oral talent over his ability to express himself in writing. Later the student far outshines the master when they both speak in public. Peña instinctively adheres to Sanz's advice that the speaker must establish rapport and make the most of clear and lively exposition to arouse the public. Manso knows all this and tries to apply it, but we see the inefficacy of mere rationality. Galdós ridicules Manso who tries to apply his ideals to reality, a sphere in which he does not belong. Manso builds up an image—his modern Dulcinea—of an intellectual, nordic type of woman around Irene, who turns out to be an average young lady—an Aldonza Lorenzo. And the great irony is that he is then even more attracted to her simple femininity. He regrets Peña's preference for Machiavelli over the metaphysical philosophers he would have him read, but in the end he must concede that the future belongs to the Peñas, who feel the pulse of their own historical moment and move in unison with it, instead of making it the object of long analytic observation which leads nowhere. And in the social sphere Manso can give Peña no guidance, since that is where he does not exist. Nor does Peña need any.

Despite their social ineptitude, the Mansos are certainly not rejected by Galdós. The hand they extend to the Peñas is the basis for any possible progress, for confronting and subduing immorality, corruption, and hypocrisy. Manso's awkwardness makes him ridiculous to the other characters and to the reader, but it is plain that neither they nor we could get along without that force which he represents any more than we would want to get along without Don Quixote. We love him and need him. Manso is called upon to perform a variety of duties—from being charitable to doña Cándida to finding a wet nurse for his godchild; although he is generally the object of amusement, the fact remains that, for all his absurdity, everyone relies on him and he gets things done. He is infinitely more useful than the Peces, the Sáinz del Bardals and his own brother. In short, he is *el amigo Manso* in the many senses which the word *amigo* conveys in Spanish.

Neither Manso nor Peña is the ideal, but the latter, guided and inspired by the former, represents the only hope. We have merely to look at the treatment Galdós gives José María Manso, the character whose life recalls certain biographical aspects of José María Galdós, the author's uncle, to see what don Benito is suggesting. Surely we can expect nothing but disaster from this type of opportunist. Of course, nothing is perfect; human nature is defective. The Krausist dream may be idealistic; but perhaps it may offer something worthwhile pedagogically. As always, Galdós places his real hopes in the humble classes. One doesn't have to be a Krausist to see the light. Doña Javiera, the widow of the sausage vendor, reveals basic good sense concerning her son's education and needs. Thus Manuel, of the new middle class, is the finest representative of his own world. He confronts reality squarely and accepts the best part of it. He takes Irene for what she is and understands Manso's importance and shortcomings. He is basically ethical, humanly passionate, energetic, bright, eloquent. He is the only hope for progress.

There is a great deal to *El amigo Manso* besides the significance of its central characters and their relationship to each other. The novel presents a remarkable collection of individuals, all magnificently drawn, from the pathetic, absurd, and exasperating Cándida (not at all candid in the English sense of frank, but very naïve) to the little Negro, Rupertico. The arrival of José María and his Cuban family, especially the long-suffering Lica and the colorful doña Jesusa, follows quickly upon the presentation of the central figures. They burst in and disrupt the tranquillity of Manso's life by constantly creating emergencies and unfamiliar situations for him, and, in like manner, the narrative itself is equally jolted and animated. Their speech provides as great a novelty for the reader as it did for Manso and, obviously, for Galdós as well, since he chooses to reproduce it.

Even the most marginal characters stand out vividly. Each is given an appropriate name, often descriptive of his nature. In addition, some are alluded to by nicknames, as in the case of doña Cándida. Furthermore, each is individualized by some trait, weakness, or speech idiosyncrasy.

Who can forget the two temperamental wet nurses and the family of the second one, or the cynical Cimarra, Ramón María Pez, and the pompous poet with the long name: Francisco de Paula de la Costa y Sáinz del Bardal? In contrast to the central figures who gradually unfold and reveal themselves to us, the secondary personages are briefly and sharply characterized. These pages are populated with the varied types that make up the Madrilenian society of the times—the poor and the rich, the has-been's and the will-be's, the foreigners and the natives, the old and the young, the simple and the sophisticated, the foolish and the intelligent, the good and the bad.

Galdós views the figures he creates and their situations with a perspective arising from his complex sense of humor. Whereas he leaves little doubt concerning his social message, the author is constantly pulling the wool over our eyes, or at least confusing us, with his complexity of characterization, his imagination, his mischief, and humor. Since he is not writing merely for a literary elite, but for the masses, and the intention is social reform, he is blunt about the meaning of his work. But he is also writing for himself and the sophisticated reader, and he can afford to play with our imagination. Nothing is ever quite as simple as it seems, and Galdós, in Cervantine fashion, is now on one side of the fence, now on the other. Appearances are very deceptive, as the Knight of the Sad Countenance so painfully discovered. Does Manso exist any more or any less than Don Quixote or Prince Mishkin? If he does not exist, as he tells us, how much faith can we put by the chimeric conjurings of the author who claims to bring him to life by making him feel pain? And if he does not exist, can we really accuse him of social failure? However, the fact is that he *does* exist within the framework of the novel, since so much revolves around him and nothing is accomplished without him. But if we accept this existence, and its links with Krausism, then we are obliged to wonder if Galdós is not smiling a bit at the gentlemen of that school, even if no one character is a perfect reproduction of a Krausist. We do not wish to deprive the reader of pondering this question for himself, but we would like to remind him that it matters little if Galdós *is* smiling, for he sees the positive and negative side of everything, and his smile does not detract from the merits of the novel. It is a kind and human smile.

It is not only what Galdós says that matters, but the *way* he says it. To be sure, don Benito is not a careful, exquisite artist, but he is most certainly concerned with the power and use of words. He is constantly inventing new ones: adjectives based on nouns or proper names, such as *caligulense* (p. 254) to refer to Calígula, and doña Cándida, "argumentación . . . *cornúpeta*" (p. 56); nouns structured on other words: the *Mansista* party (p. 96). There is also a rich supply of foreign words and colloquialisms: *filet à la Maréchale* (p. 250), *flirtation* (p. 118), all of which have their purpose and incline our will toward one side or the other. When Manso or Galdós borrows the cubanisms of the former's relatives we are amused and we also feel that a pleasant rapport has been established between them. We are somewhat sadly amused when Manso finally accepts Irene's characteristic word, *tremendo,* which he had frowned on at the beginning. How different the effect when he imitates doña Cándida or his brother! Much is also insinuated by the use of diminutives, of metaphors, of nicknames, of excessively pompous or excessively simple language. The unconventional juxtaposition of different elements also evokes humor or irony. The devices may be applied to any character, but there is never any doubt as to whether the author's intention is malevolent or sympathetic. Even when the overall portrait is unfavorable, Galdós rarely loses completely his affection for his creations and there is usually some warmth about them, some compassion for them.

This very ambivalence produces a sense of reality, of the complexity of real human beings. Thus it is that the supposedly nonexistent Manso comes to life.

# Selective Bibliography

Berkowitz, H. Chonon, *Pérez Galdós, Spanish Liberal Crusader,* The University of Wisconsin Press, Madison, 1948.

Canalejas, Francisco de Paula, *Estudios críticos de filosofía, política y literatura,* Madrid, 1872.

Eoff, Sherman, *The Novels of Pérez Galdós. The Concept of Life as Dynamic Process,* Washington University Studies, St. Louis, 1954.

Jobit, Pierre, *Les Éducateurs de l'Espagne contemporaine,* Vol. 1, Paris and Bordeaux, 1936.

Krause, Karl Christian Friedrich, *Ideal de la humanidad para la vida.* Con introducción y comentarios por Julián Sanz del Río, Madrid, 1871 (second edition).

López-Morillas, Juan, *El krausismo español,* Mexico and Buenos Aires, 1956.

Pattison, Walter T., *Benito Pérez Galdós and the Creative Process,* Minnesota University Press, 1954.

Sylvia, Esther B., *El primer período de la manera naturalista de Benito Pérez Galdós,* unpublished Ph.D. dissertation, Middlebury College Library, 1947.

Walton, L. B., *Pérez Galdós and the Spanish Novel of the Nineteenth Century,* London and Toronto, 1927.

I

# Yo no existo

Yo no existo ... Y por si algún desconfiado, terco o maliciosillo no creyese lo que tan llanamente digo, o exigiese algo de juramento para creerlo, juro y perjuro [1] que no existo; y al mismo tiempo protesto contra toda inclinación o tendencia a suponerme investido de los inequívocos atributos de la existencia real. Declaro que ni siquiera soy el retrato de alguien, y prometo que si alguno de estos profundizadores del día se mete a buscar semejanzas entre mi yo sin carne ni hueso y cualquier individuo susceptible de ser sometido a un ensayo de vivisección, he de salir a la defensa de mis fueros de mito, probando con testigos, traídos de donde me convenga, que no soy, ni he sido, ni seré nunca nadie.

Soy (diciéndolo en lenguaje oscuro para que lo entiendan mejor) [2] una condensación artística, diabólica hechura del pensamiento humano (*ximia Dei*),[3] el cual, si coge entre sus dedos algo de estilo, se pone a imitar con él las obras que con la materia ha hecho Dios en el mundo físico; soy un ejemplar nuevo de estas falsificaciones del hombre que desde que el mundo es mundo andan por ahí vendidas en tabla por aquellos que yo llamo holga-

[1] **juro y perjuro** The sense is that of: I swear and swear again. When used without **jurar, perjurar** means to swear falsely. Thus there is a suspicion of irony in the oath. [2] **(diciéndolo . . . mejor)** Cf. the beginning of Chapter XXXV. In Fernández de Moratín's *La comedia nueva,* the pedant don Hermógenes explains: "lo diré en griego para mayor claridad . . ." It is common practice in Galdós to make fun of pedantry. [3] Latin *Simia Dei* meaning 'ape of God' (i.e. imitator).

zanes, faltando a todo deber filial, y que el bondadoso vulgo denomina artistas, poetas o cosa así. Quimera soy, sueño de sueño y sombra de sombra, sospecha de una posibilidad; y recreándome en mi no ser, viendo transcurrir tontamente el tiempo infinito, 5 cuyo fastidio, por serlo tan grande, llega a convertirse en entretenimiento, me pregunto si el no ser nadie equivale a ser todos y si mi falta de atributos personales equivale a la posesión de los atributos del ser. Cosa es ésta que no he logrado poner en claro todavía, ni quiera Dios que la ponga, para que no se desvanezca la 10 ilusión de orgullo que siempre mitiga el frío aburrimiento de estos espacios de la idea.

Aquí, señores, donde mora todo lo que no existe, hay también vanidades ¡pasmáos!, hay clases ¡y cada intriga . . . ! Tenemos antagonismos tradicionales, privilegios, rebeldías, sopa boba y pro- 15 nunciamientos. Muchas entidades que aquí estamos, podríamos decir, si viviéramos, que vivimos de milagro. Y a escape me salgo de estos laberintos y me meto por la clara senda del lenguaje común para explicar por qué motivo no teniendo voz hablo y no teniendo manos trazo estas líneas, que llegarán, si hay cristiano 20 que las lea, a componer un libro. Vedme con apariencia humana. Es que alguien me evoca, y por no sé qué sutiles artes me pone como un forro corporal y hace de mí un remedo o máscara de persona viviente, con todas las trazas y movimientos de ella. El que me saca de mis casillas y me lleva a estos malos andares es un 25 amigo . . .

Orden, orden en la narración. Tengo yo un amigo que ha incurrido por sus pecados, que deben de ser tantos en número como las arenas de la mar, en la pena infamante de escribir novelas, así como otros cumplen, leyéndolas, la condena o maldición divina.[4] 30 Este tal vino a mí hace pocos días, hablándome de sus trabajos, y como me dijera que había escrito ya treinta volúmenes, tuve de él tanta lástima que no pude mostrarme insensible a sus acaloradas instancias. Reincidente en el feo delito de escribir, me pedía mi

[4] **Tengo . . . divina** This device of the artist's introducing himself into the work is not unusual and was utilized by such illustrious predecessors as Cervantes and Velázquez. Note also, the humor with which Galdós treats himself and his profession; cf. as well pp. 15 and 17.

complicidad para añadir un volumen a los treinta desafueros consabidos. Díjome aquel buen presidiario, aquel inocente empedernido, que estaba encariñado con la idea de perpetrar un detenido crimen novelesco, sobre el gran asunto de la educación; que había premeditado su plan, pero que faltándole datos para llevarlo adelante con la presteza mañosa que pone en todas sus fechorías, había pensado aplazar esta obra para acometerla con brío cuando estuvieran en su mano las armas, herramientas, escalas, ganzúas, troqueles y demás preciosos objetos pertinentes al caso. Entre tanto, no gustando de estar mano sobre mano, quería emprender un trabajillo [5] de poco aliento, y sabedor de que yo poseía un agradable y fácil asunto, venía a comprármelo, ofreciéndome por él cuatro docenas de géneros literarios, pagaderas en cuatro plazos; una fanega de ideas pasadas,[6] admirablemente puestas en lechos y que servían para todos; diez azumbres de licor sentimental, encabezado para resistir bien la exportación, y por último una gran partida de frases y fórmulas, hechas a molde y bien recortaditas, con más una redoma de mucílago para pegotes, acopladuras, compaginazgos,[7] empalmes y armazones. No me pareció mal trato, y acepté.

No sé qué garabatos trazó aquel perverso sin hiel delante de mí; no sé qué diabluras hechiceras hizo . . . Creo que me zambulló en una gota de tinta; que dio fuego a un papel; que después fuego, tinta y yo fuimos metidos y bien meneados en una redomita [8] que olía detestablemente a pez, azufre y otras drogas infernales . . . Poco después salí de una llamarada roja, convertido en carne mortal. El dolor me dijo que yo era un hombre.

[5] The diminutive **trabajillo** is generally employed by Galdós to indicate disdain or humor; cf. **recortaditas,** line 17. [6] Play on **pasa,** 'dried fruit,' 'raisin,' suggesting that the ideas are dried up [7] A new word is formed by the ironic combination of the word **compaginación,** 'paging' with the disdainful suffix **-azgo,** used in such words as **compadrazgo,** 'the relationship with a godfather,' 'a cliquish union.' [8] A common device in witchcraft is to keep evil spirits in a bottle. One famous example, among others, is that of *El diablo cojuelo* by Luis Vélez de Guevara, 1579-1644.

### TEMAS

1. ¿Por qué dice Máximo Manso que no existe?
2. ¿Cómo ha adquirido forma?
3. ¿Cómo se dio cuenta de que era hombre?

II

# Yo soy Máximo Manso[1]

Y[2] tenía treinta y cinco años cuando me pasó lo que me pasó. Y si a esto añado que el caso es reciente, y que muchos de los acontecimientos incluídos en este verdadero relato ocurrieron en menos de un año, quedarán satisfechos los lectores más exigentes en materias cronológicas. A los sentimentales he de disgustarles desde el primer momento diciéndoles que soy doctor en dos Facultades y catedrático del Instituto, por oposición, de una eminente asignatura que no quiero nombrar.[3] He consagrado mi poca inteligencia y mi tiempo todo a los estudios filosóficos, encontrando en ellos los más puros deleites de mi vida. Para mí es incomprensible la aridez que la mayoría de las personas asegura encontrar en esta deliciosa ciencia, siempre vieja y siempre nueva, maestra de todas las sabidurías y gobernadora visible o invisible de la humana existencia.

Por singular beneficio de mi naturaleza, desde niño mostré especial querencia a los trabajos especulativos, a la investigación de la verdad y al ejercicio de la razón; y a tal ventaja se añadió, por

[1] Although both names are plausible, an obvious conclusion can be drawn by the juxtaposition of **Máximo**, meaning 'greatest,' and **Manso**, 'meek one.' See Introduction. [2] A very Cervantine device is the linking of chapters. In Galdós it may be that the title is part of the chapter, or the end of one chapter may be joined grammatically to the title of the next chapter or its beginning. For an especially interesting example, see Chapter V and many subsequent chapters. [3] Cf. Cervantes's opening sentence of the *Quijote:* "En un lugar de la Mancha, de cuyo nombre no quiero acordarme. . ."

mi suerte, la preciosísima de caer en manos de un hábil maestro, que desde luego me puso en el verdadero camino. Tan cierto es que de un buen modo de principiar emana el logro feliz de difíciles empresas, y que de un primer paso dado con acierto de-
5 pende la seguridad y presteza de una larga jornada.

Digan, pues, de mí que soy filósofo, aunque no me crea merecedor de este nombre, sólo aplicable a los insignes maestros del pensamiento y de la vida. Discípulo soy no más, o si se quiere, humilde auxiliar de esa falange de nobles artífices que siglo tras
10 siglo han venido tallando en el bloque de la bestia humana la hermosa figura del hombre divino. Soy el aprendiz que aguza una herramienta, que mantiene una pieza; pero la penetración activa, la audacia fecunda, la fuerza potente y creadora me están vedadas como a los demás mortales de mi tiempo. Soy un profesor de fila,
15 que cumplo enseñando lo que me han enseñado a mí, trabajando sin tregua; reuniendo con método cariñoso lo que en torno a mí veo; [ . . . ] adelantando cada día con el paso lento y seguro de las medianías; construyendo el saber propio con la suma del saber de los demás, y tratando, por último, de que las ideas adquiridas
20 y el sistema con tanta dificultad labrado no sean vanas fábricas de viento y humo, sino más bien una firme estructura de la realidad de mi vida con poderoso cimiento en mi conciencia. El predicador que no practica lo que dice no es predicador, sino un púlpito que habla.

25 Ocupándome ahora de lo externo, diré que en mi aspecto general presento, según me han dicho, las apariencias de un hombre sedentario, de estudios y de meditación. Antes que por catedrático, muchos me tienen por curial o letrado, y otros, fundándose en que carezco de buena barba y voy siempre afeitado, me han
30 supuesto cura liberal o actor,[4] dos tipos de extraordinaria semejanza. En mi niñez pasaba por bien parecido. Ahora creo que no lo soy tanto, al menos así me lo han manifestado directa o indirectamente varias personas. Soy de mediana estatura, que casi casi, con el progresivo rebajamiento de la talla en la especie hu-
35 mana, puede pasar por gallarda; soy bien nutrido, fuerte, muscu-

[4] These two groups were traditionally clean-shaven. Note the irony with which Galdós classes them together.

loso, mas no pesado ni obeso. Por el contrario, a consecuencia de los bien ordenados ejercicios gimnásticos, poseo bastante agilidad y salud inalterable. La miopía ingénita y el abuso de las lecturas nocturnas en mi niñez me obligan a usar vidrios. Por mucho tiempo gasté quevedos,[5] uso en que tiene más parte la presunción que la conveniencia; pero al fin he adoptado las gafas de oro, cuya comodidad no me canso de alabar, reconociendo que me envejecen un poco.

Mi cabello es fuerte, oscuro y abundante; mas he tenido singular empeño en no ser nunca melenudo, y me lo corto a lo quinto, sacrificando a la sencillez un elemento decorativo que no suelen despreciar los que, como yo, carecen de otros. Visto sin afectación, huyendo lo mismo de la novedad llamativa que de las ridiculeces de lo anticuado. Apuro mi ropa medianamente, con la cooperación de algún sastre de portal,[6] mi amigo; y me he acostumbrado de tal modo al uso de sombrero de copa, a quien el vulgo llama con doble sentido *chistera,*[7] que no puedo pasarme sin él, ni acierto a substituirle con otras clases o familias de tapacabezas, por lo cual lo llevo hasta en verano, y aun en viaje me lo pondría muy sereno si no temiera incurrir en extravagancia. La capa no se me cae de los hombros en todo el invierno, y hasta para estudiar en mi gabinete me envuelvo en ella, porque aborrezco los braseros y estufa.

Ya dije que mi salud es preciosa, y añado ahora que no recuerdo haber comido nunca sin apetito. No soy gastrónomo; no entiendo palotada de refinados manjares ni de rarezas de cocina. Todo lo que me ponen delante me lo como: [ . . . ] y en punto a preferencias, sólo tengo una que declaro sinceramente, aunque se refiere a cosa ordinaria, el *cicer arietinum,* que en romance llamamos garbanzo, y que, según enfadosos higienistas, es comida indigesta. Si lo es, yo no lo he notado nunca. Estas deliciosas bolitas

[5] Named after the seventeenth-century poet and prose writer, Francisco de Quevedo, who wore them [6] Tailor stands, shoe repair stands, and other small business establishments are frequently located within the wide entrance portal or arcade of a building. [7] The double sense is that of 'top hat' and a play on the word **chiste,** 'joke.' A **chistera,** which is also a fishing basket, as well as the basket used in the sport *jai alai,* would then come to be something like a basketful of jokes.

de carne vegetal no tienen, en opinión de mi paladar, que es para mí de gran autoridad, substitución posible, y no me consolaría de perderlas, mayormente si desaparecía con ellas el agua de Lozoya,[8] que es mi vino. [ . . . ] Mi bodega son los frescos manan-
5 tiales de la sierra vecina. Únicamente del tinto y flojo hago prudente uso, después de bien bautizado[9] por el tabernero y confirmado por mí; pero de esos traidores vinos del Mediodía, no entra una gota en mi cuerpo. Otra pincelada: no fumo.

Soy asturiano. Nací en Cangas de Onís,[10] en la puerta de Cova-
10 donga y del monte de Auseba. [ . . . ] Mi padre, farmacéutico del pueblo, era gran cazador y conocía palmo a palmo todo el país, desde Ribadesella a Ponga y Tarna, y desde las Arriondas a los Urrieles. Cuando yo tuve edad para resistir el cansancio de estas expediciones, nos llevaba consigo a mi hermano José María y a
15 mí. Subimos a los Puertos Altos, anduvimos por Cabrales y Peñamellera, y en la grandiosa Liébana nos paseamos por las nubes.

Solo o acompañado por los chicos de mi edad, iba muchas tardes a San Pedro de Villanueva, en cuyas piedras está esculpida la historia tan breve como triste de aquel rey que fue comido de
20 un oso.[11] Yo trepaba por las corroídas columnas del pórtico bizantino y miraba de cerca las figuras atónitas del Padre Eterno y de los Santos, toscas esculturas impregnadas de no sé qué pavor religioso. Me abrazaba con ellas, y ayudado de otros muchachos traviesos, les pintaba con betún los ojos y los bigotes, con lo cual
25 las hacía más espantadas. Nos reíamos con esto; pero cuando volvía yo a mi casa, me acordaba de la figura retocada por mí y me

[8] The **Lozoya,** northwest of Madrid, is a tributary of the Jarama River which has its source in the Guadarrama Mountains. This area has some of the best water in the world. It had recently become the source of the Madrid water supply at the time Galdós was writing about. [9] To 'baptize' wine is to add water to it. [10] **Cangas de Onís** is in the province of Asturias in Northern Spain. It is just north of Covadonga, where the first battle against the Moorish invaders was won by Pelayo in 711. See also p. 23. Other placenames in this paragraph, as well as the **lago Nol** (p. 23), are in this northern coast area, where Galdós had traveled in the summer of 1880. Note the realistic details with which Galdós depicts the 'nonexistent' Manso. Cf. other instances of precise and approximate data, such as 'a summer night in '78' (p. 28), 'toward 1877' (p. 50), 'the spring of the year '80' (p. 57), or 'in September of the year '80' (p. 61). [11] Reference to the seventh-century Visigoth king Favila, who is said to have been destroyed by a bear.

dormía con miedo de ella y con ella soñaba. Veía en mi sueño la mano chata y simétrica, los pies como palmetas, las contorsiones del cuerpo, los ojos saltándose del casco, y me ponía a gritar y no me callaba hasta que mi madre no [12] me llevaba a dormir con ella. 5

Yo no hacía lo que otros chicos perversos, que con un fuerte canto le quitaban la nariz a un apóstol o los dedos al Padre Eterno, y arrancaban los rabillos de los dragones de las gárgolas, o ponían letreros indecentes encima de las lápidas votivas, cuya sabia leyenda no entendíamos. Para jugar a la pelota, preferíamos 10 siempre el pórtico bizantino a los demás muros del pobre convento, porque nos parecía que el Padre Eterno y su corte nos devolvían la pelota con más presteza. El muchacho que capitaneaba entonces la cuadrilla es hoy una de las personas más respetables de Asturias, y preside, ¡oh ironías de la vida!, la Comisión 15 de Monumentos. La naturaleza de los sitios en que pasé mi infancia ha dejado para siempre en mi espíritu impresión tan profunda, que constantemente noto en mí algo que procede de la melancolía y amenidad de aquellos valles, de la grandeza de aquellas moles y cavidades, cuyos ecos repiten el primer balbucir 20 de la historia patria; de aquellas alturas en que el viajero cree andar por los aires sobre celajes de piedra. Esto, y el sonoro, pintoresco río, y el triste lago Nol, que es un mar ermitaño, y el solitario monasterio de San Pedro, tienen indudablemente algo mío, o es que tengo yo con ellos el parentesco de conformación, 25 no de substancia, que el vaciado tiene en su molde. Diré que también ha quedado sellada en mi vida la hondísima lástima que me inspiraba aquel rey que fue comido del oso. Siento como impresos o calcados en mi masa encefálica los capiteles que reproducen la terrible historia. En uno el joven soberano se despide de su tierna 30 esposa; en otro está acometiendo al fiero animal, y más allá éste se lo merienda.[13] Cuando yo hacía travesuras, mi padre me amenazaba con que vendría el oso a comerme, como al señor de Favila, y muchas noches tuve pesadilla y veía desfilar por delante de

[12] **no** This negative is idiomatic and should not be translated. [13] Note the use of **merendar** as a transitive verb, and the humor of the bear's having the man as a snack.

mí las espantables figuras de los capiteles. Por nada del mundo me internaba solo dentro del monte; y aun hoy siempre que veo un oso me figuro por breve instante que soy rey; y también si acierto a ver a un rey me parece que hay en mí algo de oso.

Mi padre murió antes de ser viejo. Quedamos huérfanos José María, de veintidós años, y yo, de quince. Tenía mi hermano más ambición de riqueza que de gloria, y se marchó a La Habana. Yo despuntaba por el desprecio de las vanidades y por el prurito de la fama, y en mi corta edad no había en el pueblo persona que me echase el pie adelante en ilustración. Pasaba por erudito, tenía muchos libros, y hasta el cura me consultaba casos de Filosofía y Ciencias naturales. Adquirí cierta presunción pedantesca y un airecillo de autoridad de que posteriormente, a Dios gracias, me he curado por completo. Mi madre estaba tonta conmigo, y siempre que la visitaba algún señor de campanillas me hacía entrar en la sala, y con toda suerte de socaliñas obligábame a mostrar mi sabiduría en Historia o en Literatura, hablando de cosas tales, que aquellas materias vinieran a encajar en la conversación. Las más de las veces era preciso traerlas por los cabellos.

Como teníamos para vivir con cierta holgura, mi madre me trajo a Madrid, con la idea de que pronto se me abrirían aquí fáciles y gloriosos caminos; y en efecto, después de ocuparme en olvidar todo lo que sabía para estudiarlo de nuevo, vi más hermosos los horizontes, trabé amistad con jóvenes de mérito y con afamados maestros, frecuenté círculos literarios, ensanché la esfera de mis lecturas y avancé considerablemente en mi carrera, hallándome muy luego en disposición de ocupar una modesta plaza académica y de aspirar a otras mejores. Mi madre tenía en Madrid buenas amistades, entre ellas la de García Grande y su señora (que figuraron mucho tiempo en la Unión Liberal); [14] pero estas relaciones influyeron poco en mi vida, porque el fervor del estudio me aislaba de todo lo que no fuera el tráfago universitario, y ni yo iba a sociedad, ni me gustaba, ni me hacía falta para nada.

[14] The **Unión Liberal** was a political party founded in 1856 by Leopoldo O'Donnell, then Prime Minister, which attracted the middle-of-the-roaders from the progressive and conservative parties opposed to the reactionary *Carlistas.*

Estoy impaciente por hablar de mi ser moral, y de mi afición a la predilecta materia de mis estudios. Sin quererlo, se me va la pluma adonde la impulsa el particular gusto mío, y la dejo ir y aun le permito que trate este punto con sinceridad y crudeza, no escatimando mis alabanzas allí donde creo merecerlas. Decir que en materia de principios mi severidad llega hasta el punto de excitar la risa de algunos de mis convecinos de planeta parecerá jactancia; pero lo dicho está dicho y no habrá quien lo borre de este papel. Constantemente me congratulo de este mi carácter templado, de la condición subalterna de mi imaginación, de mi espíritu observador y práctico, que me permite tomar las cosas como son realmente, no equivocarme jamás respecto a su verdadero tamaño, medida y peso, y tener siempre bien tirantes las riendas de mí mismo.

Desde que empecé a dominar estos difíciles estudios, me propuse conseguir que mi razón fuese dueña y señora de mis actos, así de los más importantes como de los más ligeros; y tan bien me ha ido con este hermoso plan, que me admiro de que no le sigan y observen los hombres todos, estudiando la lógica de los hechos, para que su encadenamiento y sucesión sea eficaz jurisprudencia de la vida. Yo he sabido sofocar pasioncillas que me habrían hecho infeliz, y apetitos cuyo desorden lleva a todos a la degradación. Estas laboriosas reformas me han adestrado y robustecido para obtener en la moral menuda una serie de victorias a cual más importantes. He conseguido una regularidad de vida que muchos me envidian, una sobriedad que lleva en sí más delicias que el desenfreno de todos los apetitos. Vicios nacientes, como el fumar y el ir al café, han sido extirpados de raíz.

El método reina en mí y ordena mis actos y movimientos con una solemnidad que tiene algo de las leyes astronómicas. Este plan, estas batallas ganadas, esta sobriedad, este régimen, este movimiento de reloj que hace de los minutos dientes de rueda y del tiempo una grandiosa y bien pulimentada espiral, no podían menos de marcar, al proyectarse sobre la vida, esa fácil línea recta que se llama celibato, estado sobre el cual es ocioso pronunciar sentencia absoluta, porque podrá ser imperfectísimo o relativamente perfecto, según lo determine la acumulación de los hechos, es decir, todo lo físico y moral que, arrastrado por las corrientes de la vida, se va depositando y formando endurecidas capas o sedimentos de hábitos, preocupaciones, rutina de esclavitud o de libertad.

Mi buena madre vivió conmigo en Madrid doce años, todo el tiempo que duraron mis estudios universitarios y el que pasé dedicado a desempeñar lecciones particulares y a darme a conocer [15] con diversos escritos en periódicos y revistas. Sería frío cuanto dijera del heroico tesón con que ayudaba mis esfuerzos aquella singular mujer, ya infundiéndome valor y paciencia, ya atendiendo con solícito esmero a mis materialidades, para que ni un instante me distrajese del estudio. Le debo cuanto soy, la vida primero, la posición social, y después otros dones mayores, cuales son mis severos principios, mis hábitos de trabajo, mi sobriedad. Por serle más deudor aún, también le debo la conservación de una parte de la fortunita que dejó mi padre, la cual supo ella defender con su economía, no gastando sino lo estrictamente preciso para vivir y darme carrera como pobre. Vivíamos, pues, en decorosa indigencia; pero aquellas escaseces dieron a mi espíritu un temple y un vigor que valen por todos los tesoros del mundo. Yo gané mi cátedra y mi madre cumplió su misión.

Como si su vida fuera condicional y no tuviera otro objeto que el de ponerme en la cátedra, conseguido éste, falleció la que había sido mi guía y mi luz en el trabajoso camino que acababa de recorrer. Mi madre murió tranquila y satisfecha. Yo podía andar solo; pero ¡cuán torpe me encontré en los primeros tiempos de mi soledad! Acostumbrado a consultar con mi madre hasta las cosas más insignificantes, no acertaba a dar un paso, y andaba como a tientas con recelosa timidez. El gran aprendizaje que con ella había tenido no me bastaba, y sólo pude vencer mi torpeza recordando en las más leves ocasiones sus palabras, sus pensamientos y su conducta, que era la misma prudencia.

Ocurrida esta gran desgracia, viví algún tiempo en casa de huéspedes; pero me fue tan mal, que tomé una casita, en la cual viví seis años, hasta que, por causa de derribo, tuve que mudarme a la que ocupo aún. Una excelente mujer, asturiana, amiga de mi

[15] **darme a conocer** make myself known

madre, de inmejorables condiciones y aptitudes, se me prestó a ser mi ama de llaves. Poco a poco su diligencia puso mi casa en un pie de comodidad, arreglo y limpieza que me hicieron sumamente agradable la vida de soltero, y ésta es la hora [16] en que no tengo un motivo de queja, ni cambiaría mi Petra por todas las damas que han gobernado curas y servido canónigos en el mundo.[17]

Tres años hace que vivo en la calle del Espíritu Santo,[18] donde no falta ningún desagradable ruido; pero me he acostumbrado a trabajar entre el bullicio del mercado, y aun parece que los gritos de las verduleras me estimulan a la meditación. Oigo la calle como si oyera el ritmo del mar, y creo (tal poder tiene la costumbre) que si me faltara el *¡dos cuartitos escarola!* [19] no podría preparar mis lecciones tan bien como las preparo hoy.

[16] **ésta es la hora** to this day [17] **damas . . . mundo** They are said to be the best housekeepers [18] **Calle del Espíritu Santo** is a centrally located street in Madrid. Most of the street is a quiet residential quarter but one end of the street, where Manso lived, is part of a popular street market, which is mentioned later. It extends into the Corredera de San Pablo, also mentioned later. [19] **¡dos cuartitos escarola!** endive for six centimes (a vendor's cry)

### TEMAS

1. Describa Ud. física y moralmente a Máximo Manso.
2. ¿Qué datos biográficos se reúnen en este capítulo?

III

## Voy a hablar de mi vecina

Y no hablo de las demás vecindades porque no tienen relación con mi asunto. La que me ocupa es de gran importancia, y ruego a mis lectores que por nada del mundo pasen por alto este capítulo, aunque les vaya en ello una fortuna,[1] si bien no conviene 5 que se entusiasmen por lo de *vecina,* creyendo que aquí da principio un noviazgo o que me voy a meter en enredos sentimentales. No. Los idilios de balcón a balcón no entran en mi programa, ni lo que cuento es más que un caso vulgarísimo de la vida, origen de otros que quizá no lo sean tanto.

10 En el piso bajo de mi casa había una carnicería, establecimiento de los más antiguos de Madrid, y que llevaba el nombre de la dinastía de los Rico. Poseía esta acreditada tienda una tal doña Javiera, muy conocida en este barrio y en el limítrofe. Era hija de un Rico, y su difunto esposo era Peña, otra dinastía choricera[2] 15 que ha celebrado varias alianzas con la de los Rico. Conocí a doña Javiera en una noche de verano del 78, en que tuvimos en casa alarma de fuego, y anduvimos los vecinos todos escalera arriba y abajo, de piso en piso. Parecióme doña Javiera una excelente señora, y yo debí parecerle persona formal, digna por todos 20 conceptos de su estimación, porque un día se metió en mi casa sin anunciarse, y de buenas a primeras[3] me colmó de elogios, llamándome el hombre modelo y espejo de la juventud.

[1] **aunque . . . fortuna** even if a fortune be at stake [2] **Choricera** is used by Galdós as an adjective based on **chorizo,** 'sausage.' [3] **de buenas a primeras** right off the bat

—No conozco otro ejemplo, señor Manso —me dijo—. ¡Un hombre sin trapicheos, sin ningún vicio, metidito toda la mañana en su casa; un hombre que no sale más que dos veces, tempranito a clase, por las tardes a paseo, y que gasta poco, se cuida de la salud y no hace tonterías! . . . [ . . . ] Yo hablo todos los días de usted con cuantos me quieren oír y le pongo por modelo . . . Pero no nacen de estos hombres todos los días. 5

Desde aquél la visité, y cuando entraba en su casa me recibía poco menos que con palio.[4]

—Yo no debiera abrir la boca delante de usted —me decía—, porque soy una *ignoranta*, una paleta, y usted todo lo sabe. Pero no puedo estar callada. Usted me disimulará los disparates que suelte y hará como que[5] no los oye. No crea usted que yo desconozco mi ignorancia, no, señor de Manso. No tengo pretensiones de sabia ni de instruída, porque sería ridículo, ¿sabe usted? Digo lo que siento, lo que me sale del corazón, que es mi boca . . . Soy así, francota, natural, más clara que el agua; como que soy de tierra de Ciudad Rodrigo[6] . . . Más vale ser así que hablar con remilgos y plegar la boca, buscando vocablotes que una no sabe lo que significan. 10 15 20

La honrada amistad entre aquella buena señora y yo crecía rápidamente. [ . . . ] Un día que bajé, vi que había puesto en marco y colgado de la pared de la sala un retrato mío que publicó no sé qué periódico ilustrado. Esto me hizo reír; y ella, congratulándose de lo que había hecho, me hizo reír más. 25

—He quitado a San Antonio para ponerle a usted. Fuera santos y vengan catedráticos[7] . . . Vamos, que el otra día leyendo lo que usted decía en el periódico, me daba un gozo. . .

No me faltaba en las fiestas principales ni en mis días[8] el regalito de chacina, jamón u otros artículos apetitosos de lo mucho y bueno que en la tienda había, todo tan abundante, que no pudiendo consumirlo por mí solo, distribuía una buena parte entre 30

[4] **me recibía . . . palio** received me regally; received me practically as if I were a prince [5] **hará como que** will act as if; will pretend [6] The natives of the province of Salamanca, where **Ciudad Rodrigo** is situated, are said to be frank and generous. [7] **Fuera . . . catedráticos** Out with the saints, away with the saints, down with the saints and let's have professors [8] **días** Saint's day and birthday

mis compañeros de claustro, alguno de los cuales, ardiende devoto de la carne de cerdo, me daba bromas con mi vecina.

Pero las finezas de doña Javiera no escondían pensamiento amoroso, ni eran totalmente desinteresadas. Así me lo manifestó
5 un día en que [ . . . ] subió a mi casa, y sentándose con su habitual llaneza en un sillón de mi sala-despacho, se puso a contemplar mi estantería de libros, rematada por bustos de yeso. Ocupábame yo aquella mañana en poner notas y prólogo a una traducción del *Sistema de Bellas Artes* de Hegel,[9] hecha por un amigo. Las ideas
10 sobre lo bello llenaban mi mente y se revolvían en ella, produciéndome ya tal confusión, que la vista de aquella señora fue para mi pensamiento un placentero descanso. La miré y sentí que se me despejaba la cabeza, que volvía a reinar el orden en ella, como cuando entra el maestro en la sala de una escuela donde los chi-
15 quillos están de huelga y broma. Mi vecina era la autoridad estética, y mis ideas, diré lo de una vez, la pillería aprisionada que, en ausencia de la realidad, se entrega a desordenados juegos y cabriolas. Siempre me había parecido doña Javiera persona de buen ver; pero aquel día se me antojó hermosísima. La mantilla negra,
20 el gran pañolón de Manila,[10] amarillo y rameado (pues venía de ser madrina de bautizo de un chico del carbonero), las joyas anticuadas, pero verdaderamente ricas, de pura ley, vistosas, con esmeraldas y fuertes golpes de filigrana, daban grandísimo realce a su blanca tez y a su negro y bien peinado cabello. ¡Bendito sea
25 Hegel!

Todavía estaba doña Javiera en muy buena edad, y aunque la vida sedentaria le había hecho engrosar más de lo que ordena el Maestro [11] en el capítulo de las proporciones, su gallarda estatura, su buena conformación y reparto de carnosidades, huecos y bultos
30 casi casi hacían de aquel defecto una hermosura. Al mirarla destacándose sobre aquel fondo de librería, hallaba yo tan gracioso el contraste, que al punto se me ocurrió añadir a mis comentarios uno sobre la *Ironía en las Bellas Artes.*

[9] Georg Wilhelm Friedrich Hegel, 1770-1831, German philosopher, and author of *Philosophy of Fine Art,* for a translation of which Manso is writing a preface [10] The shawls of Manila were very famous ones, immortalized in Bretón's zarzuela *La verbena de la Paloma.* [11] i.e. Hegel

—Estoy aquí mirando los *padrotes* —dijo, volviendo sus ojos a lo alto de la pared.

Los *padrotes* eran cuatro bustos comprados por mi madre en una tienda de yesos. Los había elegido sin ningún criterio, atendiendo sólo al tamaño, y eran Demóstenes, Quevedo, Marco Aurelio y Julián Romea.[12]

—Ésos son los maestros de todo cuanto se sabe —indicó la señora, llena de profundo respeto—. ¡Y cuánto libro! ¡Si habrá letras aquí . . . ! [13] ¡Virgen! ¡Y todo esto lo tiene usted en la cabeza! [ . . . ] Pero vamos a nuestro asunto. Atiéndame usted.

No necesitaba que me lo advirtiese, porque tenía toda mi atención puesta en ella.

—Yo le tengo a usted mucha ley, señor de Manso; usted es un hombre como hay pocos . . . , miento, como no hay ninguno. Desde que le traté se me entró usted por el ojo derecho,[14] se me metió en el cuerpo y se me aposentó en el corazón. . .

Al decir esto rompió a reír, añadiendo:

—Pues parece que le hago a usted el amor; y no es eso, señor de Manso. No lo digo porque usted no lo merezca, ¡Virgen!, pues aunque tiene usted cara de cura, y no es ofensa, no señor . . . Pero vamos al caso . . . Se ha quedado usted un poco pálido; se ha quedado usted más serio que un plato de habas.

Yo estaba un poquillo turbado, sin saber qué decir. Doña Javiera se explicó al fin con claridad. ¿Qué pretendía de mí? Una cosa muy natural y sencilla, pero que yo no esperaba en tal instante, sin duda porque los diablillos que andaban dentro de mi cabeza jugando con la materia estética y haciendo con ella mangas y capirotes me tenían apartado de la realidad; y estos mismos diablillos fueron causa de que me quedara confuso y aturdido cuando oí a doña Javiera manifestar su pretensión, la cual era que me encargase de educar a su hijo.

[12] Demosthenes, 384-22 B.C., most eloquent of the Athenian orators. Quevedo, see p. 21, n. 5, was a witty and impassioned critic. Marcus Aurelius, A.D. 161-80, most virtuous of the Roman emperors, a Stoic, known for his wisdom and moderation. Julián Romea, well-known Spanish actor of the period of which Galdós writes [13] **¡Si . . . aquí . . . !** How much knowledge there must be here! [14] **se me entró . . . derecho** you hit me the right way; you made a good impression

—El chico —prosiguió ella, echándose atrás el manto— es de la piel de Satanás. Ahora va a cumplir veintiún años. Es de buena ley, eso sí, tiene los mejores sentimientos del mundo, y su corazón es de pasta de ángeles. Ni a martillazos entra en aquella cabeza 5 un mal pensamiento. Pero no hay cristiano que le haga estudiar. Sus libros son los ojos de las muchachas bonitas; su biblioteca los palcos de los teatros. Duerme las mañanas, y las tardes se las pasa en el picadero, en el gimnasio, en eso que llaman . . . no sé cómo, el *Ascatin,*[15] que es donde se patina con ruedas. El mejor día [16] 10 se me entra en casa con una pierna rota. Me gasta en ropa un caudal, y en convidar a los gorrones de sus amiguitos otro tanto. Su pasión es los novillos, las corridas de aficionados, tentar becerros, derribar vacas, y su orgullo demostrar mucho pecho, mucho coraje. Tiene tanto amor propio, que el que le toque ya tiene para 15 un rato, ¡Virgen! . . . En fin, por sus cualidades buenas y hasta por sus tonterías, paréceme que hay en él mucho de perfecto caballero; pero este caballero hay que labrarlo, amigo don Máximo, porque si no, mi hijo será un perfecto ganso . . . Tanto le quiero, que no puedo hacer carrera de él, porque me enfado, ¿ve usted?, 20 hago intención de reñirle, de pegarle, me pongo furiosa, me encolerizo a mí misma para no dejarme embaucar; pero [ . . . ] viene el niño, se me pone delante con aquella carita de ángel pillo, me da dos besos, y ya estoy lela . . . Se me cae la baba, amigo Manso, y no puedo negarle nada . . . Yo conozco que le estoy echando a 25 perder, que no tengo carácter de madre . . . [ . . . ] Lo que le hace falta es un maestro que, al mismo tiempo que maestro, sea un buen amigo, un compañero que a la chita callando y de sorpresa le vaya metiendo en la cabeza las buenas ideas; que le presente la ciencia como cosa bonita y agradable; que no sea regañón, ni 30 pesado, sino bondadoso; [ . . . ] que se ría, si a mano viene,[17] y tenga labia para hablar de cosas sabias con mucho aquel, metiéndolas por los ojos y por el corazón.

Quedéme asombrado de ver cómo una mujer sin lectura había

[15] This is doña Javiera's way of pronouncing 'skating,' a word used in Spain for the rinks, and Galdós's way of smiling at her as well as at the Spaniards for borrowing English words, although he himself was inclined to use them.
[16] **El mejor día** One of these days [17] **si . . . viene** if the occasion arises

comprendido tan admirablemente el gran problema de la educación. Encantado de su charla, yo no le decía nada, y sólo le indicaba mi aquiescencia con expresivas cabezadas, cerrando un poquito los ojos, hábito que he adquirido en clase cuando un alumno me contesta bien. 5

—Mi hijo —añadió la carnicera— tiene y tendrá siempre con qué vivir. Aunque me esté mal el decirlo, yo soy rica. Las cosas claras; soy de tierra de Ciudad Rodrigo. Por eso quiero que aprenda también a ser económico, arregladito, sin ser cicatero. No tengo a deshonra el pasar mi vida detrás de una tabla de carne. ¡Virgen! 10 Pero no me gusta, amigo Manso, que mi hijo sea carnicero, ni tratante en ganados, ni nada que se roce con el cuerno, la cerda y la tripa. Tampoco me satisface que sea un vago, un pillastre, un cabeza vacía, uno de esos que al salir de la Universidad no saben ni persignarse. Yo quiero que sepa todo lo que debe saber un ca- 15 ballero que vive de sus rentas; yo quiero que no abra un palmo de boca cuando delante de él se hable de cosas de fundamento . . . Y véase por dónde me han deparado Dios y la Virgen del Carmen el profesor que necesito para mi pimpollo. Ese maestro, ese sabio, ese padrote, es usted, señor don Máximo . . . No, no se haga usted 20 el chiquitito ni me ponga los ojos en blanco . . .[18] ¡Para que todo le venga bien, mi Manolo tiene por usted unas simpatías . . . ! Como empiece a hablar de nuestro vecino, no acaba. Y yo le digo: "Pues haz de parecerte a él, hombre, aunque no sea más que de lejos . . ." Ayer le dije: "Te voy a poner a estudiar tres o cuatro 25 horas todos los días en casa del amigo Manso," ¡y se puso más contento . . . ! Le tengo matriculado en la Universidad; pero de cada ocho días, me falta siete a clase. Dice que le aburren los profesores y le da sueño la cátedra. En fin, señor don Máximo, usted me lo toma por su cuenta o perdemos las amistades. En cuanto a 30 honorarios, usted es quien los ha de fijar . . . Bendito sea Dios que le trajo a usted a poner su nido en el tercero [19] de mi casa . . . Lo digo, amigo Manso, usted ha bajado del séptimo cielo. . .

Mucho me agradó la confianza que en mí ponía la buena señora, y por lo agradable de la misión, así como por la honra que 35

[18] **me ponga . . . blanco** show the white of your eyes; look innocent
[19] fourth floor

con ella me hacía, acepté. Resistíme a tomar honorarios; pero doña Javiera opuso tal resistencia a mi generosidad, y se enojó tanto, que estuvo a punto de pegarme, y aun creo que me pegó algo. Todo quedó convenido aquel mismo día, y desde el si-
5 guiente empezaron las lecciones.

### TEMAS

1. Doña Javiera: su aspecto físico y su carácter.
2. ¿Cómo retrata doña Javiera a su hijo?
3. ¿Qué le propone doña Javiera a Manso?

IV

## Manolito Peña, mi discípulo

Doña Javiera era [ . . . ] viuda. El establecimiento había prosperado mucho en manos del difunto, hombre de gran probidad muy entendido en cuerno y cerda, sagaz negociante, castellano rancio, buen bebedor, con la pasión de los toros llevada al delirio. Falleció de un cólico miserere a los cincuenta años. Cuatro habían pasado desde esta desgracia cuando yo conocí a doña Javiera, que andaba a la sazón alrededor de los cuarenta; y por aquellos mismos días los murmullos del barrio la suponían en relaciones ilícitas con un tal Ponce, que había sido barítono de zarzuela; sujeto de chispa y de buena figura, pero ya muy marchito; holgazán rematado, aunque blasonaba de ciertas habilidades mecánicas que para nada servían, como no fuera para que él se impacientara y se aburrieran los demás.[1] Todo el santo día lo pasaba este hombre en la casa de mi vecina, bien haciendo un palacio de cartón para rifarlo, bien construyendo una jaula tan grande y complicada, que no se acababa nunca. [ . . . ] Sabía hacer composturas y tenía máquina de calar, con la que confeccionaba mil fruslerías de tabla, chapa y marfil, todo enmarañado y de mal gusto, frágil, inútil y jamás concluído.

Pero dejemos a Ponce y vengamos a mi discípulo. Era Manuel Peña de índole tan buena y de inteligencia tan despejada, que al punto comprendí no me costaría gran trabajo quitarle sus malas mañas. Éstas provenían del hervor de la sangre, de la generosidad

[1] **como no . . . demás** except to irritate himself and bore others

e instintos hidalgos del muchacho, del prurito de lo ideal que vigorosamente aparece en las almas jóvenes; de su temperamento entre nervioso y sanguíneo; de su admirable salud y buen humor, que le ponían a salvo de melancolías, y por último, de la vanidad 5 juvenil que en él despertaban su hermosísima figura y agraciado rostro.

Mi complacencia era igual a la del escultor que recibe un perfecto trozo del mármol más fino para labrar una estatua. Desde el primer día conocí que inspiraba a mi discípulo no sólo respeto, 10 sino simpatía; feliz circunstancia, pues no es verdadero maestro el que no se hace querer de sus alumnos, ni hay enseñanza posible sin la bendita amistad, que es el mejor conductor de ideas entre hombre y hombre.

Buen cuidado tuve al principio de no hablar a Manuel de estu- 15 dios serios, y ni por casualidad le menté ninguna ciencia, ni menos filosofía, temeroso de que saliera escapado de mi despacho. Hablábamos de cosas comunes, de lo mismo que a él tanto le gustaba y yo había de combatir; obliguéle a que se explicase con espontaneidad, mostrándome las facetas todas de su pensamiento; y yo al 20 mismo tiempo, dando a tales asuntos su verdadero valor, procuraba presentarle el aspecto serio y transcendente que tienen todas las cosas humanas, por [2] frívolas que parezcan.

De esta suerte las horas corrían, y a veces pasaba Manuel en mi casa la mayor parte del día. De las determinaciones de su espíritu 25 me parecieron más débiles el concepto y la volición. En cambio noté que en la cooperación armónica de sus variadas actividades fundamentales se determinaba con gran brío su espíritu como sentimiento, y eché de ver las ventajas que yo podía obtener cultivando aquella determinación en el terreno estético. [ . . . ]

30 Principié mi obra por los poetas. ¡Lástima grande que el chico no supiera ni jota de latín, privándome de darle a conocer los tesoros de la poesía antigua! Confinados en nuestra lengua, la emprendimos con el Parnaso español [3] tan afortunadamente, que mi discípulo hallaba en nuestras conferencias vivísimo deleite. Yo le 35 veía palidecer, inflamarse, reflejando en su cara la tristeza o el entusiasmo, según que leíamos y comentábamos este o el otro lírico,

[2] **por** no matter how [3] The collection of great Spanish poets

fray Luis de León, San Juan de la Cruz, o el enfático y ruidosísimo Herrera.[4] Pocas indicaciones me bastaban al principio para hacerle comprender lo bueno, y bien pronto se adelantaba él a mi crítica con pasmoso acierto. Era artista, sentía ardientemente la belleza, y aun sabía apreciar los primores del estilo, a pesar de hallarse desposeído casi en absoluto de conocimientos gramaticales.

Más tarde estudiamos los poetas contemporáneos, y en poco tiempo se familiarizó con ellos. Su memoria era felicísima, y a lo mejor [5] le sorprendía recitando con admirable sentido trozos de poemas modernos, de leyendas famosas y de composiciones ligeras o graves. Razón había para esperar que mi discípulo, que de tal modo se identificaba con la poesía, fuera también poeta. Cierto día me trajo con gran misterio unas quintillas; las leí, pero me parecieron tan malas, que le ordené no volviese a tutear a las Musas en todos los días de su vida, y que se mantuviera con ellas en aquel buen término de respeto y cariño que imposibilita la familiaridad. Le convencí de que no era de la familia, de que son cosas muy distintas sentir la belleza y expresarla, y él, sin ofensa de su amor propio, me prometió no volver a ocuparse de otros versos que de los ajenos.

Al comenzar nuestras conferencias me confesó ingenuamente que el *Quijote* le aburría; pero cuando dimos en él,[6] después de bien estudiados los poetas, hallaba tal encanto en su lectura, que algunas veces le corrían las lágrimas de tanto reír, otras se compadecía del héroe con tanta vehemencia, que casi lloraba de pena y lástima. Decíame que por las noches se dormía pensando en los sublimes atrevimientos y amargas desdichas del gran caballero, y que al despertar por las mañanas le venían ideas de imitarle, saliendo por ahí con un plato en la cabeza. Era que, por privilegio de su noble alma, había penetrado el profundo sentido del libro en que con más perfección están expresadas las grandezas y las debilidades del corazón humano.

[4] These are three famous poets of the sixteenth century. Fernando de Herrera is referred to as 'emphatic and very noisy' because of the pomp and oratory of some of his poetry. [5] **a lo mejor** like as not [6] **cuando dimos en él** when we got to it

Uno de los principales fines de mis lecciones debía ser enseñar a Manuel a expresarse por medio del lenguaje escrito, porque si en la conversación se producía bien y con soltura, escribiendo era una calamidad. Sus cartas daban risa. Usaba los giros más raros
5 y la sintaxis más endiablada que puede imaginarse, y la pobreza de vocablos corría parejas en él con la carencia de criterio ortográfico. Conociendo que la teoría gramatical no le serviría de nada sin la práctica, combiné los dos sistemas, obligándole a copiar trozos escogidos, no de los antiguos, cuya imitación es nociva,
10 sino de los modernos, como Jovellanos, Moratín, Mesonero, Larra y otros.[7]

Y en tanto, para completar el estudio de la mañana, salíamos a pasear por las tardes, ejercitándonos de cuerpo y alma, porque a un tiempo caminábamos y aprendíamos. Ésta es la eficaz ense-
15 ñanza deambulatoria, que debiera llamarse *peripatética,* no por lo que tenga de aristotélica, sino de paseante. De todo hablábamos, de lo que veíamos y de lo que se nos ocurría. Los domingos íbamos al Museo del Prado, y allí nos extasiábamos viendo tanta maravilla. Al principio notaba yo cierto aturdimiento en la ma-
20 nera de apreciar de mi discípulo. Pero muy pronto su juicio adquirió pasmosa claridad, y el gusto de las artes plásticas se desarrolló potente en él como se había desarrollado el de los poetas. Me decía: "Antes había venido yo muchas veces al Museo; pero no lo había visto hasta ahora."
25 Gustaba yo de enseñarle todo prácticamente usando ejemplos siempre que no tenía a mi disposición la realidad viva [ . . . ] En la esfera moral, la experiencia ha hecho más adeptos que los sermones, y la desgracia más cristianos que el Catecismo. [ . . . ]

Yo era feliz con esta vida, y veía con gozo aumentar el afecto
30 que me tenía mi discípulo. ¡Qué grandes victorias había alcanzado yo sobre sus voluntariedades, sobre las rebeldías y asperezas

[7] Gaspar Melchor de Jovellanos, 1744-1811, political figure, critic, and essayist of the Spanish enlightenment. Leandro Fernández de Moratín, 1760-1828, dramatist; see p. 15, n. 2. Ramón de Mesonero Romanos, 1802-82, essayist, writer of social sketches and memoirs of his period which were very useful to Galdós in re-creating those times in other novels. Mariano José de Larra, 1809-37, essayist, biting critic, and satirist. All are considered here as models of eloquent prose.

de su carácter! Pero de esto hablaré más adelante. Ahora, para que no se crea que en mi vida todo era rosas, hablaré de algunas molestias y sinsabores, dando la preferencia a una persona, a un cínife que frecuentemente interrumpía la paz de mis estudios con sus visitas y chupaba la sangre acuñada de mis bolsillos, después de zumbarme y marearme con insufrible charla y aguda trompetilla. Me refiero a la infeliz señora de García Grande, unida siempre en mi memoria al tierno recuerdo de mi madre, que, inspirada de su inagotable bondad, me dejó este legado, este censo, esta fastidiosa carga, contribución de sangre, dinero, tiempo y paciencia.

### TEMA

1. El plan de estudios que Manso le impone a Manolito Peña.

V

## ¿Quién podrá pintar a doña Cándida?

Nadie, absolutamente nadie. Pero como *el intentarlo sólo es heroísmo*, voy a ser héroe de esta empresa pictórica. [ . . . ] Doña Cándida era viuda de García Grande, personaje que desempeñó segundos o terceros papeles en el período llamado de la Unión
5 Liberal. Era de estos que no fatigan a la posteridad ni a la fama. [ . . . ] García Grande había sido hombre de negocios, de estos que tienen una mano en la política menuda y otra en los negocios gordos; [ . . . ] hombre sin ideas, pero dotado de buenas formas, que suplen a aquéllas; apetitoso de riquezas fáciles; [ . . . ] una
10 nulidad barnizada, agiotista sin genio, orador sin estilo y político sin tacto, que no informaba, sino decoraba las situaciones. [ . . . ]

García Grande [ . . . ] derrochó su fortuna, la de su mujer, y parte no chica de varios patrimonios ajenos, porque una sociedad anónima [1] para aseguararnos la vida, de que fue director-gerente,
15 arrambló con las economías de media generación, y allá se fue todo al hoyo. Decían que García Grande era honrado, pero débil. ¡Qué gracia! La debilidad y la honradez están siempre mal avenidas. [ . . . ]

Sirva de disculpa a García Grande, aunque no de consuelo a los
20 que aseguraron sus vidas en él, la afirmación de que su eminente esposa era un ser providencial, hecho de encargo y enviado por Dios sobre las sociedades anónimas ( ¡designios misteriosos! ) para dar en tierra con [2] todos los capitales que se le pusieran delante

[1] **sociedad anónima** corporation [2] **dar . . . con** do away with

y aun con los que se le pusieran detrás. [ . . . ] Jamás vio Madrid mujer más disipadora, más apasionada del lujo, más frenética por todas las ruinosas vanidades de la edad presente.

Mi madre, que la conoció en sus buenos tiempos, allá en los días, no sé si dichosos o adversos, [ . . . ] de la guerra de África,[3] [ . . . ] de las millonadas por ventas de bienes nacionales, del ensanche de la Puerta del Sol, [ . . . ] de la omnipotencia de O'Donnell y del Ministerio largo; [4] mi madre, repito, que fue muy amiga de esta señora, me contaba que vivía en la opulencia relativa de los ricos de ocasión. A su casa [ . . . ] iba mucha gente a comer, y se daban saraos y veladas, tés, merendonas y asaltos. Las pretensiones aristocráticas de Cándida eran tan extremadas, que mientras vivió García Grande no dejó de atosigarle para que se proporcionase un título; pero él se mantuvo firme en esto, y conservando hacia la aristocracia el respeto que se ha perdido desde que han empezado a entrar en ella a granel todos los ricos, no quiso adquirir título, ni aun de los romanos,[5] que, según dicen, son muy arreglados.

Si mientras duraron los dineros la vanidad y disipación de Cándida superaban a los derroches de la marquesa de Tellería,[6] en la adversa fortuna ésta sabía defenderse heroicamente de la pobreza y enmascarar de dignidad su escasez, mientras que la amiga de mi madre hacía su papel de pobre lastimosamente, y puesto el pie en la escala de la miseria, descendió con rapidez hasta un extremo parecido a la degradación. [ . . . ] Doña Cándida, cuya educación debió de ser perversa, no sabía envolver sus apuros en el cendal de nobleza y distinción que era en la otra especialidad notoria. Veinte años después de muerto su marido, y cuando doña Cán-

[3] the Spanish war with Morocco in 1859 [4] **Puerta del Sol** is the most important 'square' or circle in Madrid; scene of many an uprising and other memorable events. Leopoldo O'Donnell, 1809-67, general and President of the Congress; see p. 14, n. 14. At a time when one cabinet followed another in rapid succession, O'Donnell's presidency of five years represented a long term. [5] A title of nobility was more easily purchased from the Vatican. Galdós makes many references to the *nouveaux riches* who sought titles during the nineteenth century. Cf. allusions to José María Manso, p. 74. [6] The Marquesa de Tellería and her family appear in other novels of Galdós. The reappearance of characters is another typical device of the author, as it was of Balzac.

dida, sin juventud, sin belleza, sin casa ni rentas, vivía poco menos que de limosna, no se podía aguantar su enfático orgullo, ni su charla llena de pomposos embustes. Siempre estaba esperando el alza para vender unos títulos . . . ; siempre estaba en tratos para vender no sé qué tierras situadas más allá de Zamora . . . ,[7] se iba a ver en el caso doloroso de malbaratar dos cuadros, uno de Ribera y otro de Pablo de Voss,[8] un apóstol y una cacería . . . Títulos, ¡ah!, tierras, cuadros, estaban sólo en su mente soñadora. No abría la boca para hablar de cosa grave o insignificante sin sacar a relucir nombres de marqueses y duques.

En toda ocasión salía su dignidad; de su infeliz estado hacía ridícula comedia, y lo que llamaba su decoro era un velo de mentiras mal arrojado sobre lastimosos harapos. Tan transparente era el tal velo, que hasta los ciegos podían ver lo que debajo estaba. Pedía limosna con artimañas y trampantojos, poniéndose con esto al nivel de la pobreza justiciable. Yo la conocía en el modo de tirar de la campanilla cuando venía a esta casa. Llamaba de una manera imperiosa; decía a la criada: "¿Está ése?," y se colaba de rondón en mi cuarto, interrumpiéndome en las peores ocasiones, pues la condenada parece que sabía escoger los momentos en que más anheloso estaba yo de soledad y quietud. Conociendo mi flaqueza de coleccionar cachivaches, mi enemiga traía siempre una porcelana, estampa o fruslería, y me las mostraba diciéndome:

—A ver: ¿cuánto te parece que darán por esto? Es hermosa pieza. Sé que la marquesa de X daría diez o doce duros; pero si lo quieres para tu coleccioncita, tómalo por cuatro, y dáme las gracias. Ya ves que por ti sacrifico mis intereses . . . una cosa atroz.

Me entraban ganas de ponerla en la calle; pero me acordaba

[7] **Zamora** is capital of the province of Zamora, northwest of Madrid. The lack of precision about where the lands are is in harmony with their nonexistence as far as Da. Cándida is concerned. [8] José de Ribera, 1591-1652, Spanish painter, known among the Italians with whom he studied and worked as Lo Spagnoletto. His works include many portraits of saints and other religious subjects. Paul de Voss, 1596-1678, Flemish painter of animals, especially in scenes of hunts. As the narrator suggests, Da. Cándida did not own any of these originals, but it was safe to make a general reference to the type of paintings which were characteristic of these two artists.

de mi buena madre y del encargo solemne que me hizo poco antes de morir. Doña Cándida había tenido con ella, en sus días de prosperidad, exquisitas deferencias. Además de esto, García Grande, director de Administración local en 1859, salvó a mi padre de no sé qué gravísimo conflicto ocasionado por cuestiones electorales. 5
Mi madre, que en materias de agradecimiento alambicaba su memoria para que ni en la eternidad se le olvidase el beneficio recibido, me recomendó en sus últimas horas que por ningún motivo dejase de amparar como pudiese a la pobre viuda. Comprábale yo las baratijas; pero ella, con ingenio truhanesco, hallaba medio de 10
llevárselas juntamente con el dinero. Variaba con increíble fecundidad los procedimientos de sus feroces exacciones. A lo mejor entraba diciendo:

—¿Sabes? Mi administrador de Zamora me escribe que para la semana que entra me enviará el primer plazo de esas tierras... 15
¿Pero no te he dicho que al fin hallé comprador? Sí, hombre; atrasado estás de noticias... ¡Y si vieras en qué buenas condiciones! ... El duque X, mi colindante, las toma para redondear su finca [...] En fin, tengo que mandar un poder y hacer varios documentos, una cosa atroz... Préstame mil reales, que te los devol- 20
veré la semana que entra sin falta.

Y luego, por disimular su ansiedad de metálico, tomaba un tonillo festivo y de *gran mundo*, exclamando:

—¡Qué atrocidad!... Parece increíble lo que he gastado en la reparación de los muebles de mi sala... Los tapiceros del día son 25
unos bandidos... Una cosa atroz, hijo... [...]

Hacía que se marchaba, fingiendo una distracción de buen tono, y a mí me parecía que veía el cielo abierto [9] mirándola partir; mas desde la puerta volvía, diciendo:

—¡Ah! ¡Qué cabeza la mía!... ¿Me das o no esos mil reales? 30
La semana que viene te podré entregar un par de mil duros, si te hacen falta para tus negocios... No, no me lo agradezcas... Si me haces un gran favor... ¿Dónde hallaría mayor seguridad para colocar mi dinero?

—A mí no me hace falta nada —le decía yo. 35

[9] **veía ... abierto** I was greatly relieved; things looked cheerful; things brightened up; I saw my way clear

Veníanseme a la boca las palabras: "vaya usted noramala, señora"; pero calculando que me pedía para el casero o para otra urgente necesidad, cedían mis ímpetus egoístas ante mi generosa flaqueza y el recuerdo de mi madre, y le daba la mitad de lo 5 pedido.

No pasaba el mes sin que volviese trayéndome un viejo reloj o miniatura antigua de escaso mérito.

–Me vas a hacer un favor. Acepta esto en memoria mía. ¡Si vieras qué enferma estoy, una cosa atroz! [. . . ]

10 –Cercana a la tumba –decía con patética voz–, parece que se enardecen mis afectos y que te quiero más, una cosa atroz... Adiós, hijo mío.

Levantábase pesadamente; pero al dar los primeros pasos hacia la puerta, se metía las manos en el bolsillo, lanzaba una exclama-15 ción de contrariedad y sorpresa, y decía:

–Vaya . . . ¡qué cabeza! ¡Qué atrocidad! ¿Pues no se me ha olvidado el portamonedas? . . . Y tenía que ir a la botica. Tendré que volver a casa y subir los noventa escalones . . . ¡Qué mala estoy, Dios mío! Díme: ¿tienes ahí tres duros? Te los mandaré 20 más tarde con Irenilla.

Se los daba. ¿Qué había de hacer? Pero un día de los muchos en que me embistió con esta estratagema, no pude contener el enfado y dije a mi cínife:

–Señora, cuando usted tenga falta, pídame con verdad y sin 25 comedias, pues tengo el deber de no dejarla morir de hambre . . . Me gusta la verdad en todo, y las farsas me incomodan.

Ella lo tomó a risa,[10] diciéndome que mis bromas le hacían gracia,[11] que su dignidad . . . ¡una cosa atroz! y no sé qué más.

Después que le eché tal filípica, parecióme que había estado 30 un poco fuerte, y sentí vivos remordimientos, porque la pobreza tiene sin duda cierto derecho a emplear para sus disimulos los medios más extraños. La indigencia es la gran propagadora de la mentira sobre la tierra, y el estómago la fantasía de los embustes.

Doña Cándida había sido hermosa. En la primera etapa de su 35 miseria había defendido sus facciones de la lima del tiempo; pero

[10] **lo tomó a risa** she took it lightly or as a joke [11] **hacían gracia** amused

ya en la época esta de las visitas y de los ataques a mi mal defendido peculio, la vejez la redimía del cuidado de su figura, y no sólo había colgado los pinceles,[12] sino que ni aun se arreglaba con aquel esmero que más bien corresponde a la decencia que a la presunción. [ . . . ] Así como en su conducta no existía la dignidad de la pobreza, en su vestido no había el aseo y compostura que son el lujo, o mejor dicho, el decoro de la miseria. El corte era de moda, pero las telas ajadas y sucias declaraban haber sufrido infinitas metamorfosis antes de llegar a aquel estado. Prefería guiñapos de un viso elegante a una falda nueva de percal o mantón de lana. [ . . . ]

Usaba un tupido velo que a la luz solar ofrecía todos los cambiantes del iris, por efecto de los corpúsculos de polvo que se habían agarrado a sus urdimbres. En la sombra parecía una masa de telarañas que velaban su frente, como si la cabeza anticuada de la señora hubiera estado expuesta a la soledad y abandono de un desván durante medio siglo. Sus dos manos, con guantes de color de ceniza, me producían el efecto de un par de garras, cuando las veía vueltas hacia mí, mostrándome descosidas las puntas de la cabritilla y dejando ver los agudos dedos.[13] [ . . . ]

De perfil tenía doña Cándida algo de figura romana. Era mi cínife muy semejante al Marco Aurelio de yeso que figuraba con los otros *padrotes* sobre mi estantería. De frente no eran tan perceptibles las reminiscencias de su belleza. Brillaba en sus ojos no sé qué de avidez insana, y tenía sonrisas antipáticas, propiamente secuestradoras, con más un movimiento de cabeza siempre afirmativo, el cual, no sé por qué, me revelaba incorregible prurito de engañar. La finura de sus modales era otra reminiscencia que la hacía tolerable, y a veces agradable, si bien no tanto que me hiciera desear sus visitas. El parecido con Marco Aurelio, que yo

[12] This expression is fashioned on **colgar el hábito,** 'to leave the priesthood'; colloquially, 'to hang one's habit.' Da. Cándida had 'hung her paint brushes,' that is, had ceased to fix up and take care of her looks. [13] In this description of Da. Cándida we are reminded of Quevedo's manner of dehumanizing an individual by the use of images associated with animals or grotesque figures. Note here the **masa de telarañas, guantes de color de ceniza, un par de garras;** see also the **trompetilla de mosquito** (p. 58), and others.

hice notar cierto día a mi discípulo, fue causa de que éste la diese aquel nombre romano; pero después, confundiendo maliciosamente aquel emperador con otro, la llamaba *Calígula.*[14]

Impresionada sin duda por la filípica que le eché aquel día, 5 varió de sistema. Larga temporada estuvo sin visitarme, o lo hacía contadas veces; pero no me pedía dinero verbalmente. Para darme los golpes se valía de su sobrina, a quien mandaba a mi casa, portadora de un papelito pidiéndome cualquier cantidad con esta fórmula: "Haz el favor de prestarme tres o cuatros duros, 10 que te los devolveré la semana que entra."

Las semanas de doña Cándida se componían, como las de Daniel,[15] de setenta semanas de años o poco menos.

El sistema de poner el sablote en las inocentes manos de una niña era prueba clara de la astucia y sagacidad de la vieja, por- 15 que, conociendo mi grande amor a la infancia, calculaba que era imposible la negativa. Y tenía razón la maldita; porque cuando yo veía entrar a la postulante alargándome el papelito sin rodeos ni socaliñas, ya estaba echando mano a mi bolsillo o a la gaveta para adelantarme a la acción de la pobre niña y evitarle la pena 20 de dar el fastidioso recado.

[14] Caligula, Roman emperor of the first century A.D., known for his excessive cruelty. Peña is said to confuse him 'maliciously' with Marcus Aurelius, whom doña Cándida resembled physically, because of the contrast to the virtue of Marcus Aurelius. [15] Daniel 9:24,25. According to Christian theologians each of the seventy weeks of penance, which Gabriel told Daniel in his vision the Jews would have to do, was seven years long.

TEMAS

1. ¿Cómo había sido García Grande?
2. ¿Qué rasgos predominan en el carácter de doña Cándida?
3. ¿Por qué se le llamó Calígula?

VI

## Se llamaba Irene

Su palidez, su mirada un tanto errática y ansiosa, que parecía denotar falta de nutrición; su actitud cohibida y pudorosa, como si le ocasionaran vivísimo disgusto las comisiones de su tía, me inspiraban mucha lástima. Así es que además de la limosna, yo solía tener en mi casa algún repuesto de golosinas. Presumiendo 5 que rara vez tendrían satisfacción en ella los vehementes apetitos infantiles, dábale algunas golosinas sin hacerla esperar, y ella las cogía con ansia no disimulada, me daba tímidamente las gracias, bajando los ojos, y en el mismo instante empezaba a comérselas. Sospeché que este apresuramiento en disfrutar de mi regalo era 10 por el temor de que, si llegaba a su casa con caramelos o dulces en el bolsillo, doña Cándida querría participar de ellos. Más adelante supe que no me había equivocado al pensar de este modo.

Me parece que la veo junto a mi mesa escudriñando libros, cuartillas y papeles, y leyendo en todo lo que encontraba. Tenía 15 entonces doce años y en poco más de tres había vencido las dificultades de los primeros estudios en no sé qué colegio. Yo la mandaba leer, y me asombraba su entonación y seguridad, así como lo bien que comprendía los conceptos, no extrañando palabra rara ni frase oscura. Cuando le rogaba que escribiese, para conocer su 20 letra, ponía mi nombre con elegantes trazos de caligrafía inglesa, y debajo añadía *catedrático*.

Hablando conmigo y respondiendo a mis preguntas sobre sus

estudios, su vida y su destino probable, me mostraba un discernimiento superior a sus años. Era el bosquejo de una mujer bella, honesta, inteligente. ¡Lástima grande que por influencias nocivas se torciese aquel feliz desarrollo o que se malograse antes de llegar a conveniente madurez! Pero en el espíritu de ella noté yo admirables medios de defensa y energías embrionarias, que eran las bases de un carácter recto. Su penetración era preciosísima, y hasta demostraba un conocimiento no superficial de las flaquezas y necedades de doña Cándida. Solía contarme con gracioso lenguaje, en el cual el candor infantil llevaba en sí una chispa de ironía, algunos lances de la pobre señora, sin faltar al respeto y amor que le tenía.

La compasión que esta criatura me inspiraba crecía viéndola mal vestida y peor calzada. Durante muchos meses, que ahora me representan años, vi en ella un chabacano sombrero de paja, una especie de cesta deforme y abollada, con una cinta pálida, como el propio rostro de Irene, que caía por un lado del modo menos gracioso que puede imaginarse. Todo lo demás de su vestimenta era marchito, ajado, viejo, de tercera o cuarta mano, con disimulos aquí y allí que aumentaban la fealdad. Tanto me desagradaba ver en sus pies unas botas torcidas, grandonas, destaconadas, que determiné cambiarle aquellas horribles lanchas por un par de botinas elegantes. Entregarle el dinero habría sido inútil, porque doña Cándida lo hubiera tomado para sí. Mi diligente ama de llaves se encargó de llevar a Irene a una zapatería, y al poco rato me la trajo perfectamente calzada. Como le vi lágrimas en los ojos, creí que las botinas, por ser nuevas, le apretaban cruelmente; pero ella me dijo que no y que no. Y para que me convenciera de ello se puso a dar saltos y a correr por mi cuarto. Riendo, se le secaron las lágrimas.

Algunos días el papelito, después de la petición de dinero, traía esta nota:

"Te ruego que proporciones a Irene una Gramática."

Y en otra ocasión:

"Irene tiene vergüenza de pedirte un libro bonito que leer. A mí mándame una novela interesante o, si lo tienes, un tomo de causas célebres."

Lo de los libros para Irene lo atendía yo con muchísimo gusto. Pero su palidez, su mirada afanosa me revelaban necesidades de otro orden, de esas que no se satisfacen con lecturas ni admiten sofismas del espíritu: la necesidad orgánica, la imperiosa ley de la vida animal, que los hartos cumplimos sin poner atención en ello ni cuidarnos del sufrimiento con que la burlan o la trampean los menesterosos. ¡Cosa, en verdad, tristísima! Irene tenía hambre. Convencíme de ello un día haciéndola comer conmigo. La pobrecita parecía que había estado un mes privada de todo alimento, según honraba los platos. Sin faltar a la compostura, comió con apetito de gorrión, y no se hizo mucho de rogar para llevarse, envueltos en un papel, los postres que sobraron. De sobremesa parecía como avergonzada de su voracidad; hablaba poco, acariciaba al gato, y después me pidió un libro de estampas para entretenerse.

Era niña poco alborotadora y que no gustaba de enredar. Fuera de aquella ocasión de las botas, nunca la vi saltando en mi cuarto, ni metiendo bulla. Generalmente se sentaba callada y juiciosa como una mujer, o miraba una tras otra las láminas colgadas en la pared, o pasaba revista a los rótulos de la biblioteca, o cogía, previo permiso mío, cualquier librote de ilustraciones o viajes para recrearse en los grabados. Tanto respeto me tenía, que ni aun se atrevía a preguntar como otros niños: "¿Qué es esto, qué es lo otro?". O lo adivinaba todo, o se quedaba con las ganas de saberlo.

El día de mi santo vino a traerme una relojera bordada por ella, y, ¡caso inaudito!, aquel día, por consideración especial del cínife, no trajo papelito. En otras solemnidades me obsequió con varias cosillas de labores y una cajita de papel-cañamazo. [ . . . ] Yo correspondí a las finezas de Irene y a la compasión que me inspiraba comprándole un vestidillo.

Esta inteligente y desgraciada niña no era sobrina de doña Cándida, sino de García Grande. Sus padres habían estado en buena posición. Quedó huérfana en vida del esposo de doña Cándida, el cual la trató como hija. Vino el desastre con la muerte del asegurador de vidas; pero, afortunadamente, Irene no estaba en edad de apreciar el brusco paso de la bienandanza a la adversidad. Conservóla a su lado mi cínife, por no tener la criatura otros parientes. Y yo pregunto: ¿fue un mal o un bien para Irene haber nacido entre escaseces y haberse educado en esa negra academia de la desgracia que a muchos embrutece y a otros depura y avalora, según el natural de cada uno? Yo le preguntaba si estaba contenta de su suerte, y siempre me respondía que sí. Pero la tristeza que despedían, como cualidad intrínseca y propia, sus bonitos ojos [ . . . ] quizá revelaba uno de esos engaños cardinales en que vivimos mucho tiempo, o quizá toda la vida, sin darnos cuenta de ello.

A medida que el tiempo pasaba y que Irene crecía, escaseaban sus visitas, lo que no significaba mejoramiento de fortuna de doña Cándida, sino repugnancia de Irene a desempeñar las innobles misiones de la esquelita de petitorio. Desarrollado con la edad su amor propio, la pequeña venía a mi casa sólo para las exacciones de cuantía, y las menudas las hacía la criada. Por último, [ . . . ] llegó un día en que todas las comisiones las desempeñaba la criada. Dejé de ver a la sobrina de mi cínife, aunque siempre por éste y por la muchacha tenía noticias de ella. Supe, al fin, con injustificada sorpresa, que llevaba traje bajo, cosa muy natural, pero que a mí me pareció extraña, por este rutinario olvido en que vivimos del crecimiento de todas las cosas y la marcha del mundo. Me agradó mucho saber que Irene había entrado en la Escuela Normal de Maestras, no por sugestiones de su tía, sino por idea propia, llevada del deseo de labrarse una posición y no depender de nadie. Había hecho exámenes brillantes y obtenido premios. Doña Cándida me ponderaba los varios talentos de su sobrina, que era el asombro de la escuela, una sabia, una filósofa, en fin, una *cosa atroz*. . .

Esta parte de mi relato viene a caer hacia 1877. En este año me mudé de la sosegada calle de Don Felipe a la bulliciosa del Espíritu Santo, y poco después conocí a doña Javiera, y emprendí la educación de Manuel Peña, con todo lo demás que, sacrificando el orden cronológico al orden lógico, que es el mío, he contado antes. El tiempo, como reloj que es, tiene sus arbitrariedades; la lógica, por no tenerlas, es la llave del saber y el relojero del tiempo.

## TEMAS

1. Vida y carácter de Irene.
2. ¿Cómo trataba Manso a Irene?

## VII

# Contento estaba yo de mi discípulo

Porque algunas de sus brillantes facultades se desarrollaban admirablemente con el estudio, mostrándome cada día nuevas riquezas. La Historia le encantaba y sabía encontrar en ella las hermosas síntesis que son el principal hechizo y el mejor provecho
5 de su estudio. En lo que siempre le veía premioso era en expresar su pensamiento por la escritura. ¡Lástima grande que, pensando tan bien y a veces con tanta agudeza y originalidad, careciese de estilo, y que teniendo el don de asimilarse las ideas de los buenos escritores, fuese tan refractario a la forma literaria! Yo le mandaba
10 que me hiciese memorias sobre cualquier punto de Historia o de Economía. Escritas en breve tiempo, me las leía, y admirando en ellas la solidez del juicio, me exasperaba lo tosco y pedestre del lenguaje. Ni aun pude corregir en él las faltas ortográficas, aunque, a fuerza de constancia, mucho adelanté en esto.

15 Para que se comprenda el tipo intelectual de mi discípulo, faltaba sólo un detalle, que es el siguiente: mandábale yo que aquello mismo tan bien pensado en las memorias y tan perversamente escrito me lo expresase en forma oral, y aquí era de ver a mi hombre [1] transformado, dueño de sí, libre y a sus anchas, como
20 quien se despoja de las cadenas que le oprimían. Poníase delante de mí, y con el mayor despejo me pronunciaba un discurso en que sorprendían la abundancia de ideas, el acertado enlace, la gradación, el calor persuasivo, la afluencia seductora, la frase incorrecta,

[1] **y aquí . . . hombre** and here you ought to have seen my boy

pero facilísima, engañadora, llena de sonoridades simpáticas.

—Vamos —le dije con entusiasmo un día—. Está visto que eres orador, y si te aplicas llegarás adonde han llegado pocos.

Entonces caí en la cuenta de que su verdadero estilo estaba en la conversación, y de que su pensamiento no era susceptible de encarnarse en otra forma que la oratoria. Ya empezaba a brillar en el diálogo su ingenio un tanto paradójico y controversista, y le seducían las cuestiones palpitantes y positivas, manifestando hacia las especulativas repugnancia notoria. Esto lo vi más claro cuando quise enseñarle algo de Filosofía. Trabajo inútil. Mi buen Manolito bostezaba, no comprendía una palabra, no fijaba su atencion, [ . . . ] hasta que no pudiendo soportar más su aburrimiento, me suplicaba por amor de Dios que suspendiese mis explicaciones, porque se ponía malo, sí, se ponía nervioso y febril. Yo le instaba a reflexionar sobre la *unidad real entre el ser y el conocer,* asegurándole que cuando se acostumbrase a los ejercicios de la reflexión hallaría en ellos indecibles deleites: pero ni por ésas.[2] Él sostenía que cada vez que se había puesto a reflexionar sobre esto o sobre la *conformidad esencial del pensamiento con lo pensado,* se le nublaba por completo el entendimiento, [ . . . ] y cerraba maquinalmente el libro.

¡Refractario a la filosofía, rebelde al estilo! ¡Pobre Manolito Peña! Si a medida que se rebelaba contra la enseñanza filosófica no me hubiera asombrado con sus progresos en otros ramos del saber, mucho habría perdido el discípulo en el concepto del maestro. Lo único que pude conseguir de él en esta materia fue que pusiese alguna atención en la historia de la filosofía, pero mirándola más como un tema de curiosidad y erudición que como objeto de conocimiento sistemático y de ciencia. Me enojaba que Manuel se educase así en el escepticismo. Grandes esfuerzos hice para evitarlo; pero con ellos aumentaba su aversión a lo que él llamaba la *Teología sin Dios.* Ya por entonces gustaba de condenar o ensalzar las cosas con una frase picante y epigramática. Era a veces oportunísimo, las más paradójico. [ . . . ] Viendo lo que a Manuel faltaba, y lo que en grado tan excelso tenía, me preguntaba yo: "Este muchacho ¿qué va a ser? ¿Será un hombre ligero

[2] **pero ni por ésas** but nothing budged him

o el más sólido de los hombres? ¿Tendremos en él una de tantas eminencias sin principios, o la personificación del espíritu práctico y positivo?". Aturdido yo, no sabía qué contestarme.

Iba descubriendo además Manolito un don de gentes cual no he visto semejante en ningún chico de su edad. Sabía inspirar vivas simpatías a toda persona con quien hablaba, y su gracia, su fácil expresión, su oportunidad, daban a su palabra una fuerza convincente y dominadora que le abría las puertas de todos los corazones. Sabía ponerse al nivel intelectual de su interlocutor, hablando con cada uno el lenguaje que le correspondía. Pero lo más digno de alabanza en él era su excelente corazón, cuyas expansiones iban frecuentemente más lejos de lo que los buenos términos de la generosidad piden. Yo tuve empeño en regularizar sus nobles sentimientos y su espíritu de caridad, marcándole juiciosos límites y reglas. También trabajé en corregirle el pernicioso hábito de gastar dinero tontamente, empleándolo en fruslerías tan pronto adquiridas como olvidadas. Imposible me fue quitarle el vicio de fumar, por ser ya viejo en él; pero triunfé contra la maldita maña suya de estar siempre chupando caramelos, de los cuales tenía lleno el bolsillo. Con esto y el fumar, se le quitaban las ganas de comer; y lo peor era que durante la lección me engolosinaba a mí; y tal imperio tiene la costumbre y de tal manera se apodera de nuestros flacos sentidos cualquier vano apetito, que el día en que, por mi propio mandato, faltaron los caramelos, los echó mi lengua de menos, y casi me mortificó aquella falta.

Cuánto me agradecía doña Javiera las reformas obtenidas en la conducta de su hijo, no hay para qué decirlo. Las declaraciones de su gratitud venían a mí por Pascuas y otras festividades en forma de jamones, morcillas y butifarras; todo de lo mejor y abundantísimo; pero tan grande economía resultaba a la señora de Peña de las restricciones impuestas por mí al bolsillo filial, que, aunque me regalase media tienda, siempre salía ganando.

Vestía Manuel con elegancia y variedad, y jamás intenté moderarle mucho en esto. [ . . . ] Como el muchacho era rico y había de representar en el mundo un papel muy airoso, debía prepararse a ello cultivando y ensayando desde luego el aspecto, la forma, el buen parecer, el estilo. [ . . . ] Lo que no me gustaba era verle adoptar algunas veces, [ . . . ] las maneras y el traje de la gente torera, para ir al encierro, o a una expedición de campo o a visitar la dehesa en que pacen los toros. Discusiones reñidas y un tanto agrias tuvimos sobre esto; él se defendía con zalamerías, y yo, conociendo que debe dejarse a cada edad, si no todo, parte de lo que le pertenece, y que además es locura prescindir del medio ambiente y del influjo local, transigía, dejando que el tiempo, [ . . . ] curara a mi discípulo de aquella pueril vanidad.

Yo no cesaba de pensar en las dificultades con que Manolito tendría que luchar para abrirse paso [3] en la sociedad y para ocupar en ella un puesto conforme a sus altas dotes. ¡Delicada cuestión! Es evidentísimo que la democracia social ha echado sobre nosotros profundas raíces, y a nadie se le pregunta quién es ni de dónde ha salido para admitirle en todas partes y festejarle y aplaudirle, siempre que tenga dinero o talento. [ . . . ] El dinero y el ingenio, substituídos a menudo por sus similares, agio y travesura, han roto aquí las barreras, estableciendo la confusión de clases. [ . . . ] Las improvisaciones de fortuna y posición menudean; la tradición, quizá por haberse hecho odiosa con apelaciones a la fuerza, carece de prestigio; la libertad de pensamiento toma un vuelo extraordinario, y las energías fatales de la época, riqueza y talento, extienden su inmenso imperio.

Pero esta transformación, con ser ya tan avanzada, no ha llegado al punto de excluir ciertos miramientos, ciertos reparillos en lo que toca a la admisión de personas de bajo origen en el ciclo céntrico, digámoslo así, de la sociedad. Si el bajo origen está lejano, aunque solamente lo separe del tiempo presente un par de lustros, todo va bien, muy bien. Nuestra democracia es olvidadiza, pero no ha llegado a ser ciega; así, cuando la bajeza está presente y visible, cuesta algún trabajo disimularla con dinero. [ . . . ] En el caso de mi discípulo aún subsistía abierto el plebeyo establecimiento, y aquel Manolito Peña tan listo, tan discreto, tan guapo, tan distinguido, tan noble en todo y por todo, solía ser llamado entre sus compañeros de la Universidad el *hijo de la carnicera*.

Yo no hablaba con él de estas cosas, pero pensaba mucho en ellas y temía penosas contrariedades. Un día que hablábamos de su

[3] **abrirse paso** make a place for himself

porvenir y sus proyectos, me confesó que andaba algo enamorado de la hija del empresario de la Plaza de Toros, chica bonita y graciosa. Doña Javiera también lo supo y no pareció contrariada. La niña de Vendesol era de honrada familia, heredera única de una gran fortuna; parecía de inmejorables condiciones morales, y en jerarquía superaba a Manuel, pues si bien los Vendesol habían sido carniceros, la tienda se cerró treinta años ha, y luego fueron tratantes en ganado, contratistas de abastos en grande escala. Doña Javiera veía con gusto la inclinación de su hijo, y con su buen humor me decía:

—Esto parece cosa de la Providencia, amigo Manso. La chica tiene *parné* y en cuanto a nobleza, allá van cuernos con cuernos.[4]

Respetando esta argumentación positivista y cornúpeta, creía yo que la edad de Manuel (que no pasaba de los veintitrés años) no era aún propia para el matrimonio, a lo cual me dijo la señora de Peña que para casarse bien todas las edades son buenas. Comprendí que aquél era un asunto en el cual no debía entrometerme, y me callé. Me parecía que doña Javiera estaba rabiando por entroncar con Vendesol, personaje de origen bajísimo, que de niño había corrido y jugado con los pies descalzos en los arroyos sangrientos de las calles de Candelario, pero cuya bajeza estaba ya redimida por treinta años de posición rica, honrosa y respetada. [. . . ] Por Ponce supe un día que se trataba de traspasar la tienda, poniendo punto final al comercio de carne.

Manuel se enzarzaba más de día en día en sus amores, escatimando tiempo y atención al estudio. Dos años y medio llevábamos ya de lecciones, y aunque no se habían enfriado la delicada afición y el respeto que me tenía, nuestra comunidad intelectual era menos estrecha y nuestras conferencias más breves. Nos veíamos diariamente, charlábamos de diversas cosas, y mientras yo procuraba llevar su espíritu a las leyes generales, él no gustaba sino de los hechos y de las particularidades, prefiriendo siempre todo lo reciente y visible. Disputábamos a veces con calor, y decí-

[4] The horns of the bulls—since the young lady's father was a manager of bullfights—and the horns of doña Javiera's stock in the butcher shop. The meaning is that they are of about equal social standing, they go hand in hand, six of one and half a dozen of the other.

amos algo sobre las obras nuevas; pero ya no paseábamos juntos. Él salía todas las tardes a caballo y yo paseaba solo y a pie. Últimamente, ni en el Ateneo [5] nos veíamos por las noches, porque él iba al teatro muy a menudo y a la casa de Vendesol.

Notaba yo en mí cierta soledad, el triste vacío que deja la suspensión de una costumbre. Habíamos llegado a un punto en que debía dar por finalizada la dirección intelectual de mi discípulo, quien ya podía aprender por sí solo todo lo cognoscible y aun aventajarme. Así lo manifesté a doña Javiera, que se me mostró muy agradecida. Subía la buena mujer a charlar conmigo a primera noche,[6] y su conversación exhalaba ciertos humos de vanidad, que hacían contraste con su llaneza de otros días. La idea de emparentar con los de Vendesol empezaba a trastornarle el juicio, y como se sentía con fuerzas pecuniarias para hacer frente a una situación de lujo, su vanidad no parecía totalmente injustificada. Era por demás irónico el efecto que resultaba de la grandeza de sus proyectos y del lenguaje con que los traducía, llamando, por vieja costumbre, al dinero *parné,* al figurar *darse pisto.* Ya más de una vez su hijo había intentado, con poco éxito, traer a su madre a las buenas vías académicas en materia de lenguaje.

Unas cosas me las confiaba doña Javiera claramente, y otras me las daba a entender con discreción y gracia. Lo de quitar la tienda y quitarse para siempre de las manos la sangre de ternera me lo manifestó palabra por palabra. Yo lo aprobaba, aunque para mis adentros decía que si la señora continuaba hablando de aquel modo hallaría para lavarse las manos la misma dificultad que halló lady Macbeth para limpiarse las suyas. Indirectamente me declaró el propósito de legitimar sus relaciones con Ponce y de conseguir algo que le decorase en sociedad y le diera visos de persona respetable, como, por ejemplo, una crucecilla de cualquier orden, [ . . . ] un empleo o comisión de estas que llaman honoríficas.

Por aquellos días, que eran los de la primavera del año 80,

[5] The Atheneum of Madrid, famed as a meeting place of intellectuals. Galdós spent a good deal of time there himself gathering material for his novels from other members and from the library. [6] **a primera noche** early in the evening

volvió doña Cándida a darme personalmente sus picotazos. Ella y doña Javiera se encontraban en mi despacho, y no necesito decir lo que resultaba del rozamiento de dos naturalezas tan distintas. Cada cual se despachaba a su gusto: la carnicera, toda desenfado y espontaneidad; la de García Grande, toda hinchazón, embustería y fingimientos. Estaba delicadísima, perdida de los nervios. [ . . . ] Doña Javiera le recetaba vino de Jerez [7] y agua de hojas de naranjo agrio. Reíase doña Cándida del empirismo médico, y preconizaba las aguas minerales. De aquí pasaba al capítulo de sus viajes, de sus relaciones, de duques y marqueses.

Cuando mi cínife y yo nos quedábamos solos, dejaba el clarín de la vanidad por la trompetilla de mosquito, y entre sollozos y mentiras me declaraba sus necesidades. ¡Era una cosa atroz! Estaba esperando las rentas de Zamora, y ¡aquel pícaro administrador . . . ! [ . . . ] Entre tanto no sabía cómo arreglarse para atender a los considerables gastos de Irene en la Escuela de Institutrices, pues sólo en libros le consumía la mayor parte de su hacienda. Todo, no obstante, lo daba por bien empleado, porque Irenilla era un prodigio, el asombro de los profesores y la gloria de la institución. [ . . . ] Tenía ya diecinueve años.

Tiempo hacía que yo no la había visto, y deseaba verla para juzgar por mí mismo sus adelantos. Pero ella, por no sé qué mal entendida delicadeza, por amor propio o por otra razón que se me ocultaba, no iba nunca a mi casa. Una mañana me la encontré en la calle, junto a un puesto de verduras. Estaba haciendo la compra en compañía de la criada. Sorprendiéronme su estatura airosa, su vestido humilde, pero aseadísimo, revelando en todo la virtud del arreglo, que sin duda no le había enseñado su tía. Claramente se mostraba en ella el noble tipo de la pobreza llevada con valentía y hasta con cariño. Mi primer intento fue saludarla; mas ella, como avergonzada, se recató de mí, haciendo como que no me veía, y volvió la cara como para hablar con la verdulera. Respetando yo esta esquivez, seguí hacia mi cátedra, y al volver la esquina de la calle del Tesoro ya me había olvidado del rostro siempre pálido y expresivo de Irene, de su esbelto talle, y no pen-

[7] Jerez de la Frontera is the home of the finest Spanish sherry. The word 'sherry' derives from the name Jerez.

saba más que en la explicación de aquel día, que era la *Relación recíproca entre la conciencia moral y la voluntad.*

### TEMAS

1. Preferencias intelectuales de Manolito.
2. ¿Qué dificultades tendría Peña para ascender en la sociedad?
3. ¿Cómo pensaba doña Javiera mejorar su posición?
4. Nuevos detalles sobre Irene.

## VIII
# ¡Ay, mísero de mí!

¡Ay infelice! [1] Mortal cien veces mísero, desgraciado entre todos los desgraciados, en maldita hora caíste de tu paraíso de tranquilidad y método al infierno del barullo y del desorden más espantosos. Humanos, someted vuestra vida a un plan de oportuno
5 trabajo y de regularidad placentera, [ . . . ] para que a lo mejor venga de fuera quien os desconcierte, obligándoos a entrar en la general corriente, inquieta, desarreglada, presurosa . . . [ . . . ]

Oíd y temblad. Mi hermano, mi único hermano, aquel que a los veintidós años se embarcó para las Antillas en busca de fortuna,
10 me anuncia su propósito de regresar a España trayendo toda la familia. En América había estado veinte años probando distintas industrias y menesteres, pasando al principio muchos trabajos,[2] arruinado después de la insurrección y enriquecido al fin súbitamente por la guerra misma,[3] infame aliada de la suerte.

15 Casó en Sagua la Grande [4] con una mujer rica, y el capital de ambos representaba algunos millones. ¿Qué cosa más prudente que dejar a la Perla de las Antillas arreglarse como pudiese, y traer dinero y personas a Europa, donde uno y otros hallarán más seguridad? La educación de los hijos, el anhelo de ponerse a salvo
20 de sobresaltos y temores, y, por otra parte, la comezoncilla de figurar un poco y de satisfacer ciertas vanidades, decidieron a mi

[1] The archaic form of **infeliz,** now poetic. Cf. Segismundo in *La vida es sueño.* [2] **pasando . . . trabajos** having a hard time at the beginning [3] The references are to the Cuban insurrection of 1868-78. [4] **Sagua la Grande** is a city on the northern coast of Cuba, east of Havana, in the province of Santa Clara.

hermano a tomar tal resolución. Dos meses habían pasado desde que me anunció su proyecto, cuando recibí un telegrama de Santander participándome ¡ay! . . . lo que yo temía.

Dióme la corazonada de que el arribo de aquel familión trastornaría mi existencia, y el natural gusto de abrazar a mi hermano 5 se amargaba con el pensamiento de un molestísimo desbarajuste en mis costumbres. Corría el mes de setiembre del 80. Una mañana recibí en la estación del Norte a José María con todo su cargamento, [ . . . ] su mujer, sus tres niños, su suegra, su cuñada, con más un negrito como de catorce años, una mulatita, y por 10 añadidura diez y ocho baúles, [ . . . ] catorce maletas de mano, once bultos menores, cuatro butacas. El reino animal estaba representado por un loro en su jaula, un sinsonte en otra, dos tomeguines en ídem.

Ya tenía yo preparada la mitad de una fonda para meter a este 15 escuadrón. Acomodé a mi gente como pude, y mi hermano me manifestó desde el primer día la necesidad de tomar casa, un principal grande y espacioso donde cupiera toda la familia con tanto desahogo como en las viviendas americanas. José María tiene seis años más que yo, pero parece excederme en veinte. 20 Cuando llegó, sorprendióme verlo lleno de canas. Su cara era de color de tabaco, rugosa y áspera, con cierta transparencia de alquitrán que permitía ver lo amarillo de los tegumentos bajo el tinte resinoso de la epidermis. Estaba todo afeitado como yo. Traía ropa de fina alpaca, finísimo sombrero de Panamá, con cinta 25 negra muy delgada, corbata tan estrecha como la cinta del sombrero, camisa de bordada pechera con botones de brillantes, los cuellos muy abiertos, y botas de charol con las puntas achaflanadas. Lica (que este nombre daban a mi hermana política) traía un vestido verde y rosa, y el de su hermana era azul, con som- 30 brero pajizo. Ambas representaban, a mi parecer, emblemáticamente la flora de aquellos risueños países, el encanto de sus bosques poblados de lindísimos pajarracos [5] y de insectos vestidos con todos los colores del iris.

[5] Note the good humor with which Galdós refers to Manso's in-laws and modifies the large, ugly birds with **lindísimos,** which acquires the value of 'magnificent' as well.

José María no tenía palabras, el primer día, más que para hablarme de nuestra hermosa y poética Asturias, y me contó que la noche antes de llegar a Santander se le habían saltado las lágrimas al ver el faro de Ribadesella.[6] Pagado este sentimental tributo a la madre patria, nos ocupamos en buscar habitación. Me había caído que hacer. Atareado con los exámenes de setiembre,[7] tenía que multiplicarme y fraccionar mi tiempo de un modo que me ocasionaba indecibles molestias. Al fin encontramos un magnífico principal en la calle de San Lorenzo,[8] [ . . . ] con cochera, nueve balcones a la calle y muchísima capacidad interior: era al arca de Noé que se necesitaba. [ . . . ]

Aun estuvo la familia en la fonda más de un mes, tiempo que se empleó en la transformación de vestidos y en ataviarse según los usos de aquende los mares. Bandada de menestrales invadió las habitaciones, y a todas horas se veían probaturas, elección de telas, cintas y adornos, y las modistas andaban por allí como en casa propia. Proveyéronse las tres damas de abrigos recargados de pieles y algodones, porque todo les parecía poco para el gran frío que esperaban y para defenderse de las pulmonías. A las dos semanas, todos, desde mi hermano hasta el pequeñuelo, no parecían los mismos.

Satisfechas estaban Lica, su mamá y hermana de la metamorfosis conseguida, no sin arduas discusiones, consultas y algún suplicio de cinturas; las tres alababan sin tasa la destreza de las modistas y corseteras, y principalmente la baratura de todas las cosas, así trapos como mano de obra.[9] Tanto las entusiasmaba lo arregladito de los precios, que iban de tienda en tienda comprando bagatelas, y todas las tardes volvían a casa cargadas de diversos objetos, prendas falsas y chucherías de bazar. Los dependientes de las tiendas aparecían luego trayendo paquetes de cuanto Dios crió y perfeccionó la industria en moldes, prensas y

[6] Port in Asturias near the aforementioned birthplace of the Mansos, Cangas de Onís [7] Examinations given at the beginning of the academic year for those who failed them or did not take them in June [8] **Calle de San Lorenzo** is a centrally located side street, not far from the calle del Espíritu Santo, which runs into the busy calle de Hortaleza. Other streets mentioned, such as the Corredera de San Pablo, San Joaquín, Fuencarral, Concepción Jerónima, are all in this general vicinity. [9] **mano de obra** labor

telares. Las docenas de guantes, las cajas de papel timbrado, los *bibelots*, los abanicos, las flores contrahechas, los estuchitos, [ . . . ] pantallas y novedades de cristalería y porcelana, ofrecían sobre las mesas y consolas de la sala un conjunto algo fantástico. [ . . . ] 5

También daban frecuentes asaltos a las confiterías, y en el gabinete tenían siempre una bandeja de dulces, por la necesidad en que Lica se veía de regalarse a cada instante con golosinas. [ . . . ] Como se hallaba en estado de buena esperanza (y ya bastante avanzada), los antojos sucedían a los antojos. [ . . . ] Las campanillas de las habitaciones repicaban como si por los altos alambres anduvieran diablitos juguetones, y los criados entraban y salían con platos y bandejas, tan atareados los pobres, que me daba lástima verles. 10

Las tres damas pasaban las horas echadas indolentemente en sus mecedoras, con los vestidos que habían traído de la calle, dale que dale [10] a los abanicos si hacía calor, y muy envueltas en sus mantos si hacía frío. Por la noche iban al teatro, luego tomaban chocolate y se acostaban. Dormían la mañana,[11] y cuando venía la peinadora estaban tan muertas de sueño, que no había forma humana de que se levantaran. Vencida de su abrumadora pereza, Lica, no queriendo levantarse ni dejar de peinarse, echaba la cabeza fuera de las almohadas, y en esta incómoda postura se dejaba peinar para seguir durmiendo. 15 20

En tanto, las dos niñas y el pequeñuelo enredaban solos en una pieza destinada a ellos y a sus bulliciosas correrías. Cuidábanles la mulata Remedios y el negro Rupertico. Los gritos se oían desde la calle; jugaban al carro arrastrando sillas, y no pasaba día sin que rompieran algo o rasgaran de medio a medio una cortina o desvencijaran un mueble. A poco de llegar se revolcaban casi en cueros sobre las alfombras, hasta que, habiendo refrescado el tiempo, se les veía jugar vestidos con los costosos trajes de paño fino guarnecidos de pieles que se les habían hecho para salir a paseo. 25 30

[10] **dale que dale** to do something incessantly and vigorously; fanning themselves furiously; kept at it with [11] **Dormían la mañana** They slept late in the morning

Rupertico era tan travieso que no se podía hacer carrera de él. De la mañana a la noche no hacía más que jugar a asomarse al balcón para ver pasar los coches. [ . . . ] Un día le buscamos inútilmente por toda la casa. "¿Dónde se habrá metido este condenado?", decíamos mi hermano y yo, recorriendo todas las habitaciones, hasta que al fin le hallamos en un cuarto oscuro. [ . . . ] Una voz ronquilla y apagada decía estas palabras: "*Mucho fío, mucho fío*".[12] Sacámosle de allí. Era como si le sacáramos de un tintero, pues estaba arrebujado en un mantón negro de su ama. Aquel día se le compró un chaleco rojo [ . . . ] con el cual estaba muy en carácter. Era un buen chico, un alma inocente, fiel y bondadosa, que hacía pensar en los ángeles del fetichismo africano.

Casi todos los días tenía que quedarme a comer con la familia, lo cual era un cruel martirio para mí, pues en la mesa había más barullo que en el muelle de La Habana.

Principiaba la fiesta por las disputas entre mi hermano y Lica sobre lo que ésta había de comer.

—Lica, toma carne. Esto es lo que te conviene. Cuídate, por Dios.

—¿Carne? ¡Qué asco! . . . Me apetece dulce de guinda. No quiero sopa.

—Niña, toma carne y vino.

—¡Qué chinchoso! . . . Quiero melón.

En tanto la *niña Chucha* (así llamaban a la suegra de mi hermano), que desde el principio de la comida no había cesado de dirigir acerbas críticas a la cocina española, ponía los ojos en blanco para lanzar una exclamación y un suspiro, consagrados ambos a echar de menos el moniato, la yuca, el ñame, la malanga y demás vegetales que componen la vianda. De repente la buena señora, mareada del estruendo que en la mesa había, llenaba un plato y se iba a comérselo a su cuarto. Distraído yo con estas cosas, no advertía que una de las niñas, sentada junto a mí, metía la mano en mi plato y cogía lo que encontraba. Después me pasaba la mano por la cara llamándome *tiíto bonito*. El chiquitín tiraba la servilleta en mitad de una gran fuente con salsa, y luego la arrojaba húmeda sobre la alfombra. La otra niña pedía con

[12] fío = frío

atroces gritos todo aquello que en el momento no estaba en la mesa, y los papás seguían disertando sobre el tema de lo que más convenía al delicado temperamento y al crítico estado de Lica.

Una chuleta empapada en tomate volaba hasta caer pringosa sobre la blanca pechera de la camisa del papá. Levantábase José María furioso y daba una tollina al nene; pegaba éste un brinco y salía, atronando la fonda con su lloro; enfadábase Lica; refunfuñaba su hermana; aparecía la *niña Chucha* enojada porque castigaban al nieto, y se sentaba a la mesa para seguir comiendo; llamaban a Rupertico, a la mulata, y en tanto yo no sabía a qué orden de ideas apelar, ni a qué filosofía encomendarme [13] para que se serenara mi espíritu.

Como todo el día estaba comiendo golosinas, Lica no hacía más que probar de cada plato y beber vasos de agua. Al fin saciaba en los postres su apetito de cositas dulces y frescas. Servían el café, más negro que tinta; pero yo me resistía a introducir en mí aquel pícaro brebaje por temor a que me privara del sueño, y me impacientaba y contaba las horas, esperando la bendita de escapar a la calle.

Luego venía el fumar, y allí me veríais entre pestíferas chimeneas, porque no sólo era mi hermano el que chupaba, sino que Lica encendía su cigarrillo y la *niña Chucha* se ponía en la boca un tabaco de a cuarta. El humo y el vaivén de las mecedoras me ponían la cabeza como un molino de viento, y aguantaba, y sostenía la conversación de mi hermano, que despuntaba ya por la política, hasta que, llegada la hora de la abolición de mi esclavitud, me despedía y me retiraba, enojado de tan miserable vida y suspirando por mi perdida libertad. Volvía mis tristes ojos a la Historia, y no le perdonaba, no, a Cristóbal Colón que hubiera descubierto el Nuevo Mundo.

[13] Fashioned on **a qué santo encomendarme,** suggesting Manso's greater faith in philosophy than in saints

## TEMAS

1. La interrupción de la vida tranquila de Manso.
2. La familia de José María Manso.

IX

# Mi hermano quiere consagrarse al país

Instaláronse a mitad de octubre en la casa alquilada, y el primer día se encendieron las chimeneas, porque todos se morían de frío. Lica estaba *fluxionada,* su hermana Chita (Merceditas) poco menos, y la *niña Chucha,* atacada de súbita nostalgia, pedía con lamentos elegíacos que la llevasen a su querida Sagua, porque se moría en Madrid de pena y frío. La casa, estrecha y no muy clara, era tediosa cárcel para ella, y no cesaba de traer a la memoria las anchas, despejadas y abiertas viviendas del templado país en que había nacido. Víctima del mismo mal, el expatriado sinsonte falleció a las primeras lluvias, y su dolorida dueña le hizo tales exequias de suspiros, que creímos iba a seguir ella el mismo camino. Uno de los tomeguines se escapó de la jaula y no se le volvió a ver más. A la buena señora no había quien le quitara de la cabeza que el pobre pájaro se había ido de un tirón a los perfumados bosques de su patria. ¡Si hubiera podido ella hacer otro tanto! ¡Pobre doña Jesusa, y qué lástima me daba! Su única distracción era contarme cosas de su bendita tierra. [ . . . ] No salía a la calle por temor a encontrarse con una pulmonía; no se movía de su butaca ni para comer. Rupertico le servía la comida, y se iba engullendo por el camino las sobras que ella le daba.

En cambio, mi hermano, su mujer y cuñada se iban adaptando asombrosamente a la nueva vida, al áspero clima y a la precipitación y tumulto de nuestras costumbres. José María, principalmente, no echaba de menos nada de lo que se había quedado del otro lado de los mares. Bien se le notaba la satisfacción de verse tan obsequiado, y atraído por mil lisonjas y solicitaciones. [...] Hacía frecuentes viajes al Congreso, y me admiró verle buscar sus amistades entre diputados, periodistas y políticos, aunque fueran de quinta o sexta fila. [...] No era preciso ser zahorí para ver en José María al hombre afanoso de hacer papeles y de figurar en un partidillo de los que se forman todos los días por antojo de cualquier individuo que no tiene otra cosa que hacer. Un día me le encontré muy apurado en su despacho, hablando solo, y a mis preguntas contestó sinceramente que se sentía orador, que se desbordaban en su mente las ideas, los argumentos y los planes, que se le ocurrían frases sinnúmero y combinaciones mil que, a su juicio, eran dignas de ser comunicadas al país.

Al oír esto del país, díjele que debía empezar por conocer bien al sujeto de quien tan ardientemente se había enamorado, pues existe un país convencional, puramente hipotético, a quien se refieren todas nuestras campañas y todas nuestras retóricas políticas, ente cuya realidad sólo está en los temperamentos ávidos y en las cabezas ligeras de nuestras eminencias. Era necesario distinguir la patria apócrifa de la auténtica, buscando ésta en su realidad palpitante, para lo cual convenía, en mi sentir, hacer abstracción completa de los mil engaños que nos rodean, cerrar los oídos al bullicio de la prensa y de la tribuna, cerrar los ojos a todo este aparato decorativo y teatral, y luego darse con alma y cuerpo a la reflexión asidua y a la tenaz observación. Era preciso echar por tierra este vano catafalco de pintado lienzo y abrir cimientos nuevos en las firmes entrañas del verdadero país, para que sobre ellos se asentara la construcción de un nuevo y sólido Estado. Díjome que no entendía bien mi sistema, y me lo probó llamándome demoledor. Yo tuve que explicarle que el uso de una figura arquitectónica, que siempre viene a la mano hablando de política, no significaba en mí inclinaciones demagógicas. Mostréme indiferente en las formas de gobierno, y añadí que la política era y sería siempre para mí un cuerpo de doctrina, un sabio y metódico conjunto de principios científicos y de reglas de arte, un organismo, en fin, y que por tanto quedaban excluídos de mi sistema las contingencias personales, los subjetivismos perniciosos, los modos escurridizos, las corruptelas de hecho y de lenguaje, las habilidades y agudezas que constituyen entre nosotros todo el arte de gobernar.[1]

Tan pronto aburrido de mi explicación como tomándola a risa, mi hermano bostezaba oyéndome, y llamándome con vulgar sorna *metafísico,* me invitaba a enseñar mi sabiduría a los ángeles del cielo, pues los hombres, según él, no estaban hechos para cosa tan remontada y tan fuera de lo práctico. Después me consultó con mucha seriedad que a qué partido debería afiliarse, y le contesté que a cualquiera, pues todos son iguales en sus hechos, y si no lo son en sus doctrinas es porque éstas, que no le importan a nadie, no han sufrido análisis detenido. Luego, dándole una lección de sentido práctico, le aconsejé que se afiliara al partido más nuevo y fresquecito de todos, y él halló oportunísima la idea y dijo con gozo: "Metafísico, has acertado".

Las relaciones de la familia aumentaban de día en día, cosa sumamente natural habiendo en la casa olor a dinero. Al mes de instalación, mi hermano tenía la mesa puesta y la puerta abierta para todas las notabilidades que quisieran honrarle. Las visitas se sucedían a las visitas, las presentaciones a las presentaciones. No tardó en comprender el jefe de la familia que debía desarraigar ciertas prácticas muy nocivas a su buen crédito, y así en la mesa, cuando había convidados, que era los más días del año, reinaba un orden perfecto, no turbado por las disputas sobre carne y vino, ni por las rarezas de la *niña Chucha,* ni por las libertades de los chicos. Tomaron un buen jefe, un maestresala o mozo de comedor, y aquello parecía otra cosa. El buen tono se iba apoderando poco a poco de todas las regiones de la casa y de los actos de la familia, y en las personas de Lica y Chita no era donde menos se echaba de ver la transformación y el rápido triunfo de las maneras europeas. Mi cuñada supo contener un poco su pasión por las yemas, caramelos y bombones, y los niños, excluídos de la mesa general, comían solos aparte, bajo la dirección de la mulata. Conociendo su padre lo mal educados que estaban, acudió a poner remedio

[1] Throughout his literary career Galdós, ever critical of all kinds of social, political, and human weaknesses and deficiencies, comments on the evils of Spanish government.

a este grave mal, pues no sabían cosa alguna, ni comer, ni vestirse, ni hablar, ni andar derechos. Lica deploraba también la incuria en que vivían sus hijos, y un día que hablaba de esto con su marido, volvióse éste a mí y me dijo: "Es preciso que sin pérdida de tiempo me busques una institutriz." 5

## TEMAS

1. Máximo y José María hablan de política.
2. Primeras reformas en la casa de José María.

X

## Al punto[1] me acordé de Irene

La cual, para el caso, venía como de encargo. ¡Preciosa adquisición para mi familia y admirable partido para la huérfana! Contentísimo de ser autor de este doble beneficio, aquella misma tarde hablé a doña Cándida. ¡Dios mío, cómo se puso aquella 5 mujer cuando supo que mi hermano con toda su gente estaba en Madrid! Temí que la sacudida y traqueteo de sus [ . . . ] nervios la ocasionaran un accidente epiléptico, porque la vi echar de sus ojos relámpagos de alegría. [ . . . ]

—¡Ay, Máximo, cuánto te quiero! Eres el ángel de mi guarda.

10 No supe lo que me hacía al poner en comunicación al sanguinario Calígula con la inocente familia de mi hermano. [ . . . ] Era yo autor del mal, y me reía, no podía evitarlo, me reía viendo entrar en la casa para su primera visita a la representante de la cólera divina, puesta de veinticinco alfileres, radiante, amenaza-15 dora, con expresión de fiera majestad, semejante a la que debía tener Atila.[2] No sé de dónde sacó las ropas que llevaba en aquella ocasión trágica. Creo que las alquiló en una casa de empeños con cuyos dueños tenía amistad, o que se las prestaron, o no sé qué, pues hay siempre impenetrables misterios en los modos y procedi-20 mientos de ciertos seres. [ . . . ] Lo que llevaba encima, sin ser bueno, era pasable, y como la muy pícara tenía cierto continente

[1] **Al punto** on the spot; immediately [2] Attila, king of the Huns, reigned 433?-453, was proverbially fierce and belligerent, and known as 'The Scourge of God.'

de señora principal, daba un chasco a cualquiera, y ante los ojos inexpertos pasaba por persona de las que imperaban en la sociedad y en la moda. Su noble perfil romano y sus distinguidos ademanes hicieron aquel día papel más lucido que en toda la temporada de los esplendores de García Grande. [ . . . ] 5

Cuando vio a mi hermano, le abrazó de tal modo y tales sentimientos hizo, que yo creí que se desmayaba. Recordó a nuestra buena madre con frases patéticas que hicieron llorar a José María, y se dejó decir que ella era una segunda madre para nosotros. En su conversación con Lica y Chita se mostró tan discreta, tan deli- 10 cada, tan señora, que las cubanas quedaron encantadas, embobecidas, y Lica me dijo después que nunca había tratado a persona tan fina y amable. En aquella primera visita dio también doña Cándida rienda suelta a sus sentimientos cariñosos con los niños, haciéndoles toda suerte de mimos y zalamerías, y demostrándoles 15 un amor que rayaba en idolatría. La *niña Chucha* tuvo un breve consuelo a su nostalgia en las tiernas expresiones de aquella improvisada amiga, que supo hablarle del ajiaco, poniendo en las nubes las comidas cubanas, y terminó con un parrafillo sobre enfermedades. Hasta José María cayó en la astuta red, y un rato 20 después de haber salido Calígula me preguntaba si a los salones de doña Cándida iba mucha gente notable. Oyendo esto me entró una risa tan grande que creo oyeron mis carcajadas los sordomudos que están en el inmediato colegio de la calle de San Mateo. 25

Al día siguiente se presentó de nuevo en la casa mi cínife. [ . . . ] Les contaba sucesos de su vida, y hablaba de sí propia y de sus males en términos que me llenaba de admiración su numen hiperbólico. [ . . . ] En aquel segundo día y en los siguientes (pues antes faltara el sol en el cenit que Calígula en la casa de Manso) 30 demostró tal conocimiento y arte en materia de modas, que fue constituída en Consejo de Estado de Lica y Chita, y ya no se escogió sombrero ni tela ni cinta sin previa opinión de la de García Grande. [ . . . ]

Para que mi hermano se previniera contra los peligros económi- 35 cos a que estaba expuesta la familia admitiendo los servicios de doña Cándida, le conté la dilatada y pintoresca historia de los sablazos, con lo que se rió mucho, diciendo sólo: "¡Pobre señora! ¡Si mamá la viera en tal estado!"...

A los pocos días hablé con Lica del mismo asunto; pero ella, rebelándose contra lo que juzgaba malicia mía, cortó mis amonestaciones diciéndome con su lánguida expresión:

—No seas ponderativo... Tú tienes mala voluntad a la pobre doña Cándida. ¡Es más buena la pobre!... Sería riquísima si no fuera por los malos administradores... [...] Luego es tan delicada la pobre... Ayer tuve que enfadarme con ella para hacerla aceptar un favorcito [...] hasta [...] que le vengan esas rentas [...] No quería tomarlo... ni por nada del mundo. [...] Veo que te ríes; no seas sencillo... ¡La pobre!... Me ofendí con su resistencia y se me saltaron las lágrimas. Ella se echó a llorar entonces y por fin se avino a no desairarme.

Lica era una criatura celeste, un corazón seráfico. No conocía el mal; [...] y a los demás medía por la tasa de su propia inocencia y bondad. [...] Me daba tanta lástima de turbar la paz de aquel virginal espíritu inoculándole el virus de la desconfianza, que decidí respetar su condición ingenua, más propia para la vida en las selvas que en las grandes ciudades, y no le hablé más del feroz Calígula.

En tanto, Irene había tomado la dirección intelectual, social y moral de las dos niñas y el pequeñuelo. Se le destinó, por acuerdo mío, un holgado aposento, donde todo el día estaba la maestra a solas con los alumnitos, y en una habitación cercana comían los cuatro. Yo previne que todas las tardes salieran a paseo, no consagrando al estudio sedentario más que las horas de la mañana. La discreción, mesura, recato y laboriosidad de la joven maestra enamoraban a Lica, que, en tocando a este punto, me echaba mil bendiciones por haber traído a su casa alhaja tan bella y de tal valor. También mi hermano estaba contentísimo, y yo me consolaba así del mal que hice con llevarles la calamidad de doña Cándida.

### TEMA

1. Relaciones entre doña Cándida y la familia de José María.

## XI

## ¿Cómo pintar mi confusión?

¿Cómo describir mi trastorno y las molestias mil que trajo a mi vida la que mi hermano llevaba? De nada me valía que yo me propusiese evadirme de aquella esfera, porque mis dichosos parientes me retenían a su lado casi todo el día, unas veces para consultarme sobre cualquier asunto y molerme a preguntas, otras para que les acompañase. Parecía que nada marchaba en aquella casa sin mí, y que yo poseía la universalidad de los conocimientos, datos y noticias. Pues ¿y el obligado tributo de comer con ellos un día sí y otro no,[1] cuando no todos los del mes? Adiós mi dulce monotonía, mis libros, mis paseos, mi independencia, el recreo de mis horas, acomodada cada cual para su correspondiente tarea, su función o su descanso. Pero nada me desconcertaba como las reuniones de aquella casa, pues habiéndome acostumbrado desde algún tiempo atrás a retirarme temprano, las horas avanzadas de tertulia entre tanto ruido y oyendo tanta necedad me producían malestar indecible. Además, el uso del frac ha sido siempre tan contrario a mi gusto, que de buena gana le desterraría del orbe; pero mi bendito hermano se había vuelto tan ceremonioso, que no podía yo prescindir de tan antipática vestimenta.

Ansioso de fama, José María bebía los vientos[2] por decorar sus salones con todas las personas notables y todas las familias distinguidas que se pudieran atraer; pero no lo conseguía fácilmente.

[1] **un día . . . no** every other day [2] **bebía los vientos** did everything possible; went out of his way; went to extremes

Lica no había logrado hacerse simpática a la mayor parte de las familias cubanas que en Madrid residen, y que en distinción y modales la superaban sin medida. No veían su alma bondadosa, sino su rusticidad, su llaneza campestre y sus equivocaciones funestas en materia de requisitos sociales. [ . . . ] Ponía, sí, mucha atención a lo que mi hermano o yo le advertíamos para que fuera adquiriendo ciertos perfiles y se adaptara a la nueva vida; y al poco tiempo su penetración natural triunfó un poco de su inveterada rudeza. El origen humildísimo, la educación mala y la permanencia de Lica en un pueblo agreste del interior de la isla no eran circunstancias favorables para hacer de ella una dama europea. Y no obstante estos perversos antecedentes, la excelente esposa de mi hermano, con el delicado instinto que completaba sus virtudes, iba entrando poco a poco en el nuevo sendero, y adquiría los disimulos, las delicadezas, las pláticas sutiles y mañosas de la buena sociedad.

José María me suplicaba que le llevase buena gente, pero yo, ¡triste de mí!, ¿a quién podía llevar, como no fuese a dos desapacibles catedráticos, que iban a fastidiarse y a fastidiar a los demás? Es verdad que presenté a mi amado discípulo, a mi hijo espiritual, Manuel Peña, que fue muy bien recibido, no obstante su humilde procedencia. Pero ¿cómo no, si además de tener en su abono las tendencias ecualitarias de la sociedad moderna, se redimía personalmente de su bajo origen por ser el más simpático, el más guapo, el más listo, el más airoso, el más inteligente y dominador que podría imaginarse, en términos que descollaba sobre todos los de su edad y no había ninguno que le igualara?

Mi hermano simpatizó con él, tasándole en lo que valía; pero aún no estaba satisfecho el dueño de la casa, y a pesar de haberse afiliado a un partido que tiene en su escudo *la democracia rampante,* quería, ante todo, ver en su salón gente con título, aunque éste fuese pontificio,[3] y hombres notables de la política, sin exceptuar los más desacreditados. Los poetas y literatos famosos también le agradaban y Lica estimaba particularmente a los primeros, porque para ella no había nada más delicioso que el sonsonete del verso. No seré indiscreto diciendo que ella también pulsaba la

[3] **título . . . pontificio** see p. 41, n. 5

lira. [ . . . ] Desde las primeras reuniones se hizo amigo de la casa y al poco tiempo llegó a ser concurrente infalible a ella un poeta de los de tres por un cuarto. . .

### TEMA

1. ¿Qué vida llevaba José María?

XII

## ¡Pero qué poeta!

Era de estos que entre los de su numerosa clase podía ser colocado, favoreciéndole mucho, en octavo o noveno lugar. Veinticinco años, desparpajo, figura escueta, un nombre muy largo formado con diez palabras; un desmedido repertorio de composi-
5 ciones varias, distribuídas por todos los álbums [1] de la cursilería; soberbia y raquitismo componían las tres cuartas partes de su persona: lo demás lo hacían cuello estirado, barbas amarillentas y una voz agria y dificultosa, como si manos impías le estuvieran apretando el gaznate. Aquel pariente lejano de las Musas (no
10 vacilo en decirlo groseramente) me reventaba. La idea pomposa que de sí mismo tenía, su ignorancia absoluta y el desenfado con que hablaba de cuestiones de arte y crítica me causaban mareos y un malestar grande en todo el cuerpo. Vivía de un mísero empleíllo de seis mil reales, y tal tono se daba, que a muchos hacía
15 creer que llevaba sobre sí el peso de la Administración. Hay hombres que se pintan en un hecho, otros en una frase. Éste se pintaba en sus tarjetas. Parece que el Director general le había elegido para que le escribiese las cartas, y estimando él esto como el mayor de los honores, redactaba sus tarjetas así:

[1] It was fashionable for ladies to keep an album in which they collected autographs, poetry, witty sayings, sketches from the personalities they met. Larra, in one of his *Artículos* entitled "El álbum," satirizes this custom. Note Spanish pluralization of the word, p. 77.

FRANCISCO DE PAULA DE LA COSTA Y SÁINZ
DEL BARDAL

JEFE DEL GABINETE PARTICULAR
DEL EXCELENTÍSIMO SEÑOR DIRECTOR GENERAL
DE BENEFICENCIA Y SANIDAD

Luego venían las señas: *Aguardiente*[2] 1.

Y a la cabeza de esta retahila, la cruz de Carlos III,[3] no porque él la tuviese, sino porque su padre había tenido la encomienda de dicha orden. Cuando este caballerito daba su tarjeta por cualquier motivo, creía uno recibir una biblioteca. Yo pensaba en que si llegaba un día en que por artes del Demonio hubiera de inscribirse el nombre de aquel poeta en el templo del arte, se habría de coger un friso entero.

Actualmente han variado las tarjetas, pero la persona no. Es de estos afortunados seres que concurren a todos los certámenes poéticos y juegos florales que se celebran por ahí, y se ha ganado repetidas veces el pensamiento de oro o la violeta de plata. Sus odas son del dominio de la farmacia por la virtud somnífera y papaverácea que tienen; sus baladas son como el diaquilón, sustancia admirable para resolver diviesos. Hace *pequeños poemas,* fabrica poemas grandes, recorta *suspirillos germánicos*[4] y todo lo demás que cae debajo del fuero de la rima. Desvalija sin piedad a los demás poetas y tima ideas; cuanto pasa por sus manos se hace vulgar y necio, porque es el caño alambique por donde los sublimes pensamientos se truecan en necedades huecas. En todos los álbumes pone sus endechas expresando la duda o la melan-

[2] **Aguardiente** is a strong, inexpensive liquor of many varieties—the poor man's drink. The name of the street is in contrast to the pomp of the rest of the card. [3] a medal symbolizing membership in an honorific order named after Charles III, King of Spain, 1716-88 [4] Galdós is poking fun at the poet who imitates all styles and poets, such as the **pequeños poemas,** which refer to Ramón de Campoamor, 1817-1901. The **suspirillos germánicos** allude to the poems of Gustavo Adolfo Bécquer, 1836-70, thus called disparagingly by Núñez de Arce because of their brevity, in contrast to the long poetic outbursts of the romantics, and because they evoked the poetry of Heinrich Heine.

colía, o sonetos emolientes seguidos de metro y medio de firma. Trae sofocados a los directores de ilustraciones para que inserten sus versos, y se los insertan por ser gratuitos; pero no los lee nadie más que el autor, que es el público de sí mismo.

5 Este tipo, que aún suele visitarme y regalarme alguna jaqueca o dolor de estómago, era uno de los principales ornamentos de los salones de mi hermano. [ . . . ]

Pero la gran adquisición de mi hermano fue don Ramón María Pez.[5] Cuando este hombre asistió a las reuniones, todas las demás 10 figuras quedaron en segundo término; toda luz palideció ante un astro de tal magnitud. Hasta el poeta sufrió algo de eclipse. Pez era el oráculo de toda aquella gente, y cuando se dignaba expresar su opinión sobre lo que había pasado aquel día en el Congreso, sobre el arreglo de la Hacienda o el uso de la regia 15 prerrogativa, reinaba en torno de él un silencio tan respetuoso, que no lo tuvo igual Platón en el célebre jardín de Academos.[6] El buen señor, diputado ministerial y encargado de una Dirección, tenía tal idea de sí mismo, que sus palabras salían revestidas de autoridad sibilina. Obligado por las exigencias sociales, 20 yo no tenía más remedio que poner atención a sus huecos párrafos, que resonaban en mi espíritu con rumor semejante al de un cascarón de huevo vacío cuando se cae al suelo y se aplasta por sí solo. La cortesía me obligaba a escucharle, pero en mi corazón le despreciaba. [ . . . ] Él no debía de tenerme gran estima; 25 pero, como hombre de mundo, afectaba respeto a los estudios serios que eran mi tarea constante. Así, siempre que venía rodando a la conversación algún grave tema, decía con cierta benevolencia un poquillo socarrona: "Eso, al amigo Manso. . ."

Llevado por Pez fue también Federico Cimarra, hombre que 30 conocen en Madrid hasta las piedras, como le conocían antes los garitos, también diputado de la mayoría, de estos que no hablan nunca, pero que saben intrigar por setenta, y afectando independencia, andan a caza de todo negocio no limpio. Constituyen

[5] Like the Tellerías (pp. 41, 79), the marqués de Fúcar (p. 79), and Augusto Miquis (Chaps. XXXIII, XXXIV, and XXXVII), the Pez family are a familiar element in Galdós's novels. See p. 41, n. 6.

[6] the olive grove of Academe where Plato and his successors taught

éstos, antes que una clase, una determinación cancerosa, que secretamente se difunde por todo el cuerpo de la patria. [ . . . ] Hombre de malísimos antecedentes políticos y domésticos, pero admitido en todas partes y amigo de todo el mundo, solicitado por servicial y respetado por astuto, Cimarra no tenía las formas enfáticas del señor de Pez, antes bien era simpático y ameno. Solíamos echar grandes párrafos, él mostrándome su escepticismo tan brutal como chispeante, yo poniendo a las cosas políticas algún comentario que concordaba, ¡extraña cosa!, con los suyos. De esta clase de gentes está lleno Madrid: son su flor y su escoria, porque al mismo tiempo le alegran y le pudren. No busquemos nunca la compañía de estos hombres más que para un rato de solaz. Estudiémosles de lejos, porque estos apestados tienen notorio poder de contagio, y es fácil que el observador demasiado atento se encuentre manchado de su gangrenoso cinismo cuando menos lo piense.

Y las recepciones de mi hermano ganaban en importancia de día en día, y no faltó un periodiquín que se salió con que allí *reinaba el buen tono,* y dijo que todos éramos muy distinguidos. José María vio con gozo que entraban títulos en sus salones, cosa que a mí nunca me pareció difícil. El primero a quien tuvimos el honor de recibir fue al conde de Casa-Bojío, hijo de los marqueses de Tellería, casado con una cubana millonaria y distinguidísima. Se esperaba que no tardaría en ir también la marquesa de Tellería, y quizás el marqués de Fúcar.

Pero lo más digno de consignarse y aun de ser transmitido a la historia es que en las tertulias de Manso nació una de las más ilustres asociaciones que en estos tiempos se han formado y que más significan a la humanidad. Me refiero a esa *Sociedad general para socorro de los inválidos de la industria,* que hoy parece tiene vida robusta y presta eficaces servicios a los obreros que se inutilizan por enfermedad o cualquier accidente. Yo no sé de quién partió la idea, pero ello es que tuvo feliz acogida, y en pocas noches se constituyó la Junta de gobierno y se hicieron los estatutos. Don Ramón Pez, que tocante a la Estadística, a la Administración, a la Beneficiencia, era un verdadero coloso, [ . . . ] fue nombrado presidente. A Cimarra hiciéronle vicepresidente, a mi hermano tesorero, y Sáinz del Bardal, que era quien más mangoneaba en esto, se hizo a sí mismo secretario. ¡Que siempre, oh bondad de Dios, han de andar los poetas en estas cosas! Yo, por más que luché para no ser más que soldado raso en aquella batalla filantrópica, no pude evitar que me nombraran consiliario. No me molestaba el cargo ni su objeto, sino la negra suerte de tener que bregar con el poeta y de sufrir a toda hora la ingestión de sus increíbles necedades. Era su trato como sucesivas absorciones de no sé qué miasmas morbosos. Yo me ponía malo con aquel dichoso hombre. Manuel Peña le odiaba tanto, que le había puesto por nombre *el tifus*, y huía de él como de un foco de intoxicación.

Y ya que hablo de Peña diré que era muy considerado en la tertulia y que se apreciaban sus méritos y condiciones. Algo y aun algos a veces se transparentaba del antecedente de la tabla de carne; pero la cortesía de todos, el tufillo democrático de algunos tertulíantes, y más que nada, la finura, corrección y caballerosidad de Peña, ponían las cosas en buen terreno. ¡Cosa rara!: el que más parecía estimarnos a Peña y a mí era el cínico Cimarra, despreocupadísimo, apasionado, según decía, de la gente que vale. Era de estos que se burlan del saber y admiran a los que saben. Pero no me gustó que el mismo Cimarra fuese quien por primera vez dio en llamar a mi discípulo *Peñita*, diminutivo que le quedó fijo y estampado, y que, digan lo que quieran, siempre lleva en sí algo de desdén.

José María pasaba el día rumiando lo que por la noche se había dicho en la tertulia, y no se ocupaba más que de fortificar sus ideas y de organizarlas de modo que estuvieran conformes con el credo del partido.

—¿Qué te parece el partido? —me preguntaba con frecuencia.

Y yo le respondía que el partido era lo mejor que hasta la fecha se había visto. A lo que él decía: "Yo quisiera que se organizase a lo inglés . . . porque esto es lo verdaderamente práctico, ¿eh? Es verdaderamente lamentable que aquí no estudie nadie la política inglesa y que vivamos en un tejer y destejer verdaderamente estéril."

Yo le oía, y, alabando a Dios, le daba cuerda para que siguiese adelante en sus apreciaciones y me mostrase, como asunto de estudio, la asombrosa variedad de las manías humanas.

Volviendo alguna vez los ojos a los asuntos de su casa y de sus hijos, me decía:

—Bueno será que des una vuelta por el cuarto de los chicos, ¿eh? . . . a ver qué tal se porta esa institutriz verdaderamente notable.

Yo lo hacía de muy buen grado. Iba por un rato, y sin darme cuenta de ello me pasaba allí un par de horas, inspeccionando las lecciones y contemplando como un tonto a la maestra, cuya belleza, talento y sobriedad me agradaban en extremo.

### TEMAS

1. La tertulia de José María Manso.
2. La asociación benéfica.
3. La sátira de Galdós.

## XIII

# Siempre era pálida

Tan pálida como en su niñez, de buen talle, muy esbelta, delgada de cintura, de lo demás proporcionadísima en todos sus contornos, admirable de forma, y con un aire... Sin ser belleza de primer orden, agradaba probablemente a cuantos la veían, y con seguri-
5 dad me agradaba a mí, y aun me encantaba un poquillo, para decirlo de una vez. Bien se podían poner reparos a sus facciones; pero, ¿qué rígido profesor de Estética se atrevería a criticar su expresión, aquella superficie temblorosa del alma, que se veía en toda ella y en ninguna parte de ella, siempre y nunca, en los ojos
10 y en el eco de la voz, donde estaba y donde no estaba, aquel viso del aire en derredor suyo, aquel hueco que iba dejando cuando partía?... [...] Formando como el núcleo de todos estos modos de expresión, veía yo su conciencia pura y la rectitud de sus principios morales. La persona tiene su fondo y su estilo; aquél se ve
15 en el carácter y en las acciones, éste se observa, no sólo en el lenguaje sino en los modales, en el vestir. El traje de Irene era correcto, de moda y sin afectación, de una sencillez y limpieza que triunfarían de la crítica más rebuscona.

Desde mis primeras visitas de inspección, sorprendióme el sen-
20 sato juicio de la maestra, su exacto golpe de vista para apreciar las cosas de esta vida y poner a respetuosa distancia las que son de otra. Su aplomo declaraba una naturaleza superior compuesta de maravillosos equilibrios. Parecía una mujer del Norte, nacida

y criada lejos de nuestro enervante clima y de este dañino ambiente moral.

Desde que los chicos se dormían, Irene se retiraba a la habitación que Lica le había destinado en la casa, y nadie volvía a verla hasta el día siguiente muy temprano. Por la mulata supe que parte de aquellas horas de la noche la empleaba en arreglar sus cosas y reparar sus vestidos. [ . . . ] Su honrada pobreza la obligaba a esto, y en verdad, ¿qué mejor escuela para llegar a la perfección? Este detalle me cautivaba y fue, con el trato, grande motivo de la admiración que despertó en mí.

Otro encanto. Tenía finísimo tacto para tratar a los niños, que, aunque de buena índole, eran, antes de caer en sus manos, voluntariosos, díscolos, y estaban llenos de los más feos resabios. ¿Cómo llegó a domar a aquellas tres fierecitas? Con su penetración hizo milagros, con su innata sabiduría de las condiciones de la infancia. Los pequeños, jamás castigados por ella corporalmente, la querían con delirio. La persuasión, la paciencia, la dulzura eran frutos naturales de aquella alma privilegiada. [ . . . ]

Más encantos. Noté que la indignación tenía en ella lugar secundario. Su claro juicio sabía descartar las cosas triviales y de relumbrón, y no se pagaba de fantasmagorías como la mayor parte de las hembras. ¿Consistía esto en cualidades originales, o en las enseñanzas de la desgracia? Creo que en ambas cosas. Rara vez sorprendí en sus palabras el entusiasmo, y éste era siempre por cosas grandes, serias y nobles. He aquí la mujer perfecta, la mujer positiva, la mujer razón, contrapuesta a la mujer frivolidad, a la mujer capricho. Me encontraba en la situación de aquel que, después de vagar solitario por desamparados y negros abismos, tropieza con una mina de oro, plata o piedras preciosas y se figura que la naturaleza ha guardado aquel tesoro para que él lo goce, y lo coge, y a la calladita se lo lleva a su casa; primero lo disfruta y aprecia a solas; después publica su hallazgo para que todo el mundo lo alabe y sea motivo de general maravilla y contento. Y de esta situación mía nacieron pensamientos varios que a mí mismo me sorprendían poniéndome como fuera de mí y haciéndome como diferente de mí mismo, en términos que noté un brioso movimiento en mi voluntad, la cual se encabritó (no hallo otra palabra) como corcel no domado, y esparció por todo mi ser impulsos semejantes a los que en otro orden resultan de la plétora sanguínea, y. . .

TEMAS

1. Retrato de la institutriz Irene.
2. ¿Cómo reacciona Manso ante ella?

## XIV

## ¿Pero cómo, Dios mío, nació en mí aquel propósito?

¿Nació del sentimiento o de la razón? Hoy mismo no lo sé, aunque trato de sondear el problema, ayudado de la serenidad de espíritu de que disfruto en este momento.

—Esta joven es un tesoro —dije a mi hermano y a Lica, que estaban muy contentos con los progresos de las niñas. 5

En los días buenos, Irene y las tres criaturas salían a paseo. Yo cuidaba mucho de que no se alterara aquella costumbre, recomendada por la higiene, y me agregaba a tan buena compañía las más de las tardes, unas veces porque hacía propósito de ello, otras porque las encontraba (no sé si casualmente) en la calle. Estas 10 casualidades ocurrían con orden tan infalible, que dejaron de serlo. Hablando con Irene pude observar que no era mujer con pretensiones de sabia, sino que poseía la cultura apropiada a su sexo y superior indisputablemente a toda la que pudieran mostrar las mujeres de nuestro tiempo. Tenía rudimentos de algunas cien- 15 cias, y siempre que hablaba de cosas de estudio lo hacía con tanto tino, que más se la admiraba por lo que no quería saber que por lo que no ignoraba.

Nuestras conversaciones en aquellos gratos paseos eran de asuntos generales, de aficiones, de gustos, y a veces del grado de 20 instrucción que se debe dar a las mujeres. Conformándose con mi opinión y apartándose del dictamen de tanto propagandista indigesto, manifestaba antipatía a la sabiduría facultativa de las mu-

jeres y a que anduviese en faldas el ejercicio de las profesiones propias del hombre; pero al mismo tiempo vituperaba la ignorancia, superstición y atraso en que viven la mayor parte de las españolas, de lo que tanto ella como yo deducíamos que el toque
5 está en hallar un buen término medio.

Y a medida que me iba mostrando su interior riquísimo, encontraba yo mayor consonancia y parentesco entre su alma y la mía. No le gustaban los toros, y aborrecía todo lo que tuviera visos de cosa chulesca. Era profunda y elevadamente religiosa; pero no
10 rezona, ni gustaba de pasar más de un rato en las iglesias. Adoraba las bellas artes y se dolía de no tener aptitud para cultivarlas. Tenía afanes de decorar bien el recinto donde viviese y de labrarse el agradable y cómodo rincón doméstico que los ingleses llaman *home.* Sabía poner a raya el sentimentalismo huero que
15 desnaturaliza las cosas y evocar el sano criterio para juzgarlas, pesarlas y medirlas como realmente son.

Cuando hubo adquirido más franqueza, me contaba algunas anécdotas de doña Cándida, que me hacían morir de risa. Comprendí cuánto debió sufrir la pobre joven en compañía de persona
20 tan contraria a su natural recto y a sus gestos delicados. Confianza tras confianza, fue contándome poco a poco, en sucesivos paseos y sesiones interesantes, cosas de su infancia y pormenores mil, que así revelaban su talento como su exquisita sensibilidad.

Y en esto se echaron encima las Pascuas. Lica había dado a
25 luz [1] el 15 de diciembre un enteco niño de quien fui padrino y a quien pusimos por nombre Máximo. Mi hermano, gozoso del crecimiento de la familia, se extremó tanto en dar propinas y en hacer regalos, que yo estaba asustado y le aconsejé que se refrenara, porque los excesos de su liberalidad tocaban ya en el mal
30 gusto. [ . . . ] Aquellos días hubo en casa una reunión magna de la *Sociedad para socorro de los inválidos de la industria,* y se nombraron no sé cuántas comisiones y subcomisiones. [ . . . ] ¡Bienaventurados obreros, y qué felices iban a ser cuando aquella máquina, todavía no armada, echase a andar, llenando a España
35 con su admirable movimiento y esparciendo rayos de beneficencia por todas partes!

[1] **había . . . luz** had given birth to

Las tardes de la semana de Navidad, que para algunos es tan alegre y para mí ha sido siempre muy sosa, las pasábamos acompañando a Lica. Doña Cándida no faltaba nunca, y demostraba a mi cuñada y a su niño una ternura idolátrica, cuya última nota era quedarse a comer. [ . . . ] 5

Una tarde se les antojó a los chicos ir al teatro, y como el de Martín está tan cerca y daban *El Nacimiento del Hijo de Dios* y *La degollación de los Inocentes,*[2] tomé un palco y nos fuimos allá Irene, yo y la familia menuda. [ . . . ] Yo estaba alegre aquella tarde, y el aspecto del teatro, poblado de criaturas de todas edades y sexos, aumentaba mi regocijo, el cual no sé si provenía de una recóndita admiración de la fecundidad y aumento de la especie humana. Hacía bastante calor allí dentro, y las estrechas galerías, donde tanta gente se acomodaba, parecían guirnaldas de cabezas humanas, entre las cuales descollaban las de los chiquillos. No he visto algazara como aquélla. [ . . . ] 10 15

Mucho terror causó a Pepito María ver salir al demonio luego que se alzó el telón. Era el más feo mamarracho que he visto en mi vida. El pobre niño escondía su cara para no verlo; sus hermanitas se reían, y él, excitado por todos para que perdiese el miedo, no se aventuraba más que a entreabrir un poquito de un ojo, hasta que, viendo los horribles cuernos del actor que hacía de demonio, volvíalo a cerrar y pedía que le sacaran de allí. Felizmente, la salida de un ángel, armado de lanza y escudo, que con cuatro palabras pudo acoquinar al diablo y darle media docena de patadas, tranquilizó a Pepito, el cual se animó mucho oyendo las exclamaciones de contento que de todos los puntos del teatro salían. 20 25

A medida que adelantaba la exposición del drama, Irene y yo nos admirábamos de que tan serio asunto, poético y respetable, se pusiera en indecente farsa. Irene opinaba, como yo, que tales espectáculos no deben permitirse, y hacía consideraciones bien tristes sobre los sentimientos religiosos de un pueblo que semejantes caricaturas tolera y aplaude. 30

Esto me llevó a decir algo del teatro en general, de su conven- 35

[2] Teatro Martín on Santa Brígida Street, very close to San Lorenzo, where the elder Manso's family lived. The two works are Christmas plays.

cionalismo, de las falsedades que le informan,[3] y hablaba de esto porque no se me ocurría la manera de introducir en la conversación otros temas más en armonía con el estado de mis sentimientos. Yo buscaba fórmulas de transición y hallaba en mí increíble
5 torpeza. Creo que el calor, el bullicio de los entreactos y el tedio de aquel sacrílego sainetón ponían en mi mente un aturdimiento espantoso. No sé qué fatal y desconocida fuerza me llevaba a no poder tratar más que asuntos comunes, desabridos y áridos, como una lección de mi cátedra. La misma belleza y gracia de Irene,
10 lejos de espolearme, ponía como un sello en mi boca, y en todo mi espíritu no sé qué misteriosas ligaduras.

Ignoro cómo rodó la conversación a cosas y hechos de su infancia. Irene me habló de su padre, que fue caballerizo; recordaba vagamente su uniforme con bordados, una pechera roja, un tri-
15 cornio sobre una cara que se inclinaba hacia ella, chiquitita, para darle besos. Recordaba que en los albores de su conocimiento todo respiraba junto a ella profundo respeto hacia la Casa Real.[4] [ . . . ]

Verdaderamente, estas cosas tenían para mí un interés secun-
20 dario, y más cuando mi espíritu se atormentaba con la idea de una urgente manifestación de sentimientos. [ . . . ] Y permanecí callado en un ángulo del palco, mientras los chicos miraban embobecidos el cuadro de la Anunciación, el del Empadronamiento[5] y el viaje a Belén. Irene conoció en mi silencio que me dolía la
25 cabeza, y me dijo que saliendo un poquito a la calle para que me diera el aire se me quitaría.

Pero no quise salir, y durante el segundo entreacto hablamos . . . , ¿de qué?; pues del caballerizo, de la tía de Irene, que

[3] Manso's opinion of the theater of the period is justified and represents the author's own view. Galdós was much concerned about the lack of really contemporary themes and an appropriate medium of their expression, and in his own plays attempted to apply his theories. Although Galdós influenced the theater, which then took a completely new turn, his own plays reveal the calling of the novelist and do not quite show the mark of greatness. Other comments on the style of acting: p. 94, and on the theater: pp. 194, 220. [4] The Royal Family referred to here is that of Isabella II (reigned 1834-68). [5] The taxing of each person in his own city, for which purpose Joseph and Mary had set out on their journey. Luke 2:1-5.

padecía jaqueca de tres días, con vómito, delirio y síncope. Poco después, alzado otra vez el telón, vimos el monte, la cascada *de agua natural,* que caía de lo alto del escenario y escurría entre hojalata; los pastores y el rebaño vivo, compuesto de una docena de blancos borregos. En aquel momento parecía que se iba a hundir el teatro; tan loco entusiasmo suscitaban los chorros de agua y los corderos. Yo, como artista, consideraba la índole de unos tiempos en que se hacen zarzuelas del Nuevo Testamento. [. . .] Sin duda aquel feo demonio que tanto había asustado a Pepito se metió en mí, porque yo no cesaba de contemplar a Irene, no para saciarme en la vista de sus perfecciones, sino para buscarle defectos y encontrárselos en gran número, que esto era lo más grave. Su nariz me parecía de una incorrección escandalosa, sus cejas demasiado tenues no permitían que luciera bastante la proyección melancólica de sus ojos. ¿No era su boca quizás o sin quizás más grande de lo conveniente? Luego dejaba correr mi despiadada regla por el cuello abajo, y encontraba que en tal o cual parte hacía el vestido demasiados pliegues, que el corsé no acusaba perfiles estéticos, que la cintura se doblaba más de lo regular, y al mismo tiempo no había en su traje un corte muy esmerado, y sus guantes tenían una roturilla, y sus orejas estaban demasiado rojas, no sé si por el calor, y su sombrero era deforme, y sus cabellos . . . Pero ¿a qué seguir? Mi cruel observación no perdonaba nada, perseguía los defectos hasta en las regiones menos visibles, y al hallarlos, cierta complacencia impía daba descanso a mi espíritu y alivio a mi dolor de cabeza . . . ¡Tontería grande aquel trabajo mío, y cómo me reí de él más tarde! ¡Ni qué cosa humana habrá que a tal análisis resista! Pero es una desdicha conocer el amargo placer de la crítica y ser llevado por impulsos de la mente a deshojar la misma flor que admiramos. Vale más ser niño y mirar con loco asombro las imperfecciones de un rudo juguete, o sentar plaza para siempre en la infantería del vulgo. Esto me llevaba a sospechar si el ideal estético será puro convencionalismo, nacido de la finitud o determinación individual, o si tendrán razón los tontos al reírse de nosotros, o, lo que es lo mismo, si los tontos serán en definitiva los discretos.

—¡Pobrecito Máximo! —me dijo de improviso Irene, en el momento que caía el telón—. ¿No se alivia esa cabeza?

Estas palabras me hicieron el efecto de un disciplinazo. Diríase que me habían despertado de un letargo. La miré, parecióme entonces tan acabada como yo torpe, malicioso y zambo de cuerpo y alma.

—Me duele mucho . . . El calor . . . el ruido . . . [ . . . ]

—Pues vámonos —dijo Irene.

Fue preciso hacer creer a las niñas que se había acabado todo. Pero Belica, la mayor, estaba bien enterada del programa y nos decía muy afligada: "Si falta la degollación . . ."

Irene las convenció de que no faltaba nada, y salimos.

—Le pondré a usted unos paños de agua sedativa —me dijo la profesora. [ . . . ]

¡Me pondría paños! Al oírla me pareció, no ya perfecta, sino puramente ideal, hermana o sobrina de los ángeles que asisten en el cielo a los santos achacosos y les dan el brazo para andar, y vendan y curan a los que fueron mártires, cuando se les recrudecen sus heridas.

—El agua sedativa no me hace bien. Veremos si puedo dormir un poco.

—¿Se va usted a su casa?

—No; me echaré en el sofá del despacho de José María.

Y así lo hice. Muy entrada la noche,[6] cuando desperté me dieron una taza de té, y despejada la cabeza, sentí vivos deseos de ver a Irene, pero no me atreví a preguntar por ella. Al salir para retirarme a mi casa, doña Jesusa, como si adivinara mi pensamiento, me dijo:

—Esa niña, esa Irenita vale un Perú. ¡Es más buena . . . ! Hasta hace un rato ha estado cosiendo. Ya se encerró en su cuarto. ¿Pero creerá usted que duerme? Está leyendo acostada.

Al pasar vi claridad en el montante de la puerta. ¡Luz en su cuarto! ¿Qué leería?

[6] **entrada la noche** late at night

## TEMAS

1. ¿De qué conversaban Irene y Manso?
2. Una tarde en el teatro.

XV

## ¿Qué leería?

Éste fue el objeto de mis profundas cavilaciones en el tiempo que tardé en llegar a mi casa, y aún me persiguió aquel enigma hasta que me dormí, después de leer yo también un rato. ¿Y cuál fue mi lectura? Abrí no sé qué libros de mi más ardiente devoción, 5 y me harté de poesía y de idealidad.

Al despertar volví a preguntarme: "¿Qué leería?". Y en clase, cuando explicaba mi lección, veía por entre las cláusulas y pensamientos de ésta, como se ve la luz por entre las mallas de un tamiz, la cuestión de lo que Irene leía.

10 Cumplidos mis deberes profesionales, fui a almorzar a casa de mi hermano; y ved aquí cómo llegó a serme agradable aquella mansión que al principio tantas antipatías despertaba en mí, por el trastorno que sus habitantes habían causado en mis costumbres. Pero yo empezaba a formarme una segunda rutina de vida, aco-15 modándome al medio local y atmosférico; que es ley que el mundo sea nuestro molde y no nuestra hechura.

Favorecía mis visitas a la casa del hermano su proximidad a la mía, pues en seis minutos con sólo quinientos sesenta pasos salvaba la distancia, por un itinerario que parecía camino celestial, 20 formado de las calles del Espíritu Santo, Corredera de San Pablo y calles de San Joaquín, San Mateo y San Lorenzo. Esto era pasearse por las páginas del *Año Cristiano*.[1] ¡Y la casa me parecía tan bonita, con sus nueve balcones de antepecho corrido que semeja-

[1] **Año Cristiano** the calendar of saints' days

ban pentagrama de música! [ . . . ] La gran escalera blanquecina me acogía con paternal agasajo, y al entrar me recibía el huésped eterno y fijo de la casa, un fuerte olor de café retinto, que se asociaba entonces a todas las imágenes, ideas y sucesos de la familia, y aun hoy viene a formar en el fondo de mi memoria, siempre que repite aquellos días, como un ambiente sensorio que envuelve y perfuma mis recuerdos. 5

El primero que aparecía ante mí era Rupertico haciendo cabriolas, besándome la mano y llamándome *Taita.* Aquel día me dijo:

—Mi ama Lica se ha levantado hoy. 10

Entré a verla. Allí estaba doña Cándida, hecha un caramelo de amabilidad, atendiendo a Lica, arreglándole las almohadas en el sillón, cerrando las puertas para que no le diera aire, y al mismo tiempo poniendo sus cinco sentidos en la criatura y en el ama. Las reglas y preceptos que Calígula dictaba a cada momento para que el niño y la nodriza no sufrieran el menor percance llenarían tantos volúmenes como la *Novísima Recopilación.*[2] Ella había buscado el ama y la había vestido; [ . . . ] ella le había marcado el régimen y regulaba las hartazgas que tomaba aquella humana vaca, de cuya voracidad no puede darse idea. Ella corría con [3] todo lo de ropitas, fajas y abrigos para mi tierno ahijado. . . 15 20

—Tiene toda la cara de tu madre —me decía—, y éste se me figura que va a ser un sabio como tú. ¿Pero has visto cosa más rica que este ángel?

A mí me parecía bastante feo. Tenía por nariz la trompeta que es característica de todos los Mansos, y un aire de mal humor, un gesto avinagrado, un mohín tan displicente, que me le figuraba echando pestes de los fastidiosos obsequios de doña Cándida. 25

Ésta se multiplicaba para atender a todo; y como al muchacho se le ocurriese dar uno de esos estornudos de pájaro que dan los niños, ya estaba mi cínife con las manos en la cabeza, cerrando las puertas y riñéndonos porque decía que hacíamos aire al pasar. Cuando Maximín bostezaba abriendo su desmedida boca sin dientes, al punto gritaba ella: "¡Ama, la teta, la teta!" 30

Era el ama rolliza y montaraz, grande y hombruna, de color 35

[2] voluminous codex of Spanish laws, first published in 1775 [3] **corría con** took charge of

atezado, ojos grandes y terroríficos, que miraban absortos a las personas como si nunca hubieran visto más que animales. Se asombraba de todo, se expresaba con un como ladrido entre vascuence y castellano que sólo mi cínife entendía, y si algo revelaba 5 su ruda carátula era la astucia y desconfianza del salvaje. [...] Lica estaba muy contenta del ama, y cuando ésta no podía oírlo, decía doña Cándida, radiante de orgullo:

—No hay mujer como ésta, no la hay... Le digo a usted, Lica, que ha sida una adquisición... ¡Gracias a mí, que la he buscado 10 como pan bendito!... Hija, estas gangas no se encuentran a la vuelta de la esquina. ¡Qué leche más rica! ¡Y qué formalota!..., una cosa atroz, ¿ha visto usted? No dice esta boca es mía.[4]

Débil, más indolente que nunca, pero risueña y feliz, mi cuñada manifestaba su gratitud con expresiones cariñosas, y Calí- 15 gula le decía:

—¡Qué bien está usted!... ¡Qué bonito color! ¡Vamos, está usted muy mona!

Y Lica me dijo, como siempre:

—Máximo, cuéntame cosas.

20 —¿Qué cosas ha de contar este sosón? —zumbó mi cínife con humor picaresco—. Que empiece a echar filosofías, y nos dormimos todas.

A pesar de esta sátira, yo contaba cosas a Lica, le hablaba de teatros, actualidades y de las noticias de Cuba.

25 La peinadora entró a peinar a Chita, que, mientras le arreglaban el pelo, me obligó a darle cuenta de todas las funciones que en la última quincena se habían dado en los teatros. Yo, que no había ido a ninguna, le decía lo que se me antojaba. Lo mismo Chita que mi cuñada tenían pasión por los dramas y horror a la 30 música y a las comedias de costumbres. Para ellas no había goce en ningún espactáculo si no veían brillar espadas y lanzas, y si no salían los actores muy bien cargados de barbas y vestidos de verde, o forrados de hojalata imitando armaduras. Odiaban la llaneza de la prosa, y se dormían cuando los actores no decla- 35 maban cortando la frase con hipos y el sonajeo de las rimas. Compraba Chita todos los dramas del moderno repertorio, y ambas

[4] **No dice... mía** She doesn't open her mouth; She doesn't say a word

hermanas los leían con deleite entre sorbos de café. Después se les veía esparcidos sobre la chimenea y el velador, en las banquetas o en el suelo, a veces enteros, otras partidos en actos o en escenas. [ . . . ] Aquel día, además del desbarajuste dramático, observé en el gabinete los desórdenes que, por ser cotidianos, no 5 me llamaban ya la atención. Sobre mesillas y taburetes se veían las tazas de café, unas sucias, mostrando el sedimento del azúcar, otras a medio beber y frías como el hielo; sobre tal silla un sombrero de señora; un abrigo en el suelo; sobre la chimenea una bota; el devocionario encima de un plato y cucharillas de café 10 dentro de un florerito de porcelana.

En el despacho encontré a José María atareadísimo con el correo de Cuba. Ayudábale Sáinz del Bardal, y entre los dos tenían escritas ya cantidad de cartas bastante a cargar un vapor correo.

—Ya sabes —me dijo mi hermano— que creo tener segura mi 15 elección en uno de los distritos de la isla que están vacantes. El Ministro se ha empeñado en ello. [ . . . ] Yo ¿qué he de hacer? . . . Luego, de allá me escriben . . . Mira todas las cartas de Sagua; entérate . . . Dicen que sólo yo les inspiro confianza . . . Estoy verdaderamente agradecido a estos señores . . . Querido Sáinz, des- 20 canse usted, y vámonos a almorzar. Ea, camaradas, a la mesa.

Almorzamos. Tan afanado estaba José María con su elección y con la política, que ni en la mesa descansaba, y apoyando el periódico en una copa, leía [ . . . ] la sesión del día anterior.

—Ese Cimarra —manifestó en su respiro— es hombre verdade- 25 ramente notable. Dicen que es inmoral . . . Mira, tú; yo no quiero meterme en la vida privada, ¿eh? En la pública, Cimarra es verdaderamente activo, hábil, muy amigo de sus amigos. Anoche estuvimos hasta las dos en el despacho del Ministro . . . Y ahora que me acuerdo, hablamos de ti. Ya es hora de que pases a una 30 cátedra de Universidad, y bien podría ser que dentro de algún tiempo te calzaras la Dirección de Instrucción Pública . . . Ea, ea, no vengas con modestias ridículas. Eres verdaderamente una calamidad. Con ese genio nunca saldrás de tu pasito corto.

Y cuando mi hermano volvía a engolfarse en la lectura del pe- 35 riódico, que era uno de los del partido, el poeta me tomaba por su cuenta, para comunicarme, sin dejar de engullir, los progresos de la Sociedad filantrópica, de que era secretario. [...] Se trataba de un problema muy importante, sin cuya aclaración no tenía la Sociedad fundamento sólido en que apoyarse; se trataba de establecer el grado de eficacia que podría alcanzar la campaña filantrópica. [...]

El condenado quería hacerme un resumen del dictamen, pero yo le corté la palabra; temía que me hiciera daño el almuerzo. Volvimos al despacho. Sáinz del Bardal, que se había prestado a ser secretario de su protector, continuó escribiendo cartas, y José María, mientras fumaba, me dejó ver con más claridad las ambiciones y vanidades que se habían despertado en él. Aunque hacía alarde de sencillez y retraimiento, bien se le conocía su anhelo de notoriedad política. ¡Bendito José! Me le figuraba en primera línea y a la cabeza de un partido, fracción o grupillo, que se llamaría de los *Mansistas.* Cuando yo así lo decía, él reía a carcajadas, demostrándome, a través de su jovialidad, el gusto que esta suposición le causaba.

—Todo me lo dan hecho —dijo—; yo no me muevo, yo no pido nada... Pero se empeñan... Es verdaderamente honroso para mí, y estoy verdaderamente agradecido... Anoche recibí un besalamano del Ministro... [...] Yo no busco a nadie; me buscan. Yo quiero estar metido en mi casa, y no me dejan.

Estos alardes de modestia eran un nuevo síntoma de la intoxicación política que empezaba a padecer José, pues es muy propio de los ambiciosos hacer el papel de que no buscan, ni piden, ni quieren salir de las cuatro paredes, y siempre dan, como explicación de sus intrigas, la disculpa de que se les solicita y obliga a ser grandes hombres en contra de su voluntad. Con este síntoma notaba yo en mi hermano el [...] de usar constantemente ciertas formulillas y modos de decir de los políticos. La facilidad con que se había asimilado estos dicharachos, probaba su vocación. Decía: [...] *los señores que se sientan en aquellos bancos; esto se va; lo primero es hacer país; hay mar de fondo;* [5] [...] etc. [...]

En sus costumbres no se advertía menos su conversión rápida a un nuevo orden de ideas y de vida. Ya la pobre Lica había em-

[5] **esto se va** this can't last; **hacer país** to shape the future; **hay mar de fondo** something serious is brewing

pezado a quejarse de las largas ausencias de su marido, el cual, siempre que no tenía convidados, comía fuera de casa, y entraba a las dos de la noche. Se había vuelto un si es no es [6] áspero y gruñón dentro de casa, y exigentísimo en todo lo referente a menudencias sociales y al aparato doméstico. El menor descuido de la servidumbre traía sobre Lica agrias amonestaciones; y no digo nada de los malísimos ratos que sufrió la pobrecita para corregirse de su rusticidad y olvidar todas las palabras de su tierra y no hablar ni pensar más que a la europea. Dócil y aplicada, la infeliz ponía tanta atención a las fraternas de su marido, que logró reformar sus modales y lenguaje. [ . . . ] Por este mismo tiempo empezó a restituirse la dicción castellana en los nombres de todos, y ya no se le decía Lica, sino Manuela, y su hermana fue Mercedes, y la niña mayor, que se nombraba Isabel, como mi madre, no se llamó más Belica. Sólo la *niña Chucha* era refractaria a estas novedades y no respondía cuando la llamaban doña Jesusa, porque dejar su lengua —decía— era arrojar a las calles de Madrid lo último que le quedaba de su querida patria.

Y aquella misma mañana observé en el despacho otros indicios de demencia que me dieron mucha tristeza, porque ya no me quedaba duda de que el mal de José María era fulminante y de que pronto se perdería la esperanza de su remedio. Sobre la mesa había muestras de garabatos heráldicos hechos en distintos colores. Esto, unido a ciertos rumores que habían llegado a mí y a las tonterías que escribió un revistero de periódico, confirmó mis sospechas, y no pudiendo resistir la curiosidad, pregunté:

—¿Pero es cierto que vas a titularte?

—Yo no sé . . . si he de decirte la verdad . . . estas cosas me fastidian . . . —repuso algo turbado—. Es empeño de ellos, yo me resisto. Luego, los del partido . . . lo han tomado como asunto propio . . . Es verdaderamente una tontería, ¿pero cómo les voy a decir que no? Sería verdaderamente ridículo . . . ¡Si me hicieras el favor de no quitarme el tiempo, camarada! Estamos verdaderamente sofocados con este dichoso correo de Cuba.

Dejéle con sus cartas y su poeta-secretario. Pronto sería yo hermano de un marqués de Casa-Manso o cosa tal. En verdad, esto

[6] **un . . . es** more or less; rather

me era de todo punto indiferente, y no debía preocuparme de semejante cosa; pero pensaba en ella porque venía a confirmar el diagnóstico que hice de la creciente locura de mi hermano. Lo del título era un fenómeno infalible en el proceso psicológico, en la evolución mental de sus vanidades. [ . . . ] Es curioso estudiar la filosofía de la historia en el individuo, en el corpúsculo, en la célula. Como las ciencias naturales, aquélla exige también el uso del microscopio.

Indudablemente, estas democracias blasonadas; estas monarquías de transición sostenidas en el cabello de un artificio legal; este sistema de responsabilidades y de poderes, colocado sobre una cuerda floja y sostenido a fuerza de balancines retóricos; esta sociedad que despedaza la aristocracia antigua y crea otra nueva con hombres que han pasado su juventud detrás de un mostrador; estos Estados latinos que respiran a pulmón lleno el aire de la igualdad, llevando este principio no sólo a las leyes, sino a la formación de los ejércitos más formidables que ha visto el mundo; estos días que vemos y en los cuales actuamos, siendo todos víctimas de resabios tiránicos y al mismo tiempo señores de algo, partícipes de una soberanía que lentamente se nos infiltra, todo, en fin, reclama y quizás anuncia un paso o transformación, que será la más grande que ha visto la Historia. Mi hermano, que había fregado platos, liado cigarrillos, azotado negros, vendido sombreros y zapatos, racionado tropas y traficado en estiércoles, iba a entrar en esa escogida falange de próceres, que son la imagen del poder histórico inamovible y como su garantía de permanencia y solidez.

Pensando en estas cosas fui al cuarto de Irene, y todo lo olvidé desde que la vi. Sin oír su respuesta a mi primer saludo, le pregunté:

### TEMAS

1. A Máximo le atrae más la casa de su hermano.
2. Nuevas actividades y ambiciones de José María.

## XVI
# ¿Qué leía usted anoche?

Y como quien ve descubierto un secreto querido, se turbó, no supo responder, vaciló un momento, dijo dos o tres frases evasivas, y a su vez me preguntó no sé qué cosa. Interpreté su turbación de un modo favorable a mi persona, y me dije: "Quizás leería algo mío." Pero al punto pensé que no habiendo yo escrito ninguna obra de entretenimiento, si algo mío leía, había de ser, o la *Memoria sobre la psicogénesis y la neurosis*, o los *Comentarios a Du Bois-Reymond*, o la traducción de Wundt, o quizá los artículos refutando el transformismo y las locuras de Haeckel.[1] Precisamente la aridez de estas materias venía a dar una sutil explicación al rubor y disgusto que noté en el rostro de mi amiga, porque, "sin duda —calculé yo— no ha querido decirme que leía estas cosas por no aparecer ante mí como pedantesca o marisabidilla."

Las dos niñas corrieron hacia mí. Eran monísimas, se llamaban mis novias y se disputaban mis besos. Pepito también corrió saltando a mi encuentro. Sólo tenía tres años, aún no estudiaba nada, y le tenían allí para que estuviese sujeto y no alborotase en la casa. Era un gracioso animalito que no pensaba más que en comer, y luchaba por la existencia de una manera furibunda.

[1] Emil Du Bois Reymond, 1818-96, German physiologist of the positivist school; Wilhelm Wundt, 1832-1920, German physiologist and psychologist; Ernst Haeckel, 1834-1919, German biologist and promulgator of the philosophical aspects of evolution

Cuando le preguntaban qué carrera quería seguir, respondía que la de confitero. Isabelita y Jesusita eran muy juiciosas; estudiaban sus lecciones con amor y hacían sus palotes con ese esfuerzo infantil que pone en ejercicio los músculos de la boca y de los ojos.
5 La habitación de estudio era la única de la casa en que había orden, y al propio tiempo la menos clara, pues siempre se encendía luz en ella a las tres de la tarde. ¡Qué hermoso tinte de poesía y serenidad marmórea tomabas a mis ojos, maestra pálida, a la compuesta luz de la llama y de la claridad expirante del día! Por
10 ti salía mi espíritu de su normal centro para lanzarse a divagaciones pueriles y hacer cabriolas, impropias de todo ser bien educado. [ . . . ]

—Vamos a ver, Isabel —decía Irene—, los verbos irregulares.

La ocasión y el sitio imponíanme la mayor seriedad; así, para
15 aproximarme en espíritu a Irene, tenía que ayudarla en su tarea escolástica, facilitándole la conjugación y declinación, compartiendo con ella las descripciones del mundo en la Geografía. La Historia Sagrada nos consumía mucha parte del tiempo, y la vida de José y sus hermanos, contada por mí, tenía vivísimo encanto
20 para las niñas, y aun para la maestra. Luego venían las lecciones de francés, y en los temas [2] les ayudaba un poco, así como en la Analogía y Sintaxis castellanas, parte del saber en que la misma profesora, dígase con imparcialidad, solía dormitar *aliquando,* como el buen Homero.[3]

25 Mientras escribían, había un poco más de libertad. [ . . . ] Irene descansaba, y cogiendo su labor de *frivolité* poníase a hacer nudos con la lanzadera, y yo a mirarle los dedos, que eran preciosos. Con aquel trabajito se ayudaba, reforzando su mísero peculio. ¡Bendita laboriosidad, que era el remate o coronamiento glorioso
30 de sus múltiples atractivos! Yo inspeccionaba las planas de las niñas y decía a cada instante:

—Más delgado, niña; más grueso; aprieta ahora. . .

[2] In foreign language study, **tema** is a translation exercise from one's native language to the language studied. [3] The allusion is a commonplace reference which has its origin in Horace's *Ars Poetica: 'quandoque bonus dormitat Homerus,'* 'the good Homer occasionally napped,' to imply that even the great have their little weaknesses. *Aliquando* has come to be used instead of *quandoque.*

De repente, un prurito irresistible del alma me hacía volver hacia Irene y decirle:

—¿Está usted contenta con esta vida?

Y ella alzaba los hombros, me miraba, sonreía, y . . . ¿por qué negarlo, si quiero que la verdad más pura resplandezca en mi relato? Sí, me parecía sorprender en ella cansancio y aburrimiento. Pero sus palabras, llenas de profundo sentido, me revelaban cuán pronto triunfaba la voluntad de la flaqueza de ánimo.

—Es preciso tomar la vida como se presenta. Estoy contenta, Máximo; ¿qué más puedo desear por ahora?

—Usted está llamada a grandes destinos, Irene . . . Por Dios, Jesusita, no pintes, no pintes; haz el trazo con libertad, y salga lo que saliere. Si sale mal, se hace otro, y adelante . . . Las cualidades superiores que resplandecen en usted . . . Pero Isabel ¿adónde vas con ese codo? ¿Lo quieres poner en el techo? Anda, anda; parece que vas a dar un abrazo a la mesa . . . No mojes tanto la pluma, criatura. Estás chorreando tinta . . . Ese codo, ese codo . . . Pues sí, las cualidades superiores . . . [ . . . ]

Y aquí me detuve, porque, a semejanza de lo que la tarde anterior me había pasado en el teatro, sentí obstrucciones en mi mente, como si ciertas y determinadas ideas no quisieran prestarse a ser expresadas y se escondieran con vergüenza, huyendo de la palabra, que a tirones quería echarlas fuera. El requiebro vulgar repugnaba a mi espíritu, y no sé por qué intervenía cruelmente en ello mi gusto literario. Y como al mismo tiempo no hallaba una fórmula escogida, graciosa, de exquisita intención y originalidad que respondiese a mi pensamiento, estableciendo insuperable diferencia entre mi sensibilidad y la de los mozalbetes y estudiantes, no tuve más remedio que adoptar el grandioso estilo del silencio, poniendo de vez en cuando en él la pincelada de un elogio.

—Usted, Irene, es de lo más perfecto que conozco.

Ella siguió haciendo nudos y más nudos, y no respondió a mis alabanzas sino echándome otras tan hiperbólicas que me ofendían. Según ella, yo era el hombre acabado, el hombre sin pero, el hombre único. [ . . . ] "Es usted tremendo" —me dijo, y a esta frase siguió prolongado silencio de ambos.

La tarde estaba hermosa, y salimos a paseo. No sé si fue aquella tarde u otra cuando me retiré a casa con la idea y el propósito de no precipitarme en la realización de mi plan, hasta que el tiempo y un largo trato no [4] me revelaran con toda claridad las
5 condiciones del suelo que pisaba.

"No me conviene ir demasiado aprisa –pensaba yo–. El hecho, el hecho me guiará y la serie de fenómenos observados me trazará seguro camino. Procedamos en este asunto gravísimo con el riguroso método que empleamos hasta en las cosas triviales. Así
10 tendré la seguridad de no equivocarme. Poniendo un freno a mis afectos, que se dejarían llevar de impetuoso movimiento, conviene seguir observando. ¿Acaso la conozco bien? No; cada día noto que hay algo en ella que permanece velado a mis ojos. Lo que más claro veo es su prodigioso tacto para no decir sino aquello
15 que bien le cuadra, ocultando lo demás. Demos tiempo al tiempo,[5] que así como el trato ha de producir el descubrimiento de las regiones morales que aún están entre brumas, la amistad que del trato resulte y el coloquio frecuente han de traer espontaneidades que le revelen a ella mis propósitos y a mí su aquiescencia,
20 sin necesidad de esa palabrería de mal gusto que tanto repugna a mi organización intelectual y estética."

Tal como lo pensaba lo hice. Muchas mañanas asistí a las lecciones y muchas tardes a los paseos, mostrando indiferencia y aun sequedad. La digna reserva de ella me agradaba más cada
25 vez. Un día nos cogió un chaparrón en el Retiro.[6] Tomé un coche, y con la estrechez consiguiente nos metimos en él los cinco y nos fuimos a casa. Chorreábamos agua, y nuestras ropas estaban caladas. Yo tenía un gran disgusto; temía que ella y los niños se constipasen.

30 —Por mí no tema usted –me dijo Irene–. Jamás he estado mala. Yo tengo una salud . . . tremenda.

¡Bendita Providencia que a tantos dones eminentes añadió en aquella criatura el de la salud, para que respondiese mejor a los fines humanos en la familia! El que tuviese la dicha de ser esposo
35 de aquella escogida entre las escogidas, no se vería en el caso de

[4] **no** Do not translate. [5] **Demos . . . tiempo** Let's let time take its course [6] Parque del Buen Retiro, Madrid's large and very beautiful park

confiar la crianza de sus hijos a una madre postiza y mercenaria; no vería entronizado en su casa ese monstruo que llaman nodriza, vilipendio de la maternidad y del siglo.

—Cuídese usted, cuídese, Irene —le dije, con afán previsor—, para que su hermosa salud no se altere nunca.

Dos días estuve sin ir a casa de mi hermano. ¿Fue casualidad o plan astuto? Crea el lector lo que quiera. Mi metódico afecto tenía también sus tácticas, y algo se entendía de emboscadas amorosas. Cuando fui, después de ausencia que tan larga me parecía, sorprendí en el rostro de Irene alegría muy viva.

—Me parece —repliqué yo— que hace dos siglos que no nos vemos . . . ¡He pensado tanto en usted! . . . Ayer hablamos . . . No nos vimos, y, sin embargo, le dije a usted estas y estas cosas.

—Es usted . . . tremendo.

—No quisiera equivocarme; pero me parece que noto en usted algo de tristeza . . . ¿Le ha pasado a usted algo desagradable?

—No, no, nada —respondió, con precipitación y un poco de sobresalto.

—Pues me parecía . . . No, no puede estar usted satisfecha de este género de vida, de esta rutina impropia de un alma superior.

—Ya se ve que no —dijo con vehemencia.

—Hábleme usted con franqueza, revéleme todo lo que piense y no me oculte nada . . . Esta vida. . .

—Es tremenda.

—Usted merece otra cosa, y lo que usted merece lo tendrá. No puede ser de otra manera.

—Pues qué, ¿había de pasar toda mi juventud enseñando a hacer palotes?

—¿Y cuidando chiquillos. . . ?

—¿Y dando lecciones de lo que no entiendo bien. . . ?

Echó sobre los libros que en la próxima mesa estaban una mirada [ . . . ] desdeñosa. [ . . . ]

—Usted se aburre ¿no es verdad? Usted es demasiado inteligente, demasiado bella para vivir asalariada.

Me expresó con dulce mirada su gratitud por lo bien que había interpretado sus sentimientos.

—Esto se acabará, Irene. Yo respondo. . .

—Si no fuera por usted, Máximo —me dijo con acento de generosa amistad—, ya habría salido de aquí.

—¿Pero qué? . . . , ¿está usted descontenta de la familia?

—No . . . , es decir . . . Sí . . . , pero no, no —murmuró contradiciéndose cuatro veces en seis palabras.

—Algo hay. . .

—No, no; digo a usted que no.

—Tiempo hace que nos conocemos. ¿Será posible que no tenga usted conmigo la confianza que merezco? . . .

—Sí la tengo, la tendré —replicó animándose—. Usted es mi único amigo, mi protector . . . Usted. . .

¡Qué hermosa espontaneidad se pintaba en su rostro! La verdad retozaba en su boca.

—Me interesa tanto usted, y su felicidad y su porvenir, que. . .

—Porque lo conozco así tendré que consultar con usted algunas cosas . . . tremendas. . .

—¡Tremendas!

No daba yo gran importancia a este adjetivo, porque Irene lo usaba para todo.

—Y yo le juro a usted —añadió cruzando las manos y poniéndose bellísima, asombrosa de sentimiento, de candor y piedad . . .—, yo juro que no haré sino lo que usted me mande.

—Pues. . .

El corazón se me salía con aquel *pues* . . . No sé hasta dónde habría llegado si no abriera la puerta Lica en aquel momento.

—Máximo —dijo sin entrar—, llégate aquí, chinito. . .

Quería que yo le redactase las invitaciones de aquella noche. ¡Pobre Lica, cómo me contrarió con su inoportunidad! No volví a ver a Irene aquella tarde; pero yo estaba tan contento como si la tuviese delante y la oyese sin cesar. El discursillo del cual no dije sino una palabra sonaba en mí como si cien veces se hubiera pronunciado y otras ciento hubiera recibido de ella la hermosa aprobación que yo esperaba.

### TEMAS

1. ¿Qué leería Irene?
2. Estado de ánimo de Máximo y sus proyectos.

## XVII
# La llevaba conmigo

Era como si la naturaleza de ella hubiera sido inoculada milagrosamente en la mía. La sentía compenetrada en mí, espíritu con espíritu; y esto me daba una alegría que se avivó por la noche, cuando fui a la reunión del jueves; y esta alegría ruidosa salía de mí como una inspiración chispeante, brotando de los labios, los ojos, y aun creo que de los poros. Entróme de súbito un optimismo, [ . . . ] y todo me parecía hermoso y placentero, como proyección de mí mismo. Con todos hablé y todos se transfiguraban a mis ojos, que, cual los de don Quijote, hacían de las ventas castillos. Mi hermano me pareció un Bismarck, Cimarra se dejaba atrás a Catón; el poeta, eclipsaba a Homero; Pez, era un Malthus por la estadística, un Stuart Mill por la política,[1] y mi cuñada Manuela, la mujer más aristocrática, más fina, más elegante y distinguida que había pisado alfombras en el mundo. Para que se vea hasta qué aberraciones morbosas me condujo mi loco optimismo, diré que el poeta mismo oyó de mis labios frases de benevolencia, y que casi llegué a prometerle que me ocuparía de sus versos en un próximo trabajo crítico. Esto le puso como fuera de sí, y rodando la conversación de personalidad en personalidad,

[1] Otto von Bismarck, 1815-98, the "Iron Chancellor" of Germany; Marcus Porcius Cato, 234-149 B.C., austere censor of Roman corruption; Thomas Robert Malthus, 1766-1834, English economist; John Stuart Mill, 1806-73, English philosopher and economist

afirmó que yo me dejaba muy atrás a Kant, a Schelling [2] y a todos los padres de la Filosofía. Sus indignas lisonjas me abrieron los ojos y fueron correctivo de mi debilidad optimista. Yo creo que había en mí un desorden físico, no sé qué reblandecimiento de 5 los órganos que más relación tienen con la entereza de carácter. De mucho sirvió para restituirme a mi ser el interminable solo que me dio Sáinz del Bardal a propósito de los inmensos progresos de la *Sociedad de inválidos de la industria.* [ . . . ]

Todo marchaba admirablemente, y marcharía mejor cuando 10 los planes de los caritativos fundadores tuvieran completo desarrollo. [ . . . ] Se pensaba en una gran rifa, organizada por señoras, y en una soberbia y resonante velada, o quizás *matinée,* en la cual, después de leída por Bardal la Memoria de los trabajos de la Sociedad, habría música, discursos y lectura de versos, que son 15 la sal de estos festejos filantrópicos.

Como pude me sacudí de encima el moscón que me aturdía, di una vuelta por los salones, y de repente sentí un golpecito en el hombro y una simpática voz que me dijo:

—Hola, maestro . . . Le vi a usted con *el tifus* y no quise acer- 20 carme. [ . . . ]

—Pero, hombre, ¿qué es de tu vida?

—Ya ve usted, maestro . . . Vámonos de aquí. *Achantémonos* en ese gabinete.

—¿Qué me cuentas?

25 —Nada de particular.

—¿Es cierto que no le haces la corte a Amalia Vendesol?

—¡Quia, maestro . . . ! Si eso se acabó hace mil años. Es inaguantable. Unas exigencias, unas susceptibilidades . . . [ . . . ] ¡Y qué educación la suya, amigo Manso! Escribe garabatos, dice 30 *pedrominio,*[3] y tiene un cariño a las haches. . .[4]

[2] Immanuel Kant, 1724-1804, German philosopher, opposed to pure rationalism and metaphysics; Friedrich Wilhelm Joseph Schelling, 1775-1854, German philosopher and contemporary of Krause [3] This kind of metathesis among the uneducated is reminiscent of Sancho Panza and his **presonajes** for **personajes.** Here it is a reflection on the poor education which most women received. [4] The letter *h,* since it is silent, is often added erroneously to words by uneducated people.

—Como todas . . . , como la mayoría . . . ¿Y es cierto que te has dedicado a una de las de Pez?

—Ahí están las dos. ¿Las ha visto usted? Me entretengo con ellas, principalmente con la menor, que es graciosísima. Están bien educadas, es decir, tienen un barniz. . . 5

—Eso es, nada más que un barniz. Ignoran todo lo ignorable; pero se les ha pegado algo de lo que oyen y parecen mujeres. No son, realmente, más que muñecas, de las que dicen *papá* y *mamá.*

—Pero éstas no dicen *papá* y *mamá,* sino *marido, marido.* La mayor, sobre todo, es muy despabilada. ¡Cuidado que sabe unas 10 cosas! . . . Anoche me quedé aterrado oyéndola. Hablando con verdad, no sé si decirle a usted que son monísimas o muy cargantes. [ . . . ]

—Yo creo que las pretensiones de las niñas dejan muy atrás a las de los papás. La ley de herencia se ha cumplido con exceso. 15 Y no sé yo quién va a cargar con esos apuntes. El desgraciado que se case con cualquiera de ellas ya puede hacer la cuenta que se casa con las modistas, con los tapiceros, con los empresarios de teatros, con Binder el de los coches, con Worth [5] el de los trajes, y con todos los arruinadores de la humanidad. Acostumbra- 20 das esas niñas al lujo, ¿dónde encontrarán capital bastante fuerte para sostenerlo? Maestro, esto está perdido, aquí va a venir un desquiciamiento. Hablan de la juventud masculina y de su corrupción, de su alejamiento de la familia, de la tendencia antidoméstica que determinan en nosotros el estudio, los cafés, los 25 casinos . . . Pues ¿y qué me dice usted de las niñas? La frivolidad, el lujo y cierta precocidad de mal gusto imposibilitan a la doncella de estos países latinos para la constitución de las familias futuras. ¿Qué vendrá aquí? ¿La destrucción de la familia, la organización de la sociedad sobre la base de un individualismo 30 atomístico, el desenfreno de la variedad, sin unidad ni armonía, la patria potestad en la mujer? . . .

—Lo femenino eterno —dije yo gravemente— tiene leyes que no pueden dejar de cumplir. No seas pesimista, ni generalices fun-

[5] Binder and Worth represent the elite names in carriages and clothes at that time.

dándote en hechos que, por múltiples que sean, no dejan de ser aislados.

—¡Aislados!

—Conoces poco el mundo. Eres un niño. Antes consistía la inocencia en el desconocimiento del mal; ahora, en plena edad de paradojas, suele ir unido el estado de inocencia al conocimiento de todos los males y a la ignorancia del bien; del bien, que luce poco y se esconde, como todo lo que está en minoría. Créeme, créeme, te hablo con el corazón...

Y tomando entre mis dedos —¡cómo me acuerdo de esto!— el ojal de la solapa de su frac, proseguí hablándole de esto modo:

—... Hay mucho tesoro, mucho bien, mucha ventura que tú no ves, porque te tapa los ojos la inocencia, porque te ciega el vivo resplandor del mal. Hay seres excepcionales, criaturas privilegiadas, dotadas de cuanto la Naturaleza puede crear de más perfecto, de cuanto la educación puede ofrecer de más refinado y exquisito. Flaquearía por su base el santo, el sólido principio de armonía si así no fuera, y sin armonía, adiós variedad, adiós unidad suprema...

—No digo que no...

Y distraído, pero atento a mis palabras, se metió la mano en el bolsillo del faldón y sacó una petaquilla.

—¡Ah!, ya no me acordaba de que usted no fuma... Yo tengo unas ganas rabiosas de fumar. Con su permiso, maestro, me voy por ahí dentro a echar un pitillo. ¿Viene usted?

No le seguí porque solicitaba mi curiosidad un grupo entusiástico que se había formado en torno de mi hermano. Parecíame oír felicitaciones, y el señor de Pez tenía un aire de protección tal que no sé cómo todo el género humano no se arrojaba contrito y agradecido a sus plantas.

El motivo de tantos plácemes y bullanga tan estrepitosa era que se había recibido un telegrama de Cuba manifestando estar asegurada la elección de José María.

TEMAS

1. Máximo, optimista.
2. Nuevos datos sobre la vida de Manolito Peña.

## XVIII
# Verdaderamente, señores . . .

Dijo mi hermano; y atascado en su exordio por la obstrucción mental que padecía en los momentos críticos, repitió al poco rato: «Verdaderamente. . . »

Pudo al fin formular un premioso discursejo, cuyas cláusulas iban saliendo a golpecitos, como el agua de una fuente en cuyo caño se hubiese atragantado una piedra. Acerquéme un poco y oí frases sueltas, como: "Yo no quiero salir de mis cuatro paredes . . . , porque también se puede servir al país desde el rincón de una casa . . . Pero estos señores se empeñan . . . A la benevolencia de estos señores debo . . . En fin, esto es para mí un verdadero sacrificio; pero estoy verdaderamente dispuesto a defender los sagrados intereses. . ."

Desde entonces tomó el sarao un aspecto político que le daba extraordinario brillo. Había tres ex ministros y muchos diputados y periodistas, que hablaban por los codos. La sala del tresillo parecía un rinconcito del Salón de Conferencias. Los que más bulla metían eran los de la *democracia rampante*, partido tan joven como inquieto, al cual se había afiliado José, llevado por sus preferencias por todo lo que fuera transacción.

El espíritu reconciliatorio de José llega hasta el delirio. [ . . .] Esto, según él, es lo *verdaderamente inglés*. Lo de *la sucesiva serie de transacciones* no se le cae de la boca: [1] es su *Padre Nuestro* político, y así, todo lo transige y siempre halla modo de aplicar sus ideales casamenteros. [ . . . ] Toda idea pura es para él *una*

[1] **no . . . boca** is always in his mouth

*verdadera exageración*, y corta las cuestiones diciendo. *Basta de exclusivismos.* [ . . . ] Toda idea, toda teoría artística o moral debe ceder una parte de sus regios dominios a la teoría y a la idea contrarias. [ . . . ]

5 Las majaderías de aquella gente me aburrían tanto, que me alejé del salón y me interné en la casa. Harto de poetas, periodistas y políticos, mi espíritu me pedía el descanso de un párrafo con doña Jesusa. En el lejano aposento donde residía, estaba, aquella noche, fija en su butaca, envuelta en su mantón y acom-10 pañada de Rupertico, a quien contaba cuentos.

—No me quiero acostar —me dijo—, porque el *sambeque* del salón y esta bulla de criados que van y vienen no me dejan dormir. Esta casa parece un trapiche los jueves por la noche. ¡Jesús, qué terremoto! A usted no le gusta esto; ya lo sé. ¡Y qué gente tan 15 comilona! Con el té, los dulces, los fiambres, las pastas, los helados que se han comido ya habría para mantener un Ejército. La pobre Lica no es para esto; si sigue así va a perder la salud . . . Le contaré a usted lo de anoche, si me promete ser reservado . . . Pues tuvieron ella y José María una peleíta, ¡Jesús, qué jarana! 20 . . . , por si ella no sabía hacer los honores. Yo bien sé que Lica está muy *chiqueada*. Pero José ha echado un genio . . . No sé cuánta cosa sacaron: que él no piensa más que en sencilleces; que se pasa la noche en el Casino, y quién sabe si en otras partes peores . . . Parece que hay descubrimiento. . .

25 Acercó su sillón al mío y casi al oído me dijo:

—Falditicas, ¿eh? . . . José María es como todos. Esta vida de Madrid . . . [ . . . ] Ya se ve, un hombre que va a ser diputado y ministro . . . [ . . . ] ¡Ay!, qué mujeres las de esta tierra; son capaces de pervertir al cordero de San Juan. Yo les diría si las viera: 30 «Grandísimas *sinvergüenzas*, ¿para qué engatusáis a un padre de familia, a un sencillo, a un hombre tan bueno? . . . Porque José María ha sido muy bueno hasta ahora; pero, niño, de algún tiempo acá, no le conocemos.

Yo defendí a mi hermano como pude y tranquilicé a su suegra, 35 tratando de hacerle comprender que la licencia de nuestras costumbres está más en la forma que en el fondo, y que no debía tomar como señales de pecado ciertos desenfados corrientes . . . Fue lo único que se me ocurrió.

—Yo —dijo ella, bajando la voz— no me meto en nada. Allá se entiendan; allá se las hayan.[2] No me muevo de este sillón, porque no tengo salud para nada. Aquí me acompaña Ruperto. Esta noche, mientras allá reían y alborotaban, Irene y yo hemos rezado el rosario y hemos hablado de cosas pasadas . . . Pero ¿dónde se ha ido ese ángel de Dios? 5

Miraba a todos los lados de la pieza.

—¿Pero no se ha recogido aún? —pregunté—. Esto es contrario a sus costumbres.

—Calle, niño; si debe andar por ahí. Algunos ratos se va al corredor a ver un poquitico de la sala. 10

Ya iba yo a buscarla, cuando entró ella. Su fisonomía revelaba gozo y estaba menos pálida. Parecía agitada, con mucho brillo en los ojos y algo de ardor en las mejillas como si volviese de una larga carrera. 15

—Irene, ¿qué tal? ¿Ha visto usted. . . ?

—Un poquito . . . , desde el pasillo ¡Qué lujo, qué trajes! Es cosa que deslumbra. . .

—Yo creí que a estas horas . . . , es la una, estaba usted recogida.

—Me he quedado aquí para acompañar un poco a doña Jesusa . . . Luego, es preciso ver algo, amigo Manso, ver algo de estas cosas que no conocemos. 20

—¡Oh! es justo —dije pensando en lo mucho que luciría Irene si penetrara en los círculos de la sociedad elegante, y en el valor que sus grandes atractivos tomarían realzados por el lujo—. Pero es cuestión de carácter; ni a usted ni a mí nos agrada esto. Por fortuna, estamos conformados de manera que no echamos de menos estos ruidosos y brillantes placeres, y preferimos los goces tranquilos de la vida doméstica, el modesto pan de cada día con su natural mixtura de pena y felicidad, siempre dentro del inalterable círculo del orden. 25 30

—¡Jesús de mi alma! ¡Qué talento tiene este hombre, y qué bien dice las cosas! —exclamó doña Jesusa.

Irene se reía del entusiasmo de la *niña Chucha,* y con enérgicos movimientos de cabeza daba su aprobación a los elogios. 35

—Máximo —dijo de súbito la señora—, ¿por qué no se casa usted? ¿A cuándo espera, niño?

[2] **allá . . . hayan** that's their business; let them worry about it

—Todavía hay tiempo, señora. Ya veremos...

—En veremos se le pasa a usted la vida.

Mirando a Irene, que atenta me miraba, le dije, por decir algo: "¿Y las niñas?"

5 —Han estado muy desveladas. Ya se ve..., con la bulla... También han querido ver algo. Después han estado jugando, de broma y fiestas, pasándose de una cama a otra y arrojándose las almohadas... Pero se han dormido.

—Y usted, ¿no tiene sueño?

10 —Ni chispa.

—Pero es muy tarde.

—Me voy a mi cuarto.

—¿Va usted a leer? —dije siguiéndola y llevándole la luz.

—Es tardísimo... Veré si me duermo al momento. Mañana...

15 —Mañana, ¿qué?

—Digo que mañana será otro día, y hablaremos de aquello...

—Hablaremos de aquello... —repetí sintiendo en mi pensamiento el estímulo que los novelistas llaman *un mundo de ideas,* y en mis labios cosquilleo de palabras impacientes.

20 Pero ella me quitó de las manos la luz, entró en su cuarto con una presteza que no me parecía resbaladiza, diome las buenas noches, y a poco sentí el ruido de la llave cerrando por dentro. Después dio un golpecito en la madera, como para llamarme, si me alejaba, y dijo:

25 —Tráigame usted lo que me prometió.

—¿Qué, criatura? —le pregunté, sospechando, en un momento de ansiedad, que le había prometido mi vida toda entera.

—¡Qué memoria! La Gramática inglesa de Ahn...[3]

—¡Ah!, ya... Bueno...

30 —Y los dos lápices de Faber, números dos y tres.

—Vamos, acabe usted de pedir. Pida usted el sol y la luna...

—No sea usted tremendo... Abur.

—No se fatigue usted la imaginación con la lectura...

[3] Franz Ahn, famous throughout Western Europe in the nineteenth century for his *Methods* of French, Italian, Portuguese, etc., which continue to be published. In Spain, when someone gives an answer that is totally unrelated to the question, they say he has answered **por el método de Ahn.**

—Si me estoy durmiendo ya.
—Eso es, descansar . . . , buenas noches.
—Pero qué, ¿todavía está usted ahí, amigo Manso?
—Creí que ya estaba usted dormida.
—Hombre, si estoy rezando . . . Adiós. 5

Retiréme. Algo me daba que pensar aquel humorismo de Irene, un poquito disconforme con la seriedad y mesura que yo había observado en ella; pero reflexionando más, consideré que este fenómeno contingente no alteraba el hecho en sí, o mejor dicho, que un desentono pasajero y accidental no destruía la admirable 10 armonía de su carácter.

Era ya hora de abandonar la reunión; pero Cimarra y mi hermano me entretuvieron, dando una batida en toda regla a mi modestia para que consintiese en ser hombre político y en lanzarme con ellos por la única senda que conduce a la prosperidad. 15 Yo me resistí, alegando razones de carácter, de conveniencia y de ideas. Cimarra me aseguraba que era posible facilitarme la entrada en el Congreso, arreglándome uno de los distritos que estaban vacantes. Ya José había hecho algunas indicaciones al ministro, el cual había dicho: "¡Oh! sí, verdaderamente" . . . Mi 20 hermano se prestaba benévolo a arreglar la incompatibilidad de mis ideas con el régimen oligárquico que hoy priva, y me incitaba con empeño a ser hombre verdaderamente práctico y a abandonar de una vez para siempre las utopías y exageraciones, buscando en el ancho campo de mi saber una fórmula de transacción, 25 una manera de reconciliar la teoría con el uso y el pensamiento con el hecho. [ . . . ]

Manuela, que se enteró de que me querían enjaretar la diputación, no me ocultaba su gozo. Pero no le cabía en la cabeza mi resistencia a entrar por las vías políticas, y riñéndome por mi ca- 30 rácter retraído y mi amor a la vida oscura, me decía:

—Pero, chinito, no seas *jollullo.*

### TEMAS

1. La teoría de la transacción de José María.
2. Las conversaciones de Irene y Máximo.

## XIX
## El reloj del comedor dio las ocho

Haciendo el cómputo que el desorden de los relojes de aquella casa exigía, resultaba que las ocho campanadas marcaban las tres. ¡Qué tarde! Retirarme yo a casa a tal hora me parecía un absurdo, una chanza, un criminal secuestro del tiempo. [ . . . ]
5 Salí. La somnolencia me producía síntomas parecidos a los de la embriaguez. Cuando fui al comedor para tomar un vaso de agua vi con asombro que aún había luz en el cuarto de Irene. El rectángulo de claridad sobre la puerta atrajo mis miradas, y breve rato estuve clavado en mitad del pasillo. «Pero ¿no me dijo usted
10 hace dos horas que tenía mucho sueño y que se iba a dormir en seguida?» Esto no lo dije en voz alta. Hice la pregunta de espíritu a espíritu, porque dar voces a tal hora me parecía inconveniente. ¿Rezaba? ¿Qué hacía? ¿Leer novelas? ¿Devorar mis obras filosóficas? . . .
15 Bebiendo agua me tranquilicé sobre aquel punto. En verdad, yo era un impertinente exigiendo un método imposible en los actos de Irene. ¿Qué tenía de particular que apagase la luz dos horas más tarde de lo que había dicho? Podía ser que estuviera cosiendo sus vestidos, o preparando las lecciones del día si-
20 guiente . . . ¡Las tres y media! . . . ¿Cuántas horas dormía aquella criatura, que se levantaba a las siete? ¡Deplorable costumbre la de calentarse el cerebro en las horas de la noche! ¡Oh! Yo haría cumplir en mi familia con estricta rigidez los preceptos de la higiene.
En el portal se me unió Peña. Embozados, acometimos el frío
25 glacial de la calle.

—Maestro, ¿se va usted a su casa?

—Desalmado, ¿adónde he de ir? Y tú ¿adónde vas?

—Yo no me acuesto todavía. Es temprano.

—¡Es temprano y van a dar las cuatro!

Andando aprisa, le eché una filípica sobre el desarreglo de sus costumbres y la antihigiénica de hacer de la noche día, motivo de tantas enfermedades y del raquitismo de la generación presente. Él se reía.

—Por respeto a usted, maestro —me dijo—, voy a acompañarle hasta casa. Después me voy a la *Farmacia*.

—¡Y tu madre esperándote, desvelada y llena de temores! Manuel, no te conozco. Parece mentira que seas mi discípulo.

—Buen barbián está usted, maestro . . . ¿Pues no se retira usted tan tarde como yo? En un metafísico eso es imperdonable. [ . . . ] Concluirá usted por ir a la cátedra antes de acostarse y presentarse de frac ante los alumnos. ¡Cómo cunde el mal ejemplo!

Sus bromitas me desconcertaron un poco; pero no quise ceder.

—Mira, perdido. [ . . . ] Que quieras que no, te llevo a casa. No irás a la *Farmacia*. Yo lo mando y tienes que obedecer a tu maestro.

—Transacción . . . Procuremos conciliarlo todo, como dice su hermano de usted. No iré a la *Farmacia;* pero no puedo acostarme sin tomar algo.

—Pero, gandul, ¿no has cenado en casa de José?

—Sí . . . Distingamos; no es precisamente porque tenga apetito. Es por aquello de ir a alguna parte.

—¿Y adónde quieres ir?

—Renuncio a la *Farmacia* con tal que usted me acompañe a tomar buñuelos.

—¿Dónde, libertino?

—Aquí en la buñolería de la calle de San Joaquín. Está fría la noche, y una copita de aguardiente no viene mal.

—¿Estás loco? ¿Crees que yo. . . ?

—Vamos, *magíster*, sea usted amable. Ya ve usted que por complacerlo renuncio a ir a mi círculo. Es cuestión de diez minutos. Luego nos iremos juntos a nuestra casita, como las personas más arregladas del mundo.

Y tirando de mi capa, hizo tales esfuerzos por meterme consigo en aquel local innoble, que no pude resistirme, ni creí oportuno disputar más con él por un acto que en verdad era insignificante.

—¡Caprichoso!

5 —Sentémonos, maestro.

### TEMA

1. Sucesos extraordinarios en la vida de Manso.

## XX

# ¡Me parecía mentira!

¡Yo sentado en el banco de una buñolería, a las cuatro de la mañana, teniendo delante un plato de churros y una copa de aguardiente! . . . Vamos, era para echarme a reír, y así lo hice. [ . . . ] La pícara sociedad, blandamente [ . . . ] me había estafado mi serenidad filosófica, y tiempo llegaría, si Dios no lo remediaba, en que yo no hallaría en mí nada de lo que formó mi vigorosa personalidad en días más venturosos.

Estas reflexiones hacía yo, mirando a dos parejas que en las mesillas de enfrente estaban, y asombrándome de verme en tal compañía. Eran cuatro artistas del género flamenco, dos machos y dos hembras, que acababan de salir del café-teatro de la esquina, donde cantaban todas las noches. Ellas eran graciosas, insolentes; la una, gordiflona; espiritual, la otra; ambas, con mantones pardos, pañuelos a la cabeza, liados con desaliño y formando teja sobre la frente; las manos bonitas, los pies calzados con perfección. De capa, pavero y chaqueta peluda, afeitados como curas,[1] peinados como toreros, sin coleta, los hombres eran de lo más antipático que puede verse en la Creación. Las cuatro voces roncas sostenían un diálogo picado, zumbante y lleno de interjecciones, del cual no se entendían más que las groserías y barbarismos. Era la primera vez que yo me veía tan cerca de semejantes tipos, y no les quitaba los ojos.

—¡Qué guapa es la gorda! —me dijo Manuel—. Maestro, veo que se entusiasma usted.

[1] **afeitados como curas** Cf. p. 20, n. 4.

—¿Yo? . . .

—Si parece que quiere usted comérsela con los ojos. . .

—No seas necio.

—Y ella no lo lleva a mal,[2] maestro. También le echa a usted los
5 ojazos. Esto que allá por otras regiones se llama *flirtation,* se llama aquí *tomar varas.*

—¿Has acabado ya de beber tu aguardiente, vicioso? —le dije con vivos deseos de salir de allí.

—¿Y usted no toma?

10 —¿Yo? Quita allá este asco, este veneno. . .

—¿Sabe usted, maestro, que estoy esta noche así como excitado de nervios, enardecido de sangre, y parece que una electricidad se me pasea por todo el cuerpo? . . . Siento apetito de acción, de violencia; no sé lo que pasa en mí. . .

15 Yo le miraba atentamente y reflexionaba sobre aquel estado de mi discípulo, que era cosa nueva en él, y desagradable para mí, que tanto le quería.

—Porque, sí, señor —siguió—; hay ocasiones en que nos es necesario hacer cualquier barbaridad, como compensación de las ton-
20 terías y sosadas que informan nuestra vida habitual; algo violento, algo dramático. Suprima usted de la vida el elemento dramático, y adiós juventud. ¿No le parece a usted que nos divertiríamos si ahora armase yo camorra con esta gente?

—¡Con éstos! . . . Por Dios, Manuel, a ti te pasa algo. Tú estás
25 loco, o has bebido. . .

—Después de todo ¿qué pasaría? Nada. Ésta es gente cobarde. Iríamos todos a la prevención, y mañana, mejor dicho, hoy, faltaría usted a clase, y quizás tendrían que ir el rector y el decano a sacarle de las uñas de la policía.

30 —Si tuviera aquí palmeta y disciplinas, te trataría como trata un maestro de escuela al más pillo de sus alumnos. No mereces otra cosa. Desde que no estás bajo mi dirección has variado tanto, que a veces me cuesta trabajo[3] conocerte. Piensas y hablas tan bajamente, que me aflige considerar la esterilidad de lo que te
35 enseñé.

[2] **ella . . . mal** she doesn't mind, object, take it badly [3] **me cuesta trabajo** it's an effort for me

—¡Oh! no —exclamó Peña con vehemencia, dándose una puñada sobre el corazón y un palmetazo en la frente—. Algo queda. Mucho hay aquí y aquí, maestro, que permanecerá por tiempo infinito. Esta luz no se extinguirá jamás, y mientras haya espacio, mientras haya tiempo... 5

Los cuatro flamencos se levantaron para marcharse. Viendo el entusiasmo de Manuel, ellos se miraron asombrados, ellas sofocaban la risa. Se me parecieron a las dos célebres mozas que estaban a la puerta de la venta cuando llegó Don Quijote y dijo aquellas retumbantes expresiones, que tanto disonaban del lugar 10 y la ocasión.[4] Yo vi el cielo abierto [5] cuando se fueron los del *cante,* porque así no tenía Manuel con quien armar la trapisonda que deseaba.

—Vámonos, Manuel, esto es un escándalo.

—Un ratito más... 15

—Yo me caigo de sueño.

—Pues yo estoy tan desvelado, que se me figura no he de dormir más en mi vida.

—A ti te pasa algo.

—Lo que dije a usted: que me anda, no sé si por el cuerpo o 20 por el alma, el prurito dramático, dándome cosquillas y picazones. Yo quiero hacer algo, *magíster;* yo necesito acción. Esta vida de tiesura social y de pasividad sosa me cansa, me aburre. Estoy en la edad dramática (voy a ser pedante), en el momento histórico que no vacilo en llamar florentino, porque su determinación es 25 arte, pasiones, violencia. Los Médicis [6] se me han metido en el cuerpo y se han posesionado de él como los diablillos que atormentan al endemoniado.

[4] *Don Quixote,* Part I, Chap. 2, when the knight encounters the 'two young women of *easy virtue*' at the Inn and startles them with his appearance. They burst out laughing when he addresses them as 'maidens,' whereupon he makes the statement "Civility befits the fair; and laughter arising from trivial causes is, moreover, great folly . . . ," which Manso recalls and would like to address to the two women at the café. Although Manso doesn't mistake these women for what they are not, the absurdity of his situation is akin to that of Don Quixote, and he realizes this. [5] **Yo . . . abierto** I saw my way out of the difficulty; I was relieved [6] Powerful and wealthy Italian family, which included statesmen, writers, and popes, who were dominant from the fourteenth to sixteenth century.

No pude menos de reír.

—Vamos a ver: ¿qué lees ahora, en qué te ocupas?

—Leo a Maquiavelo.[7] Su *Historia de Florencia*, su *Mandrágora*, sus *Comentarios a Tito Livio* y su *Tratado del Príncipe* son los libros más asombrosos que han salido de manos del hombre.

—Mala, perversa lectura, si no va precedida de la preparación conveniente. Es mi tema, querido Manuel; si no haces caso de mí, tu inteligencia se llenará de vicios. Dedícate al estudio de los principios generales...

—¡Oh, maestro, por favor, no siga usted! La Filosofía me apesta. La Metafísica no entra en mí. Es un juego de palabras. ¡La Ontología! [...] Cuando tomo una pócima de substancia, ser y causa, estoy malo tres días. Me gustan los hechos, la vida, las particularidades. No me hable usted de teorías, hábleme de sucesos; no me hable usted de sistema, hábleme de hombres. Maquiavelo me presenta el panorama rico y verdadero de la naturaleza humana, y por él doy a todos los filosofistas habidos y por haber.[8]

—Estamos haciendo el tonto,[9] Peña; estamos discutiendo en una buñolería el tema radical y eterno. No profanemos la inteligencia, y vámonos a dormir... En otra ocasión discutiremos. Tú has variado mucho y has crecido lozano y vigoroso, pero algo torcido. Yo necesito enderezarte. Algo hay en ti que no me gusta, que no procede de mis lecciones. Quizás alguna pasajera florescencia del espíritu, de esas que marcan el período culminante de la juventud... En fin, sea lo que quiera, vámonos ya.

Al fin logré que se levantara. [...]

—Voy a revelarle a usted un secreto —me dijo. [...] Desde que estoy así...

—¿Cómo?

—Así, nervioso, excitado, con estos estímulos musculares que me piden la violencia, la arbitrariedad, el drama... pues desde que estoy así mis antipatías son tan atroces, que al que me desagrada le aborrezco con toda mi alma. ¿Sabe usted quién es la persona que más me carga de cuantos hay sobre la tierra?

[7] Niccolò Macchiavelli, 1469-1527, Florentine historian and statesman, known for his theories of political cunning [8] **habidos y por haber** past and future [9] **Estamos ... tonto** We're being ridiculous

—¿Quién?

—Su hermano de usted, nuestro anfitrión de esta noche, el señor don José María Manso, marqués presunto, según dicen.

Lastimado de esta cruel antipatía, defendí a mi hermano con calor, diciendo a Peña que si aquél tenía ciertas ridiculeces y manías, era bueno y leal. Pero mi defensa exasperó más al joven, el cual sostuvo que toda la rectitud y lealtad de José no valían dos pepinos. Sospeché que Manuel había oído en los corrillos políticos del salón de mi hermano algún comentario picante, alguna frase alusiva a su humildísimo origen, y que, mortificado por esto, confundía en un solo aborrecimiento al dueño de la casa y a los murmuradores. Así se lo dije y me confesó que, en efecto, había oído cosillas que lastimaban su dignidad horriblemente; pero que en este orden de agravios, el delincuente era Leopoldito Tellería, marqués de Casa-Bojío, por lo cual mi buen amigo aguardaba una coyuntura propicia para romperle el bautismo.[10]

—¿Duelito tenemos? —dije, no pudiendo consentir que mi discípulo, a quien yo había inculcado las más severas nociones de moral, me viniese hablando de resolver sus asuntos de honor con el bárbaro e ineficaz procedimiento del desafío, herencia del vandalismo y de la ignorancia.

—Usted no vive en el mundo —replicó él—. Su sombra de usted se pasea por el salón de Manso; pero usted permanece en la grandiosa Babia del pensamiento, donde todo es ontológico, donde el hombre es un ser incorpóreo, sin sangre ni nervios, más hijo de la idea que de la Historia y de la Naturaleza; un ser que no tiene edad, ni patria, ni padres, ni novia. Diga usted lo que quiera; pero me parece que si yo no tuviera ocasión de ponerle la mano en la cara al marqués de Casa-Bojío, y de echarle al suelo y de pasearme luego por su cuerpo, llegaría a creer que el universo está desequilibrado y que el orden de la Naturaleza se ha destruído . . . ¿Y lo creerá usted? Hay otro sujeto que me encocora más que Leopoldito, y es el benemérito hermano de mi maestro.

—¿Y también quieres desafiarle? ¿Pero estás loco? Anda . . . , has declarado la guerra al género humano . . . Manuel, Manuel,

[10] **romperle el bautismo** to break his neck

niño, modera esos impulsitos, o será preciso ponerte un chaleco de fuerza. [ . . . ]

Cuando subíamos la escalera, la señora de Peña abrió la puerta. Nunca se acostaba hasta que no [11] volvía de la calle su hijo. Aquella noche, la célebre doña Javiera, soñolienta y malhumorada por la tardanza del nene, nos echó un mediano réspice a los dos.

—¡Ay, qué horas, qué horas de venir a casa! . . . ¿Pero también usted, amigo Manso, anda en estos pasos? ¿Usted tan pacífico, tan casero, tan madrugador, se descuelga aquí a las cuatro y media de la mañana? ¡Vaya con el maestrito, con el padrote! . . .[12]

—Este pillo, señora, este pillo es quien me pervierte.

—No, mamá; él a mí.

—¡Ay! hijo, qué pálido estás . . . ¿Qué tienes? ¿Te ha pasado algo?

—Nada, mamá; no tengo nada.

—¿Pero no entras a acostarte?

—Voy un momento arriba con el amigo Manso. Quiero que me deje unos libros que necesito.

—¡Libros tú! —le dije entrando en mi casa—. ¿Para qué quieres libros?

—Para preparar mi discurso.

—¿Qué discurso? ¿Ahora sales con eso?

—Usted sí que está en Belén. ¿No le he dicho a usted que pienso hablar en la gran velada?

—¿Qué gran velada es ésa?

—La que dará la *Sociedad para socorro de los inválidos de la industria.*

—¡Ah! es verdad. ¿Sobre qué tema vas a hablar? Toma los libros que quieras. . .

Yo me caía de sueño. Dejéle en el despacho y me fui a mi alcoba, que era la pieza contigua. Desde mi cama le veía revolviendo en los estantes, tomando y dejando este o el otro libro.

Antes de dormirme, le dije:

—Mañana me contarás los motivos de ese resentimiento que sientes contra mi pobre hermano.

[11] **no** Do not translate. [12] **¡Vaya . . . padrote!** What a fine teacher, a father of learning

—No lo puedo decir, es un secreto . . . ¿Le parece a usted que me lleve a Spencer? [13]

—Hombre, llévate al moro Muza [14] y déjame descansar.

Ya desvanecido en el primer sueño, le oí decir:

—Es un canalla, es un canalla. 5

Y dormido profundamente, en mi cerebro no había más reminiscencias de la vida exterior que aquellas palabras rielando en la superficie oscura y temblorosa de mi sueño, como el fulgor de las estrellas sobre el mar.

[13] Herbert Spencer, 1820-1903, English philosopher and sociologist, advocate of extreme individualism who developed the doctrine of evolution as applied to sociology [14] Figure out of the Spanish ballads, **romances,** a Moorish captain who distinguished himself for his valor during the siege of Granada. Here used to mean: Take whatever you like; take the Queen of Rumania.

## TEMAS

1. Manso y Peña en una buñolería.
2. Odios y opiniones de Peña.

XXI

## Al día siguiente . . .

Pero antes quiero hacer una confidencia. El hecho que voy a declarar me favorece poco, me pintará quizás como hombre vulgar, insensible a los delicados gustos de nuestra sociedad reformista; pero pongo mi deber de historiador delante de todo, y así se apreciará por esta franqueza la sinceridad de las demás partes de mi narración.[1] Vamos a ello. Las buenas comidas y los platos selectos de la mesa de mi hermano llegaron a empacharme, y como transcurrían semanas enteras sin que pudiera librarme de comer allá, concluí por echar de menos mi habitual mesa humilde y el manjar preferente de ella, los garbanzos [ . . . ]. El apetito de aquella legumbre me fue ganando, y llegó a ser irresistible. [ . . . ] No pudiendo refrenar más mi deseo, resistíme un día a comer con Lica, y previne a Petra que me pusiera el cocido de reglamento. No tengo más que decir sino que me desquité bárbaramente de la privación que había sufrido. Y ahora, adelante.

Al día siguiente encontré a mi hermano en el cuarto de estudio. Quería enterarse personalmente de los adelantos de los niños. Festivo con la maestra, y afectando hacia los alumnos una severidad enfática, que me pareció fuera de lugar, el futuro marqués me estorbó para decir a Irene varias cosillas que pensadas llevaba. A ella la encontré cohibida y como atontada con la presencia, con las preguntas y con la amabilidad del amo de la casa. No daba

[1] Like Cervantes, Galdós constantly plays with the narrator's role as 'historian' devoted to the truth of his narrative; cf. other instances in this novel.

pie con bola en las lecciones, y las alumnas corregían a la maestra. Para mayor desgracia, también me privó mi hermano de pasear, llevándome, que quieras o que no,[2] a ver al director de Instrucción Pública para un asunto que no me interesaba.

Por fin me convencí de que José María no era un modelo de maridos. Varias veces me había hecho Lica algunas indicaciones sobre este particular, pero me parecieron extravagancias y mimos. Una tarde ¡ay! dispuso mi cuñada que Irene, los niños y el ama salieran en el coche. Mercedes había salido con sus amigas. Yo permanecí en la casa, pues aunque mi gusto hubiera sido ir al Retiro con Irene, no tuve más remedio que quedarme acompañando a Manuela. Ésta me manifestó vivos deseos de hablarme a solas, y yo dije para mí: "Prepárate, amigo Máximo; ya te cayó que hacer.[3] Despabílate y refresca tus conocimientos de ornamentación doméstica y gastronomía suntuaria."

Pero Lica se ocupó muy poco de estas cosas, y parecía haber tomado en aborrecimiento los saraos y los comistrajos, según el desprecio con que de ello hablaba. Sus cuitas de esposa no le permitían atender a tonterías de vanidad, y apenas hubo tocado el delicado punto donde estaba su herida, comenzó a llorar. Oía yo sus quejas, y no acertaba a darle ningún consuelo eficaz. ¡Pobre Lica! [ . . . ] Estaba muy brava; tenía el alma abrasada y la vida en salmuera con las cosas de Pepe María. Ya no le valía quejarse y llorar, porque él no hacía maldito caso de sus quejas ni de sus lágrimas. [ . . . ] Tenía olvidada a su mujer, olvidados a sus hijos; todo el santo día se lo pasaba en la calle, y por la noche salía después de la reunión y ya no se le veía más hasta el día siguiente a la hora de almorzar. Marido y mujer sólo cambiaban algunas palabras tocante a la invitación, al té, a la comida, y pare usted de contar. . .

Esto podría pasar si no hubiera otras cosas peores, faltas graves. José María estaba echado a perder; la compañía y el trato de Cimarra le habían *enciguatado*. [ . . . ] Ya no le quedaba duda a la pobrecita de la atroz infidelidad de su esposo. Ella se sentía tan afrentada, que sólo de pensarlo se le salían los colores de la cara, y no encontraba palabras para contarlo . . . Pero a mí podría de-

[2] **que . . . no** willy-nilly [3] **ya . . . hacer** you've got a job to do

círmelo todo. Sí; revolviendo una mañana los bolsillos de la ropa de José María, había encontrado una carta de una *sinvergüenza* . . . ¡Una carta pidiéndole dinero! . . . Se volvía loca pensando que la plata de sus hijos iba a manos de una. . .

5 Pero a la infeliz esposa no le importaba la plata, sino la *sinvergüencería* . . . ¡Ay! Estaba bramando. Con ser ella una persona decente, si cogiera delante a la bribona que le robaba a su marido, le había de dar una buena soba y un par de galletas bien dadas. ¡Ay qué Madrid, qué Madrid éste! [ . . . ] Mejor estaba allá en su 10 bendita tierra que en Madrid. Allí era la reina y señora del pueblo; aquí no le hacían caso más que los que venían a comerle los codos y después de vivir a su costa se burlaban de ella. Luego esta vida, Señor, esta vida en que todo es forzarse una, fingir y ponerse en tormento para hacer todo a la moda de acá, y tener 15 que olvidar las palabras cubanas para saber otras, y aprender a saludar, a recibir, a mil tontadas y boberías . . . No, no; esto no iba con ella.[4] Si José no se enmendaba, ella se plantaba de un salto en su tierra, llevándose a sus hijos.

Yo la consolé diciéndole lo que tantas veces me había dicho 20 ella a mí; a saber [5] que no fuera ponderativa. Su imaginación, hecha a [6] las tintas y a las magnitudes tropicales, agrandaba las cosas. ¿No podría ser que la carta descubierta no tuviera la significación pecaminosa que ella quería darle? . . . A esto me respondió con ciertas aclaraciones y datos que no me dejaron duda 25 acerca de los malos pasos de mi hermano. Su amistad con Cimarra, que había llegado a ser muy íntima, me anunciaba desastres sin cuento y quizás rápidas mermas en el peculio del esposo de Lica. Ésta no concluyó sus confesiones con lo que dejo escrito, sino que fue sacando a relucir otras grandes picardías del futuro 30 marqués, que me dejaron absorto. En su propia casa se atrevía el indigno . . . a ciertas cosas que resultaban en desdoro de toda la familia, y principalmente de su digna esposa . . . ¿Pues no tenía el atrevimiento de galantear a Irene? . . .

¡A Irene!

35 ¡Sí; el muy . . . ! La pobre Lica se ponía fuera de sí al tocar este

[4] **no . . . ella** didn't agree with her [5] **a saber** that is; namely [6] **hecha a** accustomed to

punto. No acertaba a expresar su furor sino a medias palabras . . . ¡En su propia casa, en su misma cara! Pues sí, en una persecución no bien disimulada . . . Últimamente lo hacía con un descaro . . . ! Por las mañanas se metía en la salita de estudios y estaba allí las horas muertas . . .[7] Una noche entró en el cuarto de Irene, cuando ésta se retiraba. En fin, ¿para qué hablar más de una cosa tan desagradable? . . . La tarde anterior hubo una escena fuerte entre marido y mujer en la puerta misma . . . ¡Cómo se le atragantaban las palabras a la buena Lica! . . . ; en la puerta misma del cuartito de la institutriz. Era indudable que ésta no alentaba ni poco ni mucho el indecoroso galanteo del dueño de la casa. Por el contrario, Irene no disimulaba su pena; era una muchacha honesta, dignísima, que no podía tener responsabilidad de los atrevimientos de un hombre tan . . . En fin, aquella misma mañana Irene había manifestado a la señora que deseaba salir de la casa. Ambas habían llorado . . . Era una buena de Dios. . .

Y para concluir, yo, Máximo Manso, el hombre recto, el hombre sin tacha, el pensamiento de la familia, el filósofo, el sabio, era llamado a arreglarlo todo, haciendo ver a José la fealdad y atroces consecuencias de su conducta inicua; pintándole . . . yo no sé cuántas cosas dijo Lica que debía yo pintarle. La cuitada no guardaría rencor si su esposo se enmendaba, y estaba decidida a perdonarle, sí, a perdonarle de todo corazón, si volvía al buen camino, porque ella quería mucho a su marido, y era toda alma, sentimiento, cariño, mimito y dulzura . . . Y ya no me dijo más, ni era preciso que más dijera, porque bastante había sabido yo aquella tarde, y tenía materia sobrada para poner en ejercicio mis facultades de consejo.

[7] **las horas muertas** hours on end

TEMA

1. ¡La pobre Lica!

XXII

## "Esto marcha"

Esto se complica —pensé al retirarme—. Henos aquí [1] en plena evolución de los sucesos, asistiendo a su natural desarrollo y con el fatal deber de figurar en ellos. [ . . . ] Tengamos calma y ojo certero. Conservemos la serenidad de espíritu que tan útil es en
5 medio de una batalla, y si la suerte o las sugestiones de los demás o el propio interés nos llevan a desempeñar el papel de general en jefe, procuremos llevar al terreno toda la táctica aprendida en el estudio y todo el golpe de vista adquirido en la topografía comparada del corazón humano.

10 Desveláronme aquella noche la idea de lo que pasaba y las presunciones de lo que pasaría. Al día siguiente corrí a casa de mi hermano y dije a Lica:

—Vigila tú a doña Cándida, que yo vigilaré a Irene.

Ella extrañó que yo recelase de Calígula, y me dijo que no sos-
15 pechaba cosa mala de amiga tan cariñosa y servicial.

—Cuidado, cuidado con esa mujer. . . —le respondí creyendo hallarme en lo firme—. A pesar de la protección que se le da en esta casa, mi cínife no ha cambiado de fortuna y se crea todos los días nuevas necesidades. Nada le basta, y mientras más tiene más
20 quiere. Se le ha matado el hambre y ahora aspira a ciertas comodidades que antes no tenía. Proporciónale las comodidades, y aspirará al lujo. Dále lujo, y pretenderá la opulencia. Es insaciable. Sus apetitos adquieren con los años cierta ferocidad.

[1] **Henos aquí** Here we are

—Pero ¿qué tiene que ver, chinito. . . ?

—Vigila, te digo; observa sin decir una palabra.

—¿Y tú observarás a Irene?

—Sí. La creo buena, la tengo por excepcional entre las jóvenes del día. Es superior a cuantas conozco, es una maravilla; pero. . . 5

—A todo has de poner pero. . .

—¡Ay! Manuela, no sabes a qué tentaciones vive expuesta la virtud en nuestros días. Tú figúrate. Se dan casos de criaturas inocentes, angelicales, que en un momento de desfallecimiento han cedido a una sugestión de vanidad, y desde la altura de un 10 mérito casi sobrehumano han descendido al abismo del pecado. La serpiente las ha mordido, inoculando en su sangre pura el virus de un loco apetito. ¿Sabes cuál? El lujo. El lujo es lo que antes se llamaba el demonio, la serpiente, el ángel caído; porque el lujo fue también querubín, fue arte, generosidad, realeza, y 15 ahora es un maleficio mesocrático, al alcance de la burguesía, pues con la industria y las máquinas se ha puesto en condiciones perfectas para corromper a todo el género humano, sin distinción de clases.

—*Aguaita,* Máximo; si quieres que te diga la verdad, no en- 20 tiendo lo que has hablado; pero ello será cierto, pues tú lo dices . . . Bueno; cuidadito con la maestra . . . [ . . . ]

En mí habían surgido terribles desconfianzas, ¿a qué negarlo? Mi fe en Irene se había quebrantado un poco sin ningún motivo racional. Es que el procedimiento de duda que he cultivado en 25 mis estudios como punto de apoyo para llegar al descubrimiento de la verdad, sostiene en mi espíritu esta levadura de malicia. [ . . . ] Y en aquel caso, mientras más me mortificaba la duda, más quería yo dudar, seguro de la eficacia de este modo del pensamiento; y de la misma manera que éste ha realizado grandes 30 progresos por el camino de la duda, mi suspicacia sería precursora del triunfo moral de Irene, y tras de mi poca fe vendría la evidencia de su virtud, y tras de las pruebas rigurosas a que la sometería mi espíritu de hipótesis resultarían probadas racionalmente las perfecciones de su alma preciosa. Por otra parte, aquel 35 desasosiego en que yo estaba desde que supe las acometidas de José me revelaba el profundo interés, el amor, digámoslo de una vez, que Irene me inspiraba, y que hasta entonces podía haberse confundido ante mi conciencia con cualquier aberración caprichosa del sentimiento o de los sentidos. Yo tenía ardientes celos; luego, yo quería con igual ardor a la persona que los motivaba.

Lo primero que resolví fue ocultar a Irene lo que sentía, mientras no fuera para mí claro como la luz del sol que la maestra resistiría las torpes asechanzas de mi hermano. Entré a verla. ¡Qué confusión se apoderó de mí al hallarla meditabunda, tristísima, más pálida que nunca! [ . . . ] ¿Qué le pasaba? Toda mi habilidad y mi charla capciosa no consiguieron abrir el sagrario de su alma ni sorprender por una frase el misterio encerrado en ella. Aquel día funesto no la vi sonreír. Desmintió por completo la idea que yo tenía de su ecuanimidad. [ . . . ] No pude obtener de ella más que monosílabos. Fija su vista en la labor, hacía nudos y más nudos. [ . . . ]

Muy mal impresionado me retiré a mi casa, y tan inquieto estuve, tan hostigado del recelo, de la curiosidad, que a la siguiente mañana, luego que concluyó la lección de los niños, abordé mi asunto y le dije:

—Ya sé todo lo que le pasa a usted. Manuela me ha contado las locuras de José María.

Oyóme tranquila y se sonrió un poco. Yo esperaba sorprender en ella turbación grande.

—Su hermanito de usted —me contestó— es muy particular. Qué poco se parece a usted, amigo Manso. Son ustedes el día y la noche.

Yo seguí hablando de mi hermano, de su carácter ligero y vanidoso; le disculpé un poco; puse en las nubes a Lica, y. . .

Irene me interrumpió diciéndome:

—Aunque don José no ha vuelto a entrar aquí, ni me ha dirigido la palabra desde la escena aquella, me parece que no puedo seguir en esta casa.

No hice más que un signo de sorpresa, porque no me atreví a contestarle negativamente. Comprendí que tenía razón. Preguntéle si el motivo de la tristeza que había notado en ella el día anterior tenía por causa las desagradables galanterías del amo de la casa, y me contestó:

—Sí y no... Sería largo de explicar, pues... sí y no.

¡Sí y no! Admirable fórmula para llegar al colmo de la confusión o a la locura misma.

—Pero sea usted sincera conmigo. Usted me ha dicho que me consultaría no sé qué asunto grave, y aun creo que dijo: "Juro hacer lo que usted me mande."

Entonces me miró muy atenta. Sus ojos penetraban en mi alma como una espada luminosa. Nunca me había parecido tan guapa. [...] Yo me sentí inferior a ella, tan inferior que casi temblaba cuando le oí decir:

—Usted ha dudado de mí... Luego no es usted digno de que yo le consulte nada.

Era verdad, era verdad. Mis preguntas capciosas, mis inquisitoriales averiguaciones del día anterior debieron serle poco gratas. Su resentimiento me pareció bellísimo, y diome tanto placer, que no pude ocultarle cuánto me agradaba el noble tesón suyo. Hícele declaraciones de firme amistad; pero sin excederme ni dar a entender otra cosa, pues no era llegada la ocasión, ni había logrado yo la evidencia que buscaba, aunque tenía el presentimiento de ella.

Salimos a paseo. Mostróse apacible y cordial; pero en nuestra conversación [...] me manifestaba que algo había que no estaba dispuesta a revelarme, y ese algo era lo que se me ponía a mí entre ceja y ceja, mortificándome mucho.

—Yo haré méritos —le dije— para ganar otra vez su confianza y oír las consultillas que quiere usted hacerme.

—Veremos. Por de pronto..[2]

—¿Qué?

—Por de pronto[2] no me ametralle usted a preguntas. Quien mucho pregunta poco averigua. Tenga usted más paciencia y confianza en mi espontaneidad. En esto soy tremenda, quiero decir que cuando no me chistan me entran a mí deseos de contar algo. Y en cuanto a las consultillas, pierden toda su sal si no se hacen en tiempo oportuno y cuando ellas solas se salen del corazón.

Esto me hizo reír, y cuando nos despedimos en casa de Lica, me reí más con esta salida de Irene:

[2] **Por de pronto** For the moment

—Para que haga usted más méritos, le voy a pedir otro favor... ¡Cuánto le agradecería que me hiciera una notita, un resumen, pues, en un papelito así..., de la Historia de España! ¿Creerá usted que se me confunden los once Alfonsos [3] y no les distingo
5 bien? Todos me parece que han hecho lo mismo. Luego se me forma en la cabeza una ensalada de Castilla con León,[4] que no sé lo que me pasa. ¿Hará usted la nota?...

—Pero, criatura, ¿la Historia de España en un papelito?...

—Nada más que los once Alfonsos. De don Pedro el Cruel [5]
10 para acá ya me las manejo bien... ¡Qué cosa más aburrida! Aquellas guerras de moros,[6] siempre lo mismo, y luego los casamientos del de acá con la de allá, y reinos que se juntan, y reinos que se separan, y tanto Alfonso para arriba y para abajo... Es tremendo. Le soy a usted franca. Si yo fuera el gobierno supri-
15 miría todo esto.

—¿La Historia?

—Eso, eso que he dicho. No se enfade usted por estas herejías, y abur.

[3] Kings of Asturias, León, Galicia, and Castilla in various combinations depending on the union or separation of these kingdoms. They run from Alfonso I in the eighth to Alfonso XI in the fourteenth century. [4] Irene refers to the complicated history of these two kingdoms which united and separated several times in the Middle Ages. [5] Pedro el Cruel, 1334-69, King of Castilla, who succeeded his father Alfonso XI in 1350, is so called because of his tyranny; also known as Pedro el Justiciero. [6] The wars against the Moors between 718 and 1492

## TEMAS

1. Sospechas y plan de Manso.
2. Irene y la Historia.

XXIII

## ¡La historia en un papelito!

¿Cuándo se ha visto extravagancia semejante? Me parece que menudean demasiado los antojos. Un día la Gramática de la Academia, que apenas entiende; otro día lápices y dibujos que no usa; [ . . . ] y ahora la historia de los Alfonsos en un papelito . . . [ . . . ] Vaya, vaya, que no es tan grande en ella el dominio de la razón; que no hay en su espíritu la fijeza que imaginé, ni aquel desprecio de las frivolidades y caprichos que tanto me agradaba cuando en ella lo suponía. Pero lo extraño es que no por perder a mis ojos algunas de las raras cualidades de que la creí dotada, amengua la vivísima inclinación que siento hacia ella; al contrario . . . Parece que a medida que es menos perfecta es más mujer, y mientras más se altera y rebaja el ideal soñado, más la quiero y. . .

Esto pensaba yo aquella noche. Hondamente abstraído, no asistí a la reunión. Ocupóme completamente al otro día un asunto universitario, que me tuvo no sé cuántas horas de Herodes a Pilatos,[1] desde el despacho del rector a la Dirección de Instrucción Pública. Asistí a una comida dada por mis discípulos a tres catedráticos, y antes de retirarme a mi casa di una vuelta por la

[1] **que me tuvo . . . Pilatos** that kept me running from place to place for hours. Herod the Great, King of Judaea, 39-4 B.C., was the cruel and tyrannical leader who ordered the slaughter of the children of Bethlehem so that the infant Jesus might be destroyed. This is told in the Christmas play *La degollación de los inocentes,* p. 87. Pontius Pilate, Governor of Judaea, d. A.D. 39.

de mi hermano, donde encontré una gran novedad, que me refirió puntualmente Lica. La noche anterior habían cruzado palabras bastante agrias Manuel Peña y el marqués de Casa-Bojío. Fue cuestión de etiqueta que trajo al punto la cuestión de clases, y prontamente la de personas. [ . . . ] La dureza provocativa de las frases dichas por Peña en la malhadada disputa, y su resistencia a dar explicaciones, hacían inevitable el duelo.

Había querido José María arreglar el asunto hurgándose el caletre para buscar fórmulas de transacción; [ . . . ] mas por aquella vez el abrazo de Vergara [2] no vendría, como en 1839, sino después de la efusión de sangre, y ya estaba todo concertado para el día siguiente muy temprano. Cimarra y no sé qué otro caballerito eran padrinos de mi discípulo. El disgusto de Lica era grande, y yo deploraba con toda mi alma que un joven de talento claro y de sanas ideas, educado por mí en el aborrecimiento de la barbarie humana, incurriera en la estúpida bajeza de desafiarse. Lo que yo hablé aquella noche sobre este particular no es para contado aquí. Estuve casi elocuente, y Lica aprobaba con toda su alma mis ideas, y se admiraba de que un criterio tan sano no triunfara en la sociedad. [ . . . ]

Grande era la pena que yo sentía aquella noche para que no respondiera de malísimo gusto al insufrible y cada vez más pesado poeta, secretario de la *Sociedad de inválidos*. [ . . . ] Quería, ni más ni menos, que yo tomase parte en la gran velada que se estaba organizando, y que echase también mi discursito, rivalizando con los demás oradores. [ . . . ] Resistíme a todo trance, me blindé con la razón de mi escaso poder oratorio; pero ni aun esto me valía, porque mi hermano, Pez y otros dos graves señores (uno de ellos ex ministro) que presentes estaban, me atacaron de flanco diciéndome que no hacían falta discursos brillantes, sino sólidos y razonables; que con mi palabra tendría la solemne fiesta una autoridad que no le darían los cantorrios y los discursos floridos; y por último, que la *Sociedad*, si yo la desairaba negándole mi *valioso concurso*, vería en mi ausencia de la velada un vacío imposible de llenar con otro discurso ni con poesía ni con música.

[2] The 'embrace' refers to the reconciliation at Vergara of *Carlistas* and *Isabelinos*, which ended the long civil war in 1839.

Estas lisonjas no hacían mella en mi rígido carácter, y obstinadamente negué mi concurso. Díjome mi hermanito que yo era una calamidad; llamóme Lica *jollullo,* y *la cabeza parlante* me agració con un juicio bastante duro acerca del poco sentido práctico de los filósofos y de la escasa ayuda que prestan al movi- 5 miento de la civilización. [ . . . ] No hice caso y me marché a casa.

Deseaba saber si Manuel Peña estaba en la suya, y si doña Javiera se había enterado de las andanzas caballerescas de su niño. Buen sermón preparaba yo a mi discípulo, aunque en rigor de verdad, ya no había medio de retroceder en el lance [ . . . ] La 10 idolatría del punto de honra me parece tan absurda hoy como si a mis contemporáneos les diera de repente la humorada de restablecer los sacrificios humanos y de inmolar a sus semejantes en el altar de un muñeco de barro que representase cualquier divinidad salvaje. Pero tal es la fuerza del medio social, que yo, con 15 todo el rigor y pureza intolerante de mis ideas, no habría osado alejar a Peña del bárbaro terreno ni sugerirle la idea de faltar al emplazamiento. ¿Qué más? Siendo quien soy, creo que no podría ni sabría eximirme de acudir al llamado *campo del honor,* si me viera impulsado a ello por circunstancias excepcionales. No olvi- 20 demos nunca los grandes ejemplos de debilidad humana, mejor dicho, de transacciones de conciencia, determinadas por el medio ambiente. Sócrates sacrificó un gallo a Esculapio,[3] San Pedro negó a Jesús.

Doña Javiera no sabía nada. Manuel había tenido el buen 25 acuerdo de engañarla diciéndole que iba a Toledo con unos amigos y que allí pasaría la noche. Con esto, la pobre señora estaba tranquila. Yo no lo estaba, pues aunque en la generalidad de los casos los duelos del día son verdaderos sainetes, y ésta es la tendencia de cuantos intervienen en ellos como padrinos o compone- 30 dores, bien podría suceder que las leyes físicas, con su fatalidad profundamente seria y enemiga de las bromitas, nos regalasen una tragedia.

Desde muy temprano salí, al siguiente día, para enterarme de lo ocurrido, mas nada pude averiguar. A las diez no había entrado 35 Peña a su casa, lo que me puso en cuidado; pero doña Javiera, sin

[3] See Plato's dialogue *Phaedo.*

sospechar cosa mala, decía: "Vendrá en el tren de la noche. Figúrese usted, en un día no tienen tiempo de ver nada, pues sólo en la Catedral dicen que hay para una semana."

Corrí a casa de José, donde Lica, atrozmente inmutada, me dio la tremenda noticia de que Peñita había matado al marqués de Casa-Bojío. Sentí pena y terror tan grande, que ni acerté a comentar el lamentable suceso, prueba evidente de la injusticia y barbarie del duelo. ¡Aquel joven, dotado de corazón noble, de inteligencia clara y simpática, interesantísimo y amable por su figura, por su trato, por las prendas todas de su alma, había quitado la vida a un infeliz inocente de todo delito que no fuera el ser tonto! ... ¿Y por qué? Por unas palabras vanas, comunes y baldías, [ . . . ]

Pero ¡qué demonio!, la noticia la había traído Sáinz del Bardal. ¿No era el conducto motivo bastante para dudar? . . .

—Sí, sí —me dijo Lica—. Corre a enterarte en casa de Cimarra. José María salió muy temprano. No le he visto hoy. Dijo que no volvería hasta la noche.

¡Que todos los demonios juntos, si es que hay demonios, o todos los genios del mal, si es que existe genio del mal fuera del alma humana, carguen con Sáinz del Bardal, y le puncen y le rajen, y le pinchen y le corten, y le sajen y le acribillen, y le arañen y le acogoten, y le estrangulen y le muelan, y le pulvericen y le machaquen, hasta reducirle a pedacitos tan pequeños que no puedan juntarse otra vez, y hasta lograr la imposibilidad de que vuelvan a existir en el mundo poetas de su ralea! . . . [ . . . ] ¿De dónde sacaste, infernal criatura, que el escogido entre los escogidos, Manolo Peña, había quitado la preciosa vida al pobre Leopoldito? [ . . . ] ¿En qué fuente bebiste, poeta miasmático, peste del Parnaso y sarampión de las Musas?

¡Si no pasó nada, si no hubo más sino que el filo del sable de Peña rozó la oreja derecha del espejo de los mentecatos y le hizo un rasguño! [ . . . ] Y como la cosa era a *primera sangre*, aquí paró el lance y ambos caballeros se quedaron repletos de honor hasta reventar, y luego se dieron las manos, y el que hacía de médico sacó un pedacito de tafetán inglés y lo aplicó a la oreja de Leopoldito, dejándosela como nueva, y todo quedó así felizmente terminado para regocijo de la humanidad y descrédito de las malditas ideas de la Edad Media que aún viven...

Me contó todo el mismo Cimarra, extremando los elogios de la serenidad y generosa bravura de Manuel Peña. Faltóme tiempo para llevar la buena noticia a Lica, que se había tomado ya cinco tazas de café para quitarse el susto. Doña Jesusa dio gracias a Dios en voz alta, Mercedes cantó de alegría, y hasta el ama, Rupertico y la mulata se alegraron de que no hubiera pasado nada.

Después de almorzar, entramos Manuela y yo en el cuarto de estudios para ver escribir a la niñas. Recibiónos Irene con vivo gozo. ¿Por qué estaba tan poco pálida que casi eran sonrojadas sus mejillas? La observé inquieta, con no sé qué viveza infantil en sus bellos ojos, decidora y de humor más festivo, pronto y locuaz que de ordinario.

—Perdóneme usted —le dije—, pero he tenido muchas ocupaciones, y no he podido traerle la *Historia en un papelito.*

—¡Ah, qué tontería! No se incomode usted... No merece la pena... La verdad, no sé cómo usted me aguanta... Soy de lo más impertinente... En fin, como usted es tan bueno y yo tan ignorante, me permito a veces molestarle con preguntas. Pero no haga caso de mí. ¿No es verdad, señora, que no debe hacer caso?...

—¡Oh, no! que trabaje, que le ayude, niña... Pues no faltaba más. ¿Para qué le sirve todo lo que sabe?

—Pero qué soso, ¡qué soso es! —dijo Irene mirándome y riendo, fusilándome con el fuego de sus ojos y haciéndome temblar con escalofrío nervioso—. ¿Ve usted cómo no quiere tomar parte en la velada?... Lo que yo digo, es de lo más tremendo...

—*¡Jollullo!*

—Pues tiene usted que hablar, sí señor. Mándeselo usted, señora; mándeselo usted, pues no hace caso de nadie....

—Pues sí, tienes que hablar, Máximo.

—Se deslucirá la fiesta si no habla —añadió Irene—. Ya le he dicho: "Si usted no abre el pico, amigo Manso, yo no voy," y la señora ha prometido llevarme a un palquito de los de arriba.

—Sí, iremos a un palquito de los altos, donde podamos estar con comodidad... Mamá dice que si hablas irá también.

Una voz gangosa, lánguida, [ . . . ] resonó en la puerta murmurando:

—Tiene que hablar, sí señó. . .

Era doña Jesusa que pasaba. Y al mismo tiempo Isabelita se
5 abrazaba a mis piernas y se colgaba de mis manos, chillando también:

—Tienes que hablar, tiíto.

Miróme Irene de un modo terrible y dulce . . . Debió de mirarme como siempre. Pero mi espíritu, desencajado en aquellos
10 días, estaba dispuesto a la poesía y a las hipérboles. [ . . . ]

—Es preciso que hable . . . , tiene usted que hablar. . .

## TEMAS

1. Un lance de honor.
2. Manso tiene que hablar: el pro y el contra.

XXIV

## ¡Tiene usted que hablar!

Pues tengo que hablar; no hay más remedio. Hay en sus palabras no sé qué de imperioso, de irresistible, que corta la retirada a mi modestia, y me deja indefenso y solo ante los ataques de los organizadores de la velada. Al fin sucumbiré. Es necesario hablar. ¿Y sobre qué? 5

Esto pensaba al retirarme aquella noche después de un paseo con Manuela, Irene y los niños, y cuando me acercaba a mi casa iba pensando qué orden de ideas elegiría para componer un bonito discurso. Lo mismo fue entrar en mi despacho y ver mis libros, que se encendió de súbito mi mente y de ella brotó inspiración esplendorosa. [ . . . ] ¡Qué admirable discurso el mío! ¡Panorama inmenso, síntesis grandiosa, riqueza de particularidades! Ocurrióseme la exposición del concepto cristiano de la caridad, uno de los más bellos alcázares que ha construído el pensamiento humano. 15

Yo analizaría la definición dogmática de aquella virtud teologal y sobrenatural por la que amamos a Dios por sí mismo y al prójimo como a nosotros mismos por amor de Dios. Después me metería con los Santos Padres . . . ¡Oh! mi memoria no me era fiel en este punto; sólo recordaba la gradación de San Francisco de Sales,[1] que dice: "El hombre es la perfección del universo, el

[1] St. François de Sales, 1567-1622, author of religious works, such as his *Introduction to the Devout Life* and the *Treatise on the Love of God*

espíritu es la perfección del hombre, el amor la del espíritu y la caridad la del amor..." Después de apurar bien la caridad católica, yo, por medio de una transición apoyada en la hermosa frase de Newton: [2] "Sin la caridad la virtud es un nombre vano," me pasaría al campo filosófico; establecería el principio de fraternidad, y pasito a pasito me iría al terreno económico-político, donde las teorías sobre la asistencia pública y socorros mutuos me darían materia riquísima... Luego la Sociología... En fin, me sobraba asunto, tenía ideas con que hacer siete discursos para siete veladas. La dificultad estaba en condensar. No hay nada más difícil que hablar poco de una cosa grande. Sólo los espíritus verdaderamente grandes tienen el secreto de encerrar en el término de escasas palabras espacios inmensurables. Yo estaba, pues, confuso; no sabía qué escoger entre tantas tesis, entre tan variadas riquezas. Después de reflexionar largo rato, vi claro, y consideré que sería el colmo de la pedantería sacar a relucir el dogmatismo cristiano, los Santos Padres, la Filosofía, la ciencia social, la fraternidad y la Economía política. Parecióme ridícula la fiebre de erudición que me entró al ver mi biblioteca y consideré a qué locos extravíos conduce la manía del hacinamiento de libros. La erudición es un vino que casi siempre embriaga. Librémonos de ella, mayormente en ciertos actos, y aprendamos el arte de llevar a cada sitio y a cada momento lo que sea propio de uno y de otro y encaje en ambos con maravillosa precisión. Volví la espalda a mi biblioteca y me dije: "Cuidado, amigo Manso, con lo que haces. Si en esa famosa velada te descuelgas con un mosaico de erudición tediosa o con un catafalco de filosofía trascendente, el público se reirá de ti. Considera que hablarás ante un senado de señoras; que éstas y los pollos y todas las demás personas insubstanciales que a tales fiestas asisten estarán deseando que acabes pronto para oír tocar el violín o recitar una poesía. Prepara una oración breve, discreta, con su golpecito de sentimiento y su toque de galantería a las damas. [...] Dí cosas claras, si puede ser, bonitas y sonoras. Proporciónate un par de metáforas, para lo cual no tienes más que hojear cualquier poeta de los buenos. Sé muy

[2] Isaac Newton, 1642-1727, famed English mathematician, astronomer, and physicist, was the author of *Principia Mathematica*.

breve; ensalza mucho a las señoras que se desviven organizando funciones para los pobres; habla de generalidades fáciles de entender, y ten presente que si te apartas tanto así de la línea del vulgo bien vestido que ha de oírte, harás un mal papel y los periódicos no te llamarán inspirado ni elocuente."

Esto me dije, y dicho esto me callé y me puse a comer, pues aquel día pude también evadirme, por rara suerte, de la comida oficial de mi hermano, para consagrarme con sabrosa tranquilidad a la olla doméstica.

La próxima velada y el compromiso que contraje me tenían preocupado. No han sido nunca de mi gusto estas ceremonias que con pretexto de un fin caritativo sirven para que se exhiban multitud de tipos ávidos de notoriedad. Si algún tiempo antes me hubieran dicho: "Hablarás en una velada caritativa," lo habría juzgado tan absurdo como si dijeran: "Volarás," y sin embargo, ¡oh Dios!, yo volé.

Pero un desasosiego mayor que éste de pensar en mi discurso me entristeció por aquellos días. Una tarde fui a casa de José María con intención decidida de ver a Irene y de hablarle un poco más explícitamente, porque mi propia reserva empezó a enojarme, y me cansaba del papel de observador que yo mismo me había impuesto. [ . . . ] Yo estaba [ . . . ] en plena revolución motivada por ley fatal de mi historia íntima, por la tiranía de mí propio y por aquella manera especial de absolutismo o inquisición filosófica con que me había venido gobernando desde la niñez. [ . . . ]

Acordándome de Peña y de sus ideas sobre la necesidad de lo dramático en cierta parte de la vida, me parecía que tenía razón. Era preciso ser joven una vez y permitir al espíritu algo de ese inevitable proceso reformador y educativo que en Historia se llama revoluciones.

"Basta de sabidurías —me dije—; acábense los estudios de carácter y las disecciones de palabras que me enredan en mil tormentosas suspicacias y cavilaciones. ¡Al hecho, a la cosa, al fin! Planteada la cuestión y manifestados mis deseos, toda la claridad que haya en mí se repetirá en ella, y la veré y apreciaré mejor. Así no se puede vivir. [ . . . ]"

Así pensaba y con estas ideas me fui derecho a su cuarto. ¡Desilusión! Irene no estaba. Las niñas tampoco. Lica salió a mi encuentro y me explicó el motivo de la ausencia de la maestra. Había ido a casa de su tía con la idea de arreglar sus cosas. Parece
5 que estaban de mudanza. Doña Cándida había tomado un cuartito muy mono y recorría las almonedas para procurarse muebles baratos con que adecentarlo. Irene estaba en la antigua casa de mi cínife poniendo en orden sus objetos para la mudanza y ayudando a su tía.

10 Quise ir allá, pero Lica me detuvo. Tenía que darme cuenta de los malos ratos que estaba pasando con el ama de cría, cuya bestial codicia, iracundo genio y feroces exigencias no se podían soportar. Todos los días armaba peloteras con la mulata, y se ponía tan furiosa, que la leche se le echaba a perder, y mi buen
15 ahijado se envenenaba paulatinamente. Cuanto veía se le antojaba, y como Manuela le hacía el gusto en todo, llegó un momento en que ni con faldas de terciopelo ni con joyas falsas o finas se la podía contentar.

[ . . . ] No mostraba ningún cariño a su hijo postizo y hablaba
20 de marcharse a su casa con su *hombre y los sus mozucos.* Varios objetos de valor que habían desaparecido fueron descubiertos sigilosamente en el baúl de la bestia. Lica le tenía miedo, temblaba delante de ella, y no se atrevía a mostrarle carácter ni a contrariarla en lo más ligero.

25 —Que se lleve todo —me decía lloriqueando, a solas los dos—, con tal que críe al hijo de mis entrañas. Ella es el ama, yo la criada: no me atrevo a resollar delante de ella por miedo de que haga una brutalidad y me mate al hijo.

—¡Buen punto te ha traído doña Cándida! ¿Ves? De mi cínife
30 no puede salir cosa buena.

—Y doña Cándida, ¿qué culpa tiene? . . . ¡La pobre! . . . No seas ponderativo . . . ¡Si yo pudiera buscar otra criandera sin que ésta se maliciara, pues, y plantarla en la calle . . . ! ¡Ay! Máximo, tú que eres tan bueno, ayúdame. No cuento para nada con José
35 María. ¿Ése? . . . , como si no existiera. No parece por aquí. Conque Máximo, chinito. . .

—Pero Lica . . . , y esa doña Cándida, ¿qué dice?

—Si apenas viene a casa . . . desde que ha vendido las tierras de Zamora y tiene moneda. . .

—¡Dinero doña Cándida! —exclamé más asombrado que si me dijeran que Manzanedo [3] pedía limosna—: ¡Dinero Calígula!

—Sí, está rica; pues si vieras, niño . . . , gasta unas fantasías. . . 5

—¡Ay Lica, Lica! Yo te encargué que vigilaras bien a mi cínife. ¿Lo has hecho?

—Pero ven acá, ponderativo. . .

Yo no sabía qué pensar. La necesidad de ver a Irene y no sé qué instinto suspicaz, que me impulsaba a observar de cerca los 10 pasos de doña Cándida, lleváronme a la casa de ésta. Llegué: mi espíritu estaba preñado de temores y desconfianzas. Llamé repetidas veces tirando, hasta romperlo, del seboso cordón de aquella campanilla ronca; pero nadie me respondía. La portera gritó desde arriba que la señora y su sobrina estaban en la otra 15 casa. Pero ¿dónde estaba esa casa? Ni la portera ni los vecinos lo sabían.

Volví junto a Lica. Irene llegó muy tarde, cansada, ojerosa, más pálida que nunca. La nueva casa de su tía estaba en la barriada moderna de Santa Bárbara. 20

[ . . . ] Tía y sobrina habían trabajado mucho aquella tarde.

—¡He cogido tanto polvo! . . . —me dijo Irene—. Estoy rendida de sueño y cansancio. Hasta mañana, amigo Manso.

¡Hasta mañana! Y aquel mañana vino, y también desapareció Irene. Vivísima curiosidad me impelía hacia la nueva casa, alqui- 25 lada y amueblada con el producto de aquellas tierras de Zamora que no existían más que en el siempre inspirado numen del fiero Calígula.

Salí, recorrí las nuevas calles del barrio de Santa Bárbara; pero no di con la casa. Según me había dicho Irene, ni el edificio tenía 30 número todavía, ni la calle nombre. [ . . . ] Volví hacia el centro. [ . . . ] Ya cerca de anochecer, me encontré a Manuel Peña. [ . . . ]

Nos separamos después de haber hablado un momento de su discurso y del mío. Me fui a casa, volví a salir. Era de noche. . .

[3] Don Juan Manuel de Manzanedo, d. 1883, a member of the nobility, was an important Spanish financier and philanthropist in the second half of the century.

### TEMAS

1. Un discurso para una velada de caridad.
2. Las preocupaciones de Lica.
3. Las ocupaciones de Irene.

## XXV

# Mis pensamientos me atormentaban . . .

Me atormentaron toda la noche dentro y fuera de mi casa. [ . . . ] Me di a escudriñar la relación que podría existir entre la realidad y la serie de impresiones que recibí.[1] Si el sueño es el reposo intermitente del pensamiento y de los órganos sensorios, ¿cómo pensé y vi? . . . ¡Pero qué tontería! Me estaba yo tan fresco en la cama, interpretando sueños como un Faraón, y eran las nueve, y tenía que ir a clase, y después preparar mi discurso para la gran velada que había de celebrarse aquella noche . . . Las cavilaciones de los dos pasados días no me habían permitido ocuparme de semejante cosa, y aún no tenía plan ni ideas claras sobre lo que había de decir. Como improvisador, siempre he sido detestable. No quedaba, pues, más recurso que enjaretar de cualquier modo una oracioncilla en los términos de fácil claridad y sencillez que me habían parecido más propios.

Tal empeño puse, que al anochecer estaba todo concluído satisfactoriamente. Había escrito todo mi discurso y lo había leído tres o cuatro veces en voz alta para fijar en mi espíritu, si no las frases todas, las partes principales de él y de su armónica estructura. [ . . . ]

Cuando llegó la hora me vestí, y ¡al teatro con mi persona! Dígolo así, porque me llevé como quien lleva a un criminal que quiere escaparse. Yo era polizonte de mí mismo, y necesité toda

[1] Manso is referring to a dream he had about Irene.

la fuerza de mi dignidad para no evadirme en mitad del camino y volverme a mi casa. [ . . . ]

Bien se conocía, en la proximidad del teatro, que en éste había aquella noche solemnidad grande. Era aún temprano, y ya se agolpaba el público en las puertas. Aunque se habían tomado precauciones para evitar la reventa de billetes, diez o doce gandules con gorra galoneada entorpecían el paso, molestando a todo el mundo. Llegaban coches sin cesar, sonaban las portezuelas como disparos de armas de fuego, y cuando me venía al pensamiento que yo formaba parte del espectáculo que atraía tanta gente, se me paseaba por la espina dorsal un cosquilleo . . . El discurso se me borraba súbitamente del espíritu, y luego aparecía bien claro para eclipsarse de nuevo. [ . . . ]

No había dado dos pasos dentro del vestíbulo, cuando tropecé con un objeto duro y atrozmente movedizo. Era Sáinz del Bardal, que se multiplicaba aquella noche como nunca: tal era su actividad. [ . . . ] Él estaba en el escenario arreglando la decoración, los atriles, el piano; él en el vestíbulo disponiendo los tiestos de plantas vivas que a última hora no habían sido bien colocados; él en los palcos saludando a no sé cuántas familias; él adentro, afuera, arriba y abajo, y aun creo que le vi colgado de la lucerna y saliendo por los agujeros de la caja de un contrabajo. Una de las tantas veces que pasó junto a mi, [ . . . ] me dijo:

—Arriba, en el palco segundo de proscenio, están Manuela, Mercedes, y . . . abur, abur.

Subí. Sorprendióme ver a Lica en lugar tan eminente, en un palco que lindaba con el paraíso: [2] El público extrañaría seguramente no ver a la señora de Manso en uno de los proscenios bajos. Parecía aquello una deserción, harto chocante tratándose de la dama en cuya casa se había organizado la fiesta. Cuando entré, Irene estaba colgando los abrigos en el estrecho antepalco. Saludóme en voz baja; dulcísimamente, con algo como secreteo o confidencia de amigo íntimo.

—Ya estaba yo con cuidado —dijo—, temiendo que usted. . .

[2] play on the word **paraíso,** meaning both 'paradise' and 'top gallery' of a theater

—¿Qué?

—Nos hiciera una jugarreta, y a última hora no quisiera hablar.

—¿Pero no prometí. . . ?

### TEMAS

1. La mañana de la velada.
2. Manso llega al teatro.

## XXVI

# Llevóse el dedo a la boca imponiéndome silencio

Su discreción me pareció encantadora. Parecía decirme: "Ya hablaremos largamente de ello y de otras mil cosas agradables."

—¿No sabes? —me dijo Lica—. José María se ha puesto muy bravo porque no he querido ir al palco proscenio. Dice que esto 5 es una gansada . . . Mejor, que rabie. No me da la gana de ponerme en evidencia. Aquí estamos muy bien . . . *Aguaita,* chinito; hemos venido de bata. No te chancees. Aquí vemos todo y nadie nos ve . . . ¡Jesús, cómo está mi marido! Dice que no sirvo más que para vivir en un potrero . . . ¡Qué cosa! En fin, que rabie.

10 Mercedes miraba hacia las butacas, y aquel animado panorama a vista de pájaro la desconsolaba un poco, por no encontrarse en medio de tanto brillo y hermosura. También estaba doña Jesusa; inaudito fenómeno, tan contrario a sus costumbres sedentarias.

—No he venido más que a oírle, niño —me dijo con toda la bon-15 dad del mundo—. Pues si no fuera porque usted se va a lucir, no me sacarían de mi sillón ni *toítas* las potencias celestiales.

Estaba la buena señora horriblemente vestida de día de fiesta, con gruesas y relumbrantes alhajas, y un medallón en el pecho con la fotografía de su difunto esposo, casi tan grande como un 20 mediano plato. Yo no me había enterado hasta aquella noche de las facciones del papá de Lica, que era un señor muy bien barbado, vestido de voluntario de Cuba.

—Parece que hay solo de arpa —me dijo Mercedes, ilusionada con los misteriosos atractivos del programa.

—Creo que sí. Y también. . .

—¡Ah! ¡Los versos de Sáinz del Bardal son más lindos! . . . —indicó Manuela—. Me los leyó esta tarde. [ . . . ]

—¿Y quién más recita?

—Creo que recitarán los principales actores. [ . . . ] 5

Irene no desplegaba sus labios. Sentada tan lejos del antepecho como del fondo del palco, manteníase a decorosa distancia de Lica, acusando su inferioridad, pero sin dar a conocer ni sombra de servilismo. Modesta y digna, me habría cautivado en aquella ocasión si entonces la hubiera visto por primera vez. Al salir vi 10 en la penumbra roja del palco un objeto, una cosa negra, una cara . . . Me eché a reír, reconociendo a Rupertico, que me miraba y se apretaba la nariz con los dedos para contener sus carcajadas. Estaba sentado en una banqueta, tieso, [ . . . ] sin atreverse a mover brazo ni pierna. No había en él más señales de vida que los 15 ímpetus de risa, y para sofocarla se apretaba la boca con las palmas de las manos.

—No hemos tenido más remedio que traerle —me dijo la *niña Chucha*—. ¡Ay!, ¡qué enemigo! Toda la tarde llorando porque quería venir a oírle a usted. 20

—Yo creo que le da un accidente, si no le traemos —añadió Lica—. Nos tenía locas. "Yo quiero oír a mi amo Máximo; yo quiero oír a mi amo Máximo . . ." Y llora que llora.

Al tirarle de la oreja vi que en el rincón había un bulto envuelto en un pañuelo rojo. El negrito, al observar que yo miraba el bulto, 25 acudió con sus manos a acomodar el pañuelo y ocultarlo más. Reía convulsamente, y Lica y Mercedes también reían. . .

—Fresco, *relambido*, márchate, márchate, que aquí no haces falta —me dijo Lica—. Después que hables vendrás a vernos.

En el escenario no se podía dar un paso. Sáinz del Bardal y los 30 que le habían ayudado en la organización, no supieron impedir que entrase allí el que quisiese, y todo era desorden y apreturas. Periodistas que iban en busca de pormenores, [ . . . ] oradores, los amigos de los oradores, músicos y todos los amigos de los músicos, actores que habían de recitar y poetas que iban a que 35 los recitaran, individuos afiliados a la Sociedad y multitud de personas a quienes nadie conocía llenaban el escenario. Sáinz del

Bardal, rojo como un cangrejo, y otro señor filántropo y discursista que tiene la especialidad de estas cosas, se esforzaban por imponer orden y expulsaban galantemente a los intrusos.

A todas éstas [1] terminaba la sinfonía, el telón se había descorrido, y los individuos de la Junta ocupaban una fila de sillas, junto a pomposa mesa, tras de la cual aparecía la imagen más grave de todas las imágenes imaginables, don Manuel María Pez. Este señor debía pronunciar breves palabras explicando el objeto de la ceremonia y dando las gracias a las distinguidísimas damas y eminentes personas que se habían dignado *cooperar a su esplendor en bien de la humanidad y de los pobres*. Era la oratoria de este señor acabado ejemplo del género ampuloso, hueco y vacío, [ . . . ] oratoria que sirve a las nulidades para hacer un breve papel parlamentario, fatigar a los taquígrafos y macizar esa inmensa pirámide papirácea que se llama el *Diario de las Sesiones*.[2] Para descubrir una idea del señor Pez era preciso demoler a pico un paredón de palabras, y aun no había seguridad de encontrar cosa de provecho. Decía así:

"Es ciertamente laudable, es altamente consolador, es en sumo grado lisonjero para nuestra edad, para nuestro tiempo, para nuestra generación, que tantas personas eminentes, que tantos varones ilustres en las artes y en las letras, que tantas glorias de la patria, en uno y otro ramo del saber, se presten, se ofrezcan, se brinden a . . .". [ . . . ]

El programa era vasto, inmenso, vario y complejo como ningún otro. A la legua se conocía que había andado en ello Sáinz del Bardal y su destornillada cabeza. Hablaríamos un célebre orador, Manuel Peña y yo; habría cuarteto por eminencias del Conservatorio; leerían versos de celebrados poetas tres actores de los mejorcitos. El único poeta que sería leído por sí mismo era Sáinz del Bardal, quien por condiciones especiales de carácter no confiaba a boca ajena las hechuras de su ingenio. Habría además concierto de piano, desempeñado por una señorita de doce años que era un prodigio en teclas; habría gran solo de arpa por un

[1] **A todas éstas** In the midst of all this; Meanwhile [2] **Diario de las Sesiones** Proceedings of the Parliament

célebre profesor italiano que había llegado a Madrid pocos días antes. Por último, cantaría un tenor del Real[3] la célebre aria de Mozart *Il mio tesoro intanto,*[4] y entre el tenor y el barítono despacharían el dúo *I marinari*[5] . . . No sé si había algo más. Creo que no. 5

Sáinz de Bardal me notificó que mi puesto en el programa seguía inmediatamente al solo de arpa, lo que me desconcertó un poco, mucho más cuando acerté a ver al solista, que parecía sujeto de mala sombra. Estaba en el fondo del escenario preparando su instrumento y rodeado de una nube de músicos y gente italiana 10 del Real. Mirándole yo, consideré supersticiosamente que en la compañía de aquel maldito músico no podía haber cosa buena. [ . . . ]

Yo me paseaba solo esperando mi turno. Un noticiero se me acercó y me dijo: 15

—¿Sobre qué va usted a hablar? ¿Quiere darme usted un extracto de su discurso?

—Cuatro generalidades . . . ; en fin, ya lo verá usted.

—¡Qué poco feliz ha estado ese señor de Pez!

Otro llegó y dijo: 20

—Ya se acabó el *dies irae*. Es un piporro ese señor de Pez. . . [ . . . ]

—Parece mentira —añadió un tercero, gomoso, discípulo mío por más señas, buen chico, ateneísta . . . —. ¡Qué escándalo con los revendedores! Esto no pasa más que en España. El gobernador 25 ha mandado detener a alguno. Sería curioso saber quién les había dado los billetes. [ . . . ]

Poco a poco iban llegando conocidos, y se formaba animado corrillo junto a mí.

—Señor de Manso, ¿cuándo va usted? 30

—Después del arpa. [ . . . ]

[3] Originally the Caños del Peral, reconstructed several times, it was dedicated, under its present name of Teatro Real, in 1850 in honor of Isabella II.
[4] Aria from Mozart's opera *Don Giovanni* [5] Possibly a reference to the opera, *La Gioconda,* by Ponchielli (Riccordi, London, 1883 or earlier), in which there is a dialogue of choruses in Act II, Sc. 1, *Marinaresca,* which may have been adapted to two voices for recitals.

—Yo, a ser usted, hubiera pedido un lugar más adelantado.
—¿Qué más da? [6] Antes o después, lo he de hacer bastante mal.
—¡Hombre, hombre, qué pillín es usted! . . . ¿Conque mal?
[. . .]
5 —¡Quia! Si ese buen señor no sabe lo que vale.
—Diga usted, señor de Manso, ¿le convendría a usted darme un discurso para la Revista? . . . Lo pondremos en el número 15, y después, si usted quiere, se le puede hacer una tirada corta . . . pues, un folletito.
10 —¡Quia, hombre! Es demasiado breve.
—¡Ah!, mejor . . . De todos modos, para la Revista ya me sirve.
—¿De qué trata?
—De nada, señores, de nada. ¿Se puede hablar de cosas serias delante de esta gente, entre un solo de arpa y una tirada de ver-
15 sos? Cuatro generalidades. . .
—Ya sale el actor a leer el poema XXX . . . Es soberbio. Me lo leyó su autor ayer tarde. Es un asombro. . .
—Sí, pero vean ustedes qué manera de leer.
—Ese hombre es un epiléptico. Se pone verde.
20 —Milagro será que no se le reviente una vena.
[. . .]
—Pero esta manera de declamar . . . ¡Ah! los actores italianos. . .
[. . .]
Todos aplaudimos al final, rompiéndonos las palmas de las
25 manos. Desde las localidades venía un rumor de aplausos que parecía una tempestad. De pronto, en el círculo amistoso que se había formado en derredor de mí, apareció Manuel Peña con las manos en los bolsillos y el sombrero echado atrás. Parecía un libertino que salía de la ruleta.
30 —¡Hola, perdis! . . .
—Maestro, dichoso usted que está tranquilo.
—Y tú, ¿tienes miedo?
—¿Miedo? . . . Estoy como el reo en capilla.
—¿Sobre qué vas a hablar?
35 —Sobre lo primero que se me ocurra.
—¿No has preparado nada?

[6] **¿Qué más da?** What difference does it make?

—Éste es lo más célebre . . .[7] —indicó mi amigo—. ¿Creerá usted, Manso, que esta mañana no tenía ni idea siquiera del discurso que va a pronunciar?

—Ni la tengo ahora . . . Veremos lo que sale. Yo me las arreglo de este modo. Esta tarde me he leído unos versos de Víctor Hugo[8] y he tomado una docena de imágenes. [. . .] Hablaré de las damas, de la influencia de la mujer en la Historia, del Cristianismo. . .

—De la mujer cristiana, ¿eh? . . .

—Eso, y de la caridad . . . A ver, señores, ¿quién dijo aquello de *la caridad corre a la desgracia como el agua al mar?*

—Chateaubriand.[9]

—No, hombre; me parece que es el Padre Gratry.[10]

—No, no. Usted, Manso, ¿sabe? . . .

—Pues no recuerdo. . .

—En fin, lo diré como mío.

—¡Ah! . . . Esa frase es de Víctor Cousin. . .[11]

—Sea de quien fuere . . ., usted, maestro, pronto entra.

—Detrás del arpa . . . Ahí va.

El italiano y su comitiva italianesca pasaron junto a nosotros. Hacía mi benemérito predecesor gimnasia con los dedos, como si quisiera rasguñar el aire.

Hubo un silencio expectante que me impresionó, haciéndome pensar que pronto se abriría ante mí la cavidad muda y temerosa de un silencio semejante. Después oyéronse *pizzicatos.* Parecían pellizcos dados al aire, el cual, cosquilloso, respondía con vibraciones de risa pueril. Luego oímos un rasgueado sonoro y firme como el romper de una tela; después un caer de gotas tenues, lluvia de soniditos duros, puntiagudos, acerados, y al fin una racha musical, inmensa, flagelante, con armonías misteriosas.

—¡Caramba, que este hombre toca bien!

[7] **Éste . . . célebre** This fellow is really fantastic [8] Victor Hugo, 1802-85, French Romantic poet, dramatist, and novelist [9] François René de Chateaubriand, 1768-1848, French essayist, story writer, and diplomat, precursor of the Romantic school [10] Auguste Alphonse Gratry, 1805-72, French priest and philosopher who sought to reconcile modern science and religion [11] Victor Cousin, 1792-1867, French philosopher and politician, proponent of eclecticism in philosophy

—¡Vaya!

—Ahora, ahora. ¡Qué melodía! [ . . . ]

—¡Qué dedos!

[ . . . ]

5 —¿Pero han visto ustedes las cruces que tiene ese hombre?

—¿Qué es eso de hombre? Si es la mujer con barbas . . . , esa que estaba en la feria. . .

—Ps . . . Silencio, señores; esas risas. . .

Cuando concluyó el solo y sonaron los aplausos, parecía que se
10 me arrugaba el corazón y que se me desvanecía la vista. Mi hora había llegado. Di algunos pasos mecánicos.

—Todavía no. Va a repetir. Tocará otra pieza.

—¡Qué placer! . . . Cinco minutos de vida.

Para animarme afecté alegría, despreocupación y un valor que
15 estaba muy lejos de tener. [ . . . ] Por último, llegó el segundo fatal. El italiano entró, volvió a salir llamado por el público, y al fin retiróse definitivamente. Yo le vi limpiándose el sudor del amoratado rostro, que parecía un lustroso tomate, y oí felicitaciones de los músicos que le rodeaban. Cuando rompí por medio
20 de ellos para salir, las piernas me temblaban.

Y me vi delante del dragón, como quien va a ser tragado. [ . . . ] Pero la vista misma del peligro parecía restituirme mi valor y fortalecerme. Verdaderamente, pensé, es una tontería tener miedo a esa buena gente. Ni lo he de hacer tan mal que me ponga en ri-
25 dículo. . .

Alcé la vista, y allá arriba, sobre el mal pintado celaje del techo, vi destacarse un grupo de cabezas.

TEMA

1. En el teatro.

## XXVII
# La de Irene dominaba a las otras tres

O por lo menos, fue la que más claramente vi. Cuando principié, con voz no muy segura, me hacía visajes en los ojos el decorado seudomorisco de los palcos. La puntería de gemelos, así como el movimiento de tanto abanico, me distraían. En uno de los proscenios bajos había una bendita señora cuyo abanico, de colosal 5 tamaño, se cerraba y se abría a cada momento con rasgueo impertinente. Parecía que me subrayaba algunas frases o que se reía de mí con carcajadas de trapo. [ . . . ]

Y seguí, seguí. Un miembro tras otro, frase sobre frase, el discursito iba saliendo, limpio, claro, correcto, con aquella facilidad 10 que me había costado tanto trabajo. Iba saliendo, sí señor, y no a disgusto mío, y a medida que lo iba pronunciando, mi facultad crítica decía: "No voy mal, no señor. Me estoy gustando; adelante . . .".

¿Qué diré de mi discurso? Copiarlo aquí sería impertinente. 15 Una de las muchas revistas que tenemos, y que se distinguen por su vano empeño de hacer suscripciones, lo publicó íntegro, y allí puede verlo el curioso. No ofrecía gran novedad, no contenía ningún pensamiento de primer orden. Era una disertación breve y sencilla, a propósito para esto que llaman público, que es, como 20 si dijéramos, una reunión de muchos, de cuya suma resulta un *nadie*. Todo se reducía a unas cuantas consideraciones sobre la indigencia, sus causas, sus relaciones con la ley, las costumbres y la industria. Luego seguía una reseña de las instituciones benéficas, deteniéndome principalmente en las que tienen por objeto la protección de la infancia. En esta parte logré poner en mi discurso una nota de sentimiento, que levantó lisonjeros murmullos. Pero lo demás fue severo, correcto, frío y exacto. Cuanto dije era de lo que yo sabía, y sabía bien. Nada de conocimientos pegados con saliva y adquiridos la noche anterior. Todo ello era sólido; el orden lógico reinaba en las varias partes de mi obra. [. . .]

Hago estos elogios de mí mismo sin reparo alguno, porque me autoriza a ello la franqueza con que declaro que no ha habido en mi oración ni chispa ni brillantez oratoria. Era como si leyese un sesudo y docto informe, o un dictamen fiscal. Y el efecto de este defecto lo notaba yo claramente en el público. Sí, al través de la urdimbre de mi discurso [. . .] veía yo al dragoncillo de mil cabezas, y observaba que en muchos palcos las damas y caballeros charlaban olvidados de mí. [. . .] En cambio vi un par de catedráticos en primera fila de butacas que me flechaban con el reflejo de sus gafas, y con movimientos de cabeza apoyaban mis apreciaciones . . . Y el *ras* del dichoso abanico seguía rasguñando la limpidez de mi lenguaje. [. . .]

Se acercaba el fin. Mis conclusiones eran que los institutos oficiales de beneficencia no resuelven la cuestión del pauperismo sino en grado insignificante; que la iniciativa personal, que esas agrupaciones que se forman al calor de la idea cristiana . . . , en fin, mis conclusiones ofrecían escasa novedad y el lector las sabe lo mismo que yo. Baste por ahora decir que terminé, cosa que yo deseaba ardientemente, y parte del público también. Un aplauso mecánico, oficial, sin entusiasmo, pero con bastante simpatía y respeto, me despidió. Había salido bien, como yo esperaba y deseaba. Por mi parte, discreción y verdad; por la del público, benevolencia y cortesía. Saludé satisfecho, y ya me retiraba cuando. . .

¿Qué era aquello que bajaba del techo volando y agitando cintas? Era un objeto de variados colores, un conjunto de ramos verdes, de cenefas rojas . . . ¡Una corona, cielos vengadores! Fue tan mal arrojada, que cayó sobre las candilejas. No sé quién la cogió; no sé quién me entregó aquella descomunal pieza de hojas de trapo, de bellotas que parecían botones de librea, con [. . .]

claveles como girasoles, letras doradas, y qué sé yo . . . Recibí aquella ofrenda extemporánea, y no sé cómo la recibí. Me turbé tanto que no supe lo que hacía, y por poco [1] pongo la corona en la cabeza calva del señor de Pez, que me dijo al pasar: "Muy bien ganada, muy bien ganada." 5

Murmullos del público me declaraban que el dragoncillo, como yo, había considerado aquella demostración absolutamente impropia, inoportuna y ridícula. Luego la habían arrojado tan mal . . . . Me dieron ganas de tirarla en medio de las butacas.

—Es obsequio de la familia —oí que decía no sé quién. . . 10

Quedé confuso ¡y después me entró una ira . . . ! ¡Ya comprendía lo que guardaba el pícaro negro dentro del pañuelo! ¡Como si lo viera! Debió de ser idea de la *niña Chucha*. . .

Me interné en el escenario con mi fastidiosa carga. [ . . . ] En verdad, lo mejor era tomarlo a risa, y así lo hice . . . Bien pronto, 15 mientras continuaba el programa con la pieza de piano, se formó en torno mío el corrillo de amigos y oí las felicitaciones de unos, las sinceridades o malicias de otros.

—Muy bien, amigo Manso . . . [ . . . ]

—Me ha gustado mucho . . . , pero mucho. No, no venga usted 20 con modestias. Debe estar usted satisfecho.

—¡Orador laureado! . . . , nada menos.

—¡Qué lástima que no alzara usted un poco más la voz! Desde la fila 11 apenas se oía.

—Muy bien, muy bien . . . Mil enhorabuenas . . . Un poquito más 25 de calor no hubiera estado mal.

—¡Pero qué bien dicho . . . , qué claridad!

[ . . . ]

—Caballero Manso, bravísimo.

—Hombre, ya podías haber esforzado un poco la voz, y dar 30 nervio, dar nervio. . .

—Mira, para otra vez mueve los brazos con más garbo . . . Pero me ha gustado mucho tu discurso. Las señoras no lo han comprendido; pero les ha gustado. . .

—¿Conque coronita y todo. . . ? 35

También vino el arpista a felicitarme, permitiéndose presen-

[1] **por poco** almost

tarse él mismo para tener *l'onore di stringere la mano d'un egregio professore.*[2]

Estas lisonjas me obligaron, mal de mi agrado,[3] a dedicar algunas frases al panegírico del arpa. [ . . . ]

5 Hablando con el italiano, con otros músicos, con algunos de mis amigos, me distraje de las partes siguientes del programa; pero hasta donde estábamos venían, como olores errantes de un próximo sahumerio, algunas emanaciones retóricas de los versos que leía Sáinz del Bardal. [ . . . ] De varios vocablos sueltos y de frase-
10 cillas volantes colegimos que el señor del Bardal se guarecía *bajo el manto de la religión;* que *bogaba en el mar de la vida;* que su alma *rasgaba pujante el velo del misterio,* y que el muy pillín iba a romper la cadena que le ataba a la *humana impureza.* [ . . . ]

—¡Si encallara de una vez este hombre! . . .

15 [ . . . ]

—¡Y cómo le aplauden! . . .

—Ya . . . Mientras exista el sexo femenino, las Musas cotorronas tendrán *alabarda* segura . . . El público aplaude más estas vulgaridades que los versos sublimes de XXX. Así es el mundo.

20 —Así es el Arte . . . Vámonos, que ya viene.

—¡Que viene Bardal! ¿Quién le aguanta ahora?

—Temo ponerme malo. Estoy perdido del estómago, y este poeta emético siempre me produce náuseas . . . Huyamos.

—¡Sálvese el que pueda!

25 Yo también me marché, temeroso de que me acometiera Bardal. Salí del escenario, y en el pasillo bajo encontré mucha gente que había salido a fumar, haciendo de la lectura del poeta un cómodo entreacto. Algunos me felicitaron con frialdad, otros me miraron curiosos. Allí supe que el célebre orador que debía tomar parte
30 en la velada se había excusado a última hora por haber sido acometido por un cólico. Faltaban ya pocos números, y era indudable que parte del público se aburría soberanamente, y pensaba que a los autores de la velada no les venía mal su poquito de caridad, terminando la inhumana fiesta lo más pronto posible.

35 En la escalera encontré a mi hermano. [ . . . ]

[2] **l'onore . . . professore** Italian: the honor of shaking the hand of an illustrious professor [3] **mal . . . agrado** against my will

—Has estado verdaderamente filósofo —me dijo con pegadiza bondad—, pero con muchas metafísicas que no entendemos los tristes mortales. Lástima que no hicieras uso de los datos de mortalidad que te dio Pez a última hora. [ . . . ] Yo he estudiado la cuestión y resulta que las escuelas de instrucción primaria nos ofrecen 414 niños y ¾ de niño por cada. . .

—¿Has estado arriba, en el palco de la familia? —le pregunté, para cortar el hilo funesto de su estadística.

—No; ni pienso ir. ¡Buena la han hecho![4] ¿Te parece? . . . ¡*Guindarse* en ese palcucho! ¡Qué inconveniencia, qué tontería y qué estupidez! Mi mujer me pone en ridículo cien veces al día . . . Pues digo, ¿y a ti? . . . ¿Qué te ha parecido lo de la coronita?

La carcajada que soltó mi hermano trajo a mi espíritu la imagen del malhadado obsequio que recibí, y no pude disimular el disgusto que esto me causaba.

—¡Si es la gente más tonta . . . ! Apuesto que la idea fue de la *niña Chucha*. En cuanto a Manuela, es verdaderamente la terquedad en figura humana. Basta que yo desee una cosa. . .

Yo disculpé a Lica; él se incomodó; díjome que yo, con mis tonterías de sabio, fomentaba la terquedad y los mimos de su esposa.

—Pero, José. . .

—Tú eres otra calamidad, otra calamidad, entiéndelo bien. Nunca serás nada . . . , porque no estás nunca en situación. ¿Ves tu discurso de esta noche, que es práctico y filosófico y todo lo que quieras? Pues no ha gustado, ni entusiasmará nunca al público nada de lo que escribas, ni harás carrera, ni pasarás de triste catedrático, ni tendrás fama . . . Y tú eres el que hace en mi casa propaganda de modestia ridícula, de ñoñerías filosóficas y de necedades metódicas.

—¡Ay, José, José! . . .

—Lo dicho, camarada. . . .

En esto estábamos, cuando nos sorprendió un estrépito que de la sala del teatro venía. Al pronto nos asustamos. ¡Pero quia! . . . ; eran aplausos, aplausos furibundos que declaraban entusiasmo vivísimo.

¿Pero qué pasa?

Los pasillos se habían quedado vacíos. Todo el mundo acudía a su sitio para ver de qué provenía tal locura.

### TEMAS

1. El discurso de Manso.
2. Una sorpresa.

## XXVIII
# "Habla Peñita"

Esto decían, y al punto, deseoso de oír a mi discípulo, dejé a mi hermano y subí al empinado palco donde estaba la familia. Entré; nadie volvió la cara para ver quién entraba; tan embebidas estaban las cuatro damas en contemplar y oír al orador. Sólo el negro me miró, y acariciándome una mano se pegó a mi costado. 5
Acerquéme sin hacer ruido, y por encima de las cuatro cabezas miré al teatro. No he visto nunca gentío más atento, ni mayor grado de interés, totalmente dirigido a un punto. Verdad es que pocas veces he visto mayor ni más brillante ejemplo de elocuencia humana. 10

Fascinado y sorprendido estaba el público. Un joven con su palabra arrebatadora, don semidivino en que concurrían la elegancia de los conceptos, la audacia de las imágenes y el encanto físico de la voz robusta y flexible, había cautivado [ . . . ] la heterogénea masa de personas diversas. [ . . . ] Despertaba el orador, con la 15
vibración celestial de las cuerdas de su noble espíritu, los sentimientos cardinales del alma humana, y no había un solo espectador que no respondiese a invocación tan admirable. Doña Jesusa se volvió hacia mí, y en su cara observé que estaba como lela.
[ . . . ] Mercedes me miró también, haciendo un gesto que quería 20
decir: "Esto sí que es bueno." Lica e Irene no movían la cabeza; la emoción las había convertido en estatuas.

Por mi parte debo declarar que la admiración que Manuel me causaba y el regocijo de presenciar triunfo tan grande del que había sido mi discípulo, me ponían un nudo en la garganta. Sí; yo podía tomar para mí una parte, siquiera pequeña, de la gloria que el divino muchacho [ . . . ] aquella noche recogía. Si recibió de la naturaleza el extraordinario hechizo de la palabra; [ . . . ] yo le había enseñado lo que fueron y cómo se formaron los grandes modelos, y de mí procedían muchos de los medios técnicos y elementales de que se valía para obtener tan asombroso efecto. Así, cuando al terminar un párrafo estallaba en el público una tronada de aplausos, yo me rompía las manos y deseaba estar cerca del orador para estrecharle entre mis brazos.

¿Y de qué hablaba? No lo sé fijamente. Hablaba de todo y de nada. No concretaba, y sus elocuentes digresiones eran como una escapatoria del espíritu y un paseo por regiones fantásticas. Y sin embargo, notábanse en él pujantes esfuerzos por encerrar su fantasía dentro de un plan lógico. [ . . . ] Con estar yo [1] tan fascinado como los demás oyentes, no dejaba de comprender que el brillante discurso, sometido a la lectura, habría de presentar algunos puntos vulnerables y tantas contradicciones como párrafos. Mi entusiasmo no embotaba en mí el don de análisis, y, temblando de gozo, hacía yo la disección del esqueleto lógico, vestido con la carne de tan opulentas galas. . .

Pero ¿qué importaba esto si el principal objeto del orador era conmover, y esto lo conseguía plenamente hasta el último grado? ¡Qué admirable estructura de frases, qué enumeraciones tan brillantes, qué manera de exponer, qué variedad de tonos y cadencias, qué secreto inimitable para someter la voz al sentido y obtener con la unión de ambos los más sorprendentes efectos, qué matices tan variados, y por último, qué accionar tan sobrio y elegante, qué dicción enérgica y dulce sin descomponerse nunca, sin incurrir en la declamación, sin salmodiar la frase! Las imágenes sucedían a las imágenes, y aunque no todas eran de gran novedad, y aun había alguna que parecía un poco mustia, [ . . . ] el público, y yo también, las encontrábamos admirables, frescas, bonitas. Algunas fueron de encantadora novedad.

Pero, ¿de qué hablaba? De lo que él mismo había dicho, del

[1] **Con estar yo** Although I was

Cristianismo, de la redención y enaltecimiento de la mujer, de la libertad y un poco de los ideales grandes del siglo XIX. Allí salieron a relucir Isabel la Católica dando sus alhajas,[2] Colón *redondeando la civilización,* y Stephenson,[3] que, con la locomotora, *ha emparentado las partes del mundo* . . . Allí oí algo de las catacumbas, de Lincoln, el *Cristo del negro,* de las Hermanas de la Caridad, del cielo de Andalucía, de Newton, de las Pirámides y de los caprichos de Goya,[4] todo enlazado y tejido con tal arte, que el oyente le seguía de sorpresa en sorpresa, pasmado y hechizado, a veces con fatiga de tanta luz, de tan variados tonos, y de transiciones tan gallardas.

Cuando concluyó, dijérase que se desplomaba el teatro, y que todo su maderamen crujía y se desarmaba con la vibración de las palmadas. Los más cercanos se abalanzaban hacia el escenario como si quisieran abrazar al orador, y las señoras se llevaban el pañuelo a los ojos para secarse alguna lágrima. [ . . . ] Manuel se retiraba, y los aplausos le hacían volver a salir tres, cuatro, qué sé yo cuántas veces. El señor de Pez, no queriendo dejar de hacer algún papel conspicuo en tan solemne ocasión, sacaba de la mano al joven y le presentaba al público con paternal solicitud. Alguien decía: "Es un niño"; otros: "¡Qué prodigio!", y yo gritaba a los vecinos del palco próximo: "Es mi discípulo, señores; es mi discípulo."

Lica se volvió a mí y me dijo:

—¡Qué lástima que no haya venido su mamita a oírle!

Y doña Jesusa, suponiéndome desairado, me miró con benevolencia, y me dijo:

—También usted ha estado muy bien. . .

¡Y yo no me acordaba de mi discurso, ni de la funesta corona!

—¡Qué lástima que no hubiéramos traído dos guirnaldas!

—A propósito, Manuela, ¡qué inoportunas estuvisteis!

—Calla, chinito, más mereces tú.

—Si es que Máximo —me dijo doña Jesusa, reforzando su bene-

[2] Queen Isabella gave her jewels in order to finance Columbus's journey to the Indies. [3] George Stephenson, 1781-1848, inventor of the locomotive [4] The series of etchings by the Spanish painter Francisco de Goya y Lucientes, 1746-1828

volencia porque me suponía triste del bien ajeno— estuvo también muy bueno . . . Todos, todos han estado buenos.

Y la otra no decía nada. Cuando concluyeron los aplausos volvió a su asiento. La miré; tenía las mejillas encendidas; también había llorado.

—¡Qué bueno, qué bueno! —exclamaba Lica sin cesar—. Este niño es un milagro. ¿Qué le ha parecido a usted, Irene?

Irene me miró y tuvo una frase celestial:

—Hace honor a su maestro.

—Este muchacho —afirmé yo— será un gran orador. Ya lo es. Parece que en él ha querido la naturaleza hacer el hombre tipo de la época presente. Está cortado y moldeado para su siglo. [ . . . ]

—Ahí, en el palco de al lado, decía un señor que Manuel será ministro antes de diez años.

—Lo creo; será todo lo que quiera; es el niño mimado del destino. Todas las hadas le han visitado en su nacimiento. . .

—Me parece que debemos marcharnos. Yo estoy muy cansada. ¿Y usted, mamá?

—Por mí, vámonos.

[ . . . ]

Levantáronse. Irene estaba en el antepalco distribuyendo abrigos. Cuando todos se abrigaron, también ella tomó el suyo. Yo atendí primero a doña Jesusa, a Lica, a Mercedes, después a ella. [ . . . ] Irene me dio las gracias. No sé por qué se me antojó que lloraba todavía. ¡Engaño de mis embusteros ojos! . . . Salimos. El negrito se colgó de mi brazo obligándome a inclinarme del costado derecho. Todo era para alcanzar mi oído con su hociquillo y decirme con tímido secreto: "Ninguno ha estado tan bien como *taita*. Mi amo Máximo les gana a todos, y si dicen que no. . ."

—Calla, tonto.

—*Poque* no lo entienden.

La necesidad de acompañar a la familia me privó de ir al escenario para dar un estrecho abrazo a mi amado discípulo. Pero yo le vería pronto en su casa, y allí hablaríamos largamente del colosal éxito de aquella noche.

¡Y mi corona que se había quedado en el escenario! Mejor: *in mente* se la regalaba yo al arpista. [ . . . ]

Irene callaba. Iba junto a mí en el asiento delantero, y con el movimiento del coche su codo y el mío se frotaban ligeramente. [ . . . ] Con el cuneo del coche se durmió doña Jesusa. Lica se echó a reír, y dijo: 5

—Ya mamá está en la Bienaventuranza. ¿Y usted, Irene, se ha dormido también?

—No, señora —replicó la maestra con cierta sequedad.

—Como está usted tan callada . . . Y tú, Máximo, ¿qué tienes que no hablas? 10

Advertí entonces que no había desplegado mis labios en buen espacio de tiempo. No sé si dije algo para responder a Lica. Llegamos, por fin, a casa. Nada aconteció digno de ser contado. Aburrimiento general y desfile de cada persona hacia su habitación. 15 Yo quise decir algo a Irene; la sentí detrás de mí cuando me despedía de doña Jesusa en el pasillo; volvíme, di algunos pasos, y ya había desaparecido. Fui al comedor . . . ; nada. En el gabinete de Manuela . . . , tampoco. Pregunté a la mulata . . . La señorita Irene se había encerrado en su cuarto . . . ¡Ay, qué prisa, Dios 20 mío! . . . Bien; yo también me retiro. [ . . . ]

Antes de subir a casa quise felicitar a doña Javiera. La pobre señora estaba fuera de sí. También ella había ido al teatro, y presenciado desde el paraíso el grandioso triunfo de su querido hijo. Éste le había llevado un palco; pero ella no quiso ocuparlo 25 y lo cedió a unas amigas; temía que su amor materno la arrastrase a demostraciones demasiado violentas, con lo que se pondría en ridículo. En el paraíso, acompañada tan sólo de la criada, había llorado a sus anchas, y cuando oyó los palmoteos y vio el loco entusiasmo del público, creyóse transportada al cielo. A la 30 conclusión, la buena señora había perdido el conocimiento, y por poco no la llevan a la Casa de Socorro.[5] Abrazóme con ardiente alegría, diciéndome que yo, como maestro de aquel milagro de la naturaleza, tenía la mejor parte en su victoria.

—Por allí —prosiguió doña Javiera— no decían más sino: "Este 35

[5] **Casa de Socorro** first aid station

muchacho va a hacer la gran carrera . . . El mejor día me lo ponen de diputado y de ministro. Vaya un hombrecito . . ." Figúrese usted, amigo Manso, si estaría yo hueca. Se me caía la baba y lloraba como una tonta. Me daban ganas de ponerme en pie y gritar desde la barandilla del paraíso: "¡Si es mi hijo! Yo, yo le he parido y le he criado a mis pechos . . ." La suerte que me desmayé . . . En fin, yo estaba loca. [ . . . ] Por cierto que le vi a usted en un palco alto con las señoras. Yo le miré muy mucho a ver si me columbraba para hacerle una seña diciendo: "Aquí estamos todos." Pero usted no miró . . . ¡Ah!, y ahora que me acuerdo. También usted habló muy requetebién. Allí, al lado mío, había un señor descontentadizo que dijo tonterías de usted . . . Casi nos pegamos él y yo. [ . . . ] Si he de decirle la verdad, desde arriba no se oyó nada de lo que usted dijo, porque como hablaba usted tan bajito . . . Es el caso que como oía tan mal me iba quedando dormida. Desperté asustada cuando le echaron a usted la corona, y entonces di la mar de palmotadas [6] . . . Después vino el verso. ¡Y qué verso tan precioso! ¡A mí me daba un gusto! . . . Esto de oír buenos versos es como si le hicieran a una cosquillas. Se ríe y se llora . . . , no sé si me explico.

[ . . . ] Yo estaba fatigadísimo y deseaba retirarme. Era muy tarde y Manuel no venía. Deseaba yo verle aquella misma noche para felicitarle con toda la efusión de mi leal cariño; pero tardaba tanto, que me fui a mi cuarto tercero [7] y me recogí, ávido de silencio, de quietud, de descanso.

[6] **la mar de palmotadas** loads of applause [7] **cuarto tercero** room on the fourth floor

TEMA

1. El discurso de Peña.

XXIX

## ¡Oh, negra tristeza!

Fúnebre y pesado velo ¿quién te echó sobre mí? ¿Por qué os elevasteis lentos y pavorosos sobre mi alma, pensamientos de muerte, como vapores que suben de la superficie de un lago caldeado? Y vosotras, horas de la noche, ¿qué agravio recibisteis de mí para que me martirizarais una tras otra, implacables, pinchándome el cerebro con vuestro compás de agudos minutos? Y tú, sueño, ¿por qué me mirabas con dorados ojos de buho haciendo cosquillas en los míos y sin querer apagar con tu bendito soplo la antorcha que ardía en mi mente? Pero a nadie debo increpar como a vosotros, argumentos tenues de un raciocinio quisquilloso y sofístico...

Tú, imaginación, fuiste la causa de mis tormentos en aquella noche aciaga. Tú, [ . . . ] la malcriada, la mimosa, la intrusa, fuiste quien recalentó mi cerebro, quien puso mis nervios como las cuerdas del arpa que oí tocar en la velada. Y cuando yo creía tenerte sujeta para siempre, cortaste el grillete, y juntándote con el recelo, con el amor propio, [ . . . ] me manteasteis [1] sin compasión, me lanzasteis al aire. Así amaneció mi triste espíritu rendido, contuso, ofreciendo todo lo que en él pudiera valer algo por un poco de sueño...

La verdad es que no tenían explicación racional mi desvelo y mis tristezas. Se equivoca el que atribuya mi desazón a heridas

[1] By the choice of the verb **mantear,** Manso evokes the famous blanket-tossing which Sancho Panza received at the Inn.

del amor propio por el pasmoso éxito del discurso de Manuel Peña, comparado con el mío, que fue un éxito de benevolencia. Yo estaba, sí, muy arrepentido de haberme metido en veladas; pero no tenía celos de mi discípulo, a quien quería entrañablemente, ni había pensado nunca disputarle el premio en la oratoria brillante. La causa de mi hondísima pena era un pensamiento de desgracias que me dominaba, sobreponiéndose a toda la energía que mi espíritu posee contra la superstición; era un cálculo basado en datos muy vagos, pero seductores, y con lógica admirable llegaba a la más desconsoladora afirmación. En vano demostraba yo que los datos eran falsos; la imaginación me presentaba al instante otros nuevos, marcados con el sello de la evidencia. Al levantarme, me dije:

—Soy una especie de Leverrier [2] de mi desdicha. Este célebre astrónomo descubrió el planeta Neptuno sin verlo, sólo por la fuerza del cálculo, porque las desviaciones de la órbita de Urano le anunciaban la existencia de un cuerpo celeste hasta entonces no visto por humanos ojos, y él, con su labor matemática, llegó a determinar la existencia de este lejano y misterioso viajero del espacio. Del mismo modo adivino yo que por mi cielo anda un cuerpo desconocido; no le he visto, ni nadie me ha dado noticias de él; pero como el cálculo me dice que existe, ahora voy a poner en práctica todas mis matemáticas para descubrirlo. [ . . . ] Esta pena profunda que siento consiste en que llega hasta mí la influencia de aquel cuerpo lejano y desconocido. Mi razón declara su existencia. Falta que mis sentidos lo comprueben, y lo comprobarán o me tendré por loco.

Esto dije, y me fui a mi cátedra, donde varios alumnos me felicitaron. Yo estaba tan triste, que no expliqué aquel día. Hice preguntas, y no sé si me contestaron bien o mal. Impaciente por ir a casa de mi hermano, abandoné la clase antes de que el bedel anunciara la hora. Cuando satisfice mi deseo, la primera persona a quien vi fue Manuela, que me dijo con misterio:

[2] Urbain Jean Joseph Leverrier, 1811-77, French astronomer who discovered the planet Neptune on the basis of his calculations at about the same time as did the English astronomer John Couch Adams, 1819-92

—Cosa nueva. ¿Sabes que doña Cándida está encerrada con José María en el despacho? Negocios...

—Pobre José María; de ésta va a San Bernardino.[3]

—Cállate, niño. ¡Si está más rica! ... Ha vendido unas tierras...

—¡Tierras! ... Será la que se le pegue a la suela de los zapatos. Lica, Lica, aquí hay algo ... Voy a defender a José María. Calígula es terrible, le habrá embestido con mil mentiras, y como es tan generoso...

—No, déjalos ... Pero chitito; aquí viene la de García Grande.

Era ella, sí; entró en el gabinete como recelosa, acomodándose algo en el luengo bolsillo de su traje. ¡Ah!, sin duda acariciaba su presa. [ ... ] ¡Cómo revelaba su mirar verdoso la feroz codicia calmada, la reciente satisfacción de un rapaz apetito! ... Nos miró con postiza dulzura, sentóse majestuosa, y volviéndose a tocar el bolsillo, se dejó decir:

—Ya, ya negocié esas letras ... ¡Es tan bueno José! ... ¡Hola! ¿estás ahí, sosón? Me han dicho que anoche estuviste medianillo. Parece que se durmió el público en masa. Eso me han contado. El que parece que estuvo admirable fue ese Peñilla ..., ése, el hijo de la carnicera tu vecina ... Vamos a otra cosa, Manolita: ¿sabe usted que tengo que darle un disgusto?

—¿A mí? ¿Qué? —exclamó mi pobre cuñada asustadísima.

—Hija, creo que tendré que llevarme a Irene. Ya ve usted ... Estoy tan sola y tan delicadita de salud ... Luego mi posición ha variado tanto, que verdaderamente no está bien que Irene ..., me parece a mí ..., sea institutriz asalariada, teniendo una tía...

—Rica.

—Rica, no; pero que tiene lo necesario para vivir cómodamente. ¿No cree usted lo mismo? ¿No cree usted que debo llevarla conmigo para que me acompañe, para que me cuide? ...

—¡Claro! ...

—Es mi única familia; yo la he criado, ella será mi heredera ... porque estoy tan mala, tan mala, Manuela, créalo usted...

Soltó una lágrima pequeñita, que se disolvió en una arruga y no se supo más de ella.

[3] San Bernardino is the poorhouse made famous by Galdós himself in a later novel *Misericordia*.

—Esto no quiere decir —prosiguió— que yo me lleve a Irene de prisa y corriendo; sería una cosa atroz. Puede estar aquí algunos días, para que complete las lecciones..., o si quiere usted que se quede hasta que se le encuentre sucesora... Eso usted y ella lo
5 decidirán. Está tan agradecida, que... ya, ya le costará algunas lágrimas salir de aquí. Adora a las niñas.

Manuela parecióme desorientada.

—¿Y el ama? —preguntó mi cínife demostrando vivísimo interés—. ¿Siguen los antojos y las...?

10 —¡Ah! —exclamó Manuela—; no me hable usted, doña Cándida... Insoportable, insoportable. Es un demonio.

Dejélas hablando del ama, y corrí adonde me impelía mi ardiente curiosidad. Estaba Irene dando la lección de Gramática, y la sorprendí diciendo con voz dulcísima: *hubierais, habríais y*
15 *hubieseis amado.*

Mi ansiedad me quitaba el aliento, y apenas lo tuve para preguntarle:

TEMAS

1. La imaginación y la razón.
2. Visita de doña Cándida.

## XXX

## "¿Conque se nos va usted?"

–Sí –me dijo en tono resuelto, mirándome de lleno. [ . . . ]

–¡De veras! ¿Y cuándo?

–Hoy mismo. Lo que ha de ser. . .

–¡Qué pícara! . . . ¿Pero tiene usted algún motivo de descontento en la casa? 5

–No diga usted tonterías. ¡Descontenta yo de la casa! Diga usted agradecidísima.

–Entonces. . .

–Pero es preciso, amigo Manso. No se ha de estar toda la vida así. Y si tengo que salir de la casa, ¿no vale más hacerlo de una 10 vez? Cada día que pase ha de serme más penoso . . . Pues nada, hago un esfuerzo, tomo mi resolución. . .

–¡Es tremendo! . . . –exclamé hecho un tonto, y repitiendo su adjetivo favorito.

–Sí señor; me corto la coleta [1] . . . de maestra –replicó echán- 15 dose a reír.

¿No revelaba su rostro una alegría loca? O así era, o soy lo más torpe del mundo para leer tus signos, alma humana. Aquella alegría me desconcertó, porque habíamos llegado a un punto en que todo desconcertaba, y sólo le dije: 20

–¿Hay proyectos?

–Sí señor; tengo mis proyectillos . . . , ¡y qué buenos! ¿Pues qué? ¿Creía usted que sólo los sabios tienen proyectos?

1 **me corto la coleta** When bullfighters retire, they 'cut off their pigtail'—one of the symbols of their profession—traditionally worn in the ring.

Las dos niñas, Isabel y Merceditas, nos miraban absortas, con sus abiertos libros en las manos y abandonadas éstas sobre las rodillas. Saboreaban quizás aquel descanso en la lección, y de seguro nos habrían agradecido mucho que nos estuviéramos charlando todo el día.

—No, no, no. Yo celebro que usted tenga proyectos y que deje esta vida... Mucho hay que hablar sobre el particular... Pero siga usted la lección, que después...

—¿Hablaremos?... Sí señor; yo también deseo hablar con usted; pero es tanto lo que hay que decir...

—Luego... aquí —dije, y en el momento que tal decía, me acordaba de la solemnidad con que los actores suelen pronunciar aquellas palabras en la escena.

De la manera más natural del mundo yo me volvía melodramático. Creo que me puse pálido y que me temblaba la voz.

—Aquí no...—indicó ella respondiendo a mi turbación con la suya, y mirando a los chicos y a la Gramática. [ ... ]

Y el *aquí no* salió de sus labios timbrado con un dulce tono de precaución amorosa. Era el sutil instinto de prudencia, que ya en la primera travesura femenina suele aparecer tan desarrollado como si el uso de muchos años lo cultivara.

—Es verdad, aquí no —repetí.

Yo no tenía iniciativa. Ella la tenía toda, y me dijo:

—En mi casa, en mi nueva casa. ¿Pero no ha de ir usted a visitarnos?

—Mañana mismo.

—Poquito a poco. Ya le avisaré a usted.

—¿Pero será pronto?

—Creo que sí. Por ningún caso vaya usted antes de que yo le avise.

Y me dio sus señas escritas con lápiz en un papelito. Sentí susurro de voces junto a la puerta, ¡y los cuatro empezamos a conjugar con un fervor!...

Lica entró de muy mal talante. Oímos la voz de José María que se alejaba y comprendí que entre marido y mujer había chamusquina... Pero mi hermano se fue; almorzaba fuera, suspendiendo así las hostilidades, y cuando almorzábamos Manuela y yo, ésta, muy alterada, me dijo:

—Ya se largó doña Cándida. ¡Qué cosa! ... Nunca he visto en ella tanta prisa para marcharse. Estaba deshecha. Con decirte que no ha querido quedarse a almorzar ... Esto no se comprende; el mundo se acaba. No sé qué tengo, Máximo. Doña Cándida me ha dado qué pensar hoy. Tenía tanta prisa ... Yo le preguntaba sobre su nueva casa, y me respondía mudando la conversación y hablando de otras cosas. Vaya, vaya, como no salga verdad lo que tú dices,[2] y resulte que es una fantasiosa.

Yo me callé. No, no me callé pero sólo dije:

—Pronto lo sabremos.

Y ella, taciturna, siguió almorzando entre suspiros, y yo, meditabundo, apenas probé bocado.

José María volvió más tarde. Las ocupaciones que tenía en su despacho parecían un pretexto para estar en la casa a cierta hora. Mostróse complaciente conmigo y con Manuela; mas el artificio de su forzada bondad, a la legua se descubría ... Nos dijo que el tiempo estaba magnífico, y enseñándonos billetes de invitación para no sé qué fiesta de caridad que había en los Jardines del Retiro, nos animó a que fuéramos. Manuela no quiso ir, ni yo tampoco.

—¿Y tú no vas? —preguntó a su marido.

—Ya ves. Tengo que hacer aquí.

Aparentemente tenía ocupaciones. En el recibimiento y en la sala había ración cumplida de pedigüeños de todas categorías. [ ... ] José María, cuyo egoísmo sabía burlar toda clase de molestias siempre que no le impulsase a sobrellevarlas el amor propio, se quitaba de encima casi siempre, con mucho garbo, la enojosa nube de pretendientes, y salía dejándoles plantados en el recibimiento o mandándoles volver. Pero aquel día mi benéfico hermano quiso dar indubitables pruebas de su interés por las clases desheredadas, y fue recibiendo uno por uno a los sitiadores dando a todos esperanzas y alentando su necesidad o su ambición. [ ... ]

[2] **Vaya ... dices** Goodness, what if what you say turns out to be true

Entre tanto, Irene recogía sus cosas. Más de dos horas estuvo encerrada en su cuarto. Sólo las niñas la acompañaban, ayudándola a empaquetar y hacer diversos líos. Poco después vi su baúl-mundo en el pasillo atado con cuerdas. Cuando se despidió 5 de Manuela, las lágrimas humedecían su rostro, y su nariz y carrillos estaban rojos. Las dos niñas, medrosas de su propia pena, se habían refugiado en la clase, donde lloraban a moco y baba.

—¡Qué tontería! . . . —les dijo Irene corriendo a darles el último beso—. Si vendré todos los días. . .

10 La despedida fue muy tierna; pero Manuela estaba algo atolondrada y no se había dejado vencer de la emoción lacrimosa. Serena despidió a la que había sido institutriz de sus hijas y la acompañó hasta la puerta.

En aquel momento José María salió de su despacho. Acabá-15 ronse todas las ocupaciones y las notas todas como por encanto.

—¿Pero ya se va usted? —dijo muy gozoso—. Yo también salgo. La llevaré a usted en mi coche.

—No, señor; gracias, no, de ninguna manera —replicó Irene echando a correr escalera abajo—. Ruperto va conmigo.

20 José María bajó tras ella. Manuela y yo nos acercamos a los cristales del balcón del gabinete para ver. . .

En efecto: no pudiendo Irene evadir la galantería de mi hermano, entró en el coche, seguida de José; y al punto vimos partir a escape la berlina. [ . . . ]

25 —¡Has visto, has visto . . . ! —exclamó Lica clavando en mí sus ojos llenos de ira, y corriendo a echarse en una mecedora.

—¿Qué? No formes juicios temerarios . . . Todavía . . .

—¿Qué todavía? . . . Esto es horrible . . . ¡Qué fresco! La lleva en su coche . . . Por eso ha estado aquí toda la tarde . . . espe-30 rando . . . ¡Máximo, qué afrenta; Jesús, qué infamia! . . . Si no lo hubiera visto . . . No te chancees . . . ya . . . Estoy brava, soy una loba.

—Yo me muero, yo no puedo vivir así —exclamó rompiendo en llanto—. Máximo, ¿qué te parece? En mi propia cara, delante de 35 mí, estas finezas . . . Eso es no tener vergüenza, y la *sinvergüencería* no la perdono.

—Pero mujer, si no tienes otro motivo que ése . . . , cálmate. Veremos lo que pasa después. . .

—Bobo, yo adivino, y mis celos tienen mil ojos —me dijo meciéndose tan fuerte que creí se volcaba la mecedora—. Nada sé positivo, y, sin embargo, algo hay, algo hay . . . Te dije que Irene me parecía muy buena; [ . . . ] es que nos engañaba del modo más . . . Mira, yo he sorprendido en ella . . . ¡Ay!; yo soy tonta; pero sé conocer cuándo una mujer trae enredos consigo, por mucho que disimule. Irene nos engaña a todos. ¡Es una hipócrita!

## TEMAS

1. ¿Por qué se va Irene de la casa de José María?
2. José María pasa una tarde en casa.
3. Sospechas de Lica.

XXXI

# ¡Es una hipócrita!

Esto caía sobre mi mente como recio martillazo sobre el yunque, y hacía vibrar mi ser todo.

—Pero Lica, cálmate, razona...

—Yo no calculo, tonto; yo siento, yo adivino, yo soy mujer.

5 —¿Qué has visto?

—Pues últimamente Irene daba muy mal las lecciones. [...] Lo enseñaba todo al revés... Una tarde... —ahora doy más importancia a estas cosas...— la pillé leyendo una carta. Cuando entré la guardó precipitadamente. Tenía los ojos encendidos...
10 Luego este afán de ir a casa de su tía... ¡Qué fresca! Voy comprendiendo que también la tía es buena lámpara [1]...

—¡Leía una carta! Pero esa carta, ¿por qué había de ser de tu marido?

—Yo no sé..., la vi de lejos, un momento... Fue como un
15 relámpago... No vi las letras; pero mira tú, me parecía ver aquellas *pes* y aquellas *haches* tan particulares que hace José María... Esa chica, esa... No, no, aquí hay algo, aquí hay algo. Esta noche hablaré clarito a mi marido. Me voy para Cuba. Si él quiere mantener queridas, y arruinarse, y tirar el pan de mis hijos,
20 yo soy su madre, yo me voy a mi tierra, yo me ahogo en esta tierra, yo no quiero que la gente se ría de mí. [...] ¡Mamá, mamá!

Y a punto que aparecía doña Jesusa, pesada y jadeante, Lica,

[1] **buena lámpara** a fine one (said ironically)

la buena y pacífica Manuela, cayó en un paroxismo de ira y celos tan violento, que allí nos vimos y deseamos para hacerla entrar en caja.[2] Después de llorar copiosamente en brazos de su madre, [ . . . ] perdió el conocimiento, y disparados sus nervios empezó una zambra tal de convulsiones y estirar de brazos y encoger de piernas, que no podíamos sujetarla. Tan sólo el ama con su poderosa fuerza pudo domeñar los insubordinados músculos de la infeliz esposa, y al fin se tranquilizó ésta, y le administramos, por fin de fiesta, una taza de tila.

—Nos iremos, niña de mi alma —le decía doña Jesusa—; nos iremos para nuestra tierra, donde no hay estos *zambeques*.

Toda la tarde y parte de la noche tuve que estar allí, acompañándola. Cuando me retiré, José María no había venido aún. Pero a la mañana siguiente, cuando fui, después de la clase, a ver si ocurría un nuevo desastre, encontré a Manuela muy sosegada. Su marido había entrado tarde, y al verla tan afligida le había dado explicaciones que debieron de ser muy satisfactorias, porque la infeliz estaba bastante desagraviada y casi alegre. Era la criatura más impresionable del mundo, y cedía con tal ímpetu a las sensaciones del último instante, que por nada se enardecía y por menos que nada se desenojaba. [ . . . ] Su credulidad era siempre más fuerte que su suspicacia, y así no comprendo cómo el bruto de José María no acertaba a tenerla siempre contenta. Aquel día lo consiguió, porque en los momentos críticos de la vida sabía el futuro marqués emplear algún tacto o más bien marrullería. Él también estaba festivo, y cuando hablamos del asunto peligroso me dijo: "Parece que todos sois tontos en esta casa. Porque se me haya antojado decir dos bromas a Irene y la llevara ayer tarde en mi coche, se ha de entender . . . Sois verdaderamente una calamidad; y tú, sabio, hombre profundo, analizador del corazón humano, ¿crees que si hubiera malicia en esto había de manifestarla yo tan a las claras?".

—No, si yo no creo nada. Lo que de cierto haya, al fin se ha de saber, porque ninguna cosa mala se libra hoy del correctivo de la publicidad, correctivo ligero ciertamente, y para algunos ilusorio, pero que tiene su valor, a falta de otros . . . Ya que de esto habla-

[2] **allí . . . caja** we had all we could do to get her back to her senses

mos, ¿no podrías darme alguna luz en un asunto que me ha llenado de confusión? ¿No podrías decirme de dónde le ha venido a doña Cándida esa fortunilla que le permite poner casa y darse lustre?...

5 —Hombre, qué sé yo. Aquí me trajo unas letras a descontar... Le di el dinero. No es gran cosa; una miseria. Sólo que ella pondera mucho, ya sabes, y cuenta las pesetas por duros, para gastarlas después como céntimos. Si he de decirte de dónde provenían esas letras, verdaderamente no lo sé. Tierras vendidas, o no sé si
10 unos censos...; en fin, no lo sé, ni me importa. Supongo que la casa que ha puesto será algún cuartito alto con cuatro pingos... ¡Pobre señora!... Vamos, ¿y qué dices de la sesión de ayer? ¡Si vieras! Salió el Ministro con las manos en la cabeza, y el centro izquierdo quedó fundido con el ángulo derecho... ¿Te has ente-
15 rado de las declaraciones de Cimarra? Nosotros...

—No me he enterado de nada.

—Y en el correo de pasado mañana debe venir mi acta. Si tú no fueras una calamidad, podrías aceptar los ofrecimientos que me ha hecho el Ministro.

20 —Hombre, déjame en paz... Volviendo a doña Cándida...

—Déjame tú en paz con doña Cándida.

Conocí que no era de su agrado aquel tema, y *tomé nota.*

—¡Ah!, aquí tienes los periódicos que se ocupan de la velada... Mira, éste te llama *concienzudo,* que es el adjetivo que se aplica
25 a los actores medianos. Aquél te pone en las nubes. [...] Con respecto a Peña, están divididos los pareceres: todos convienen en que tiene una gran palabra, pero hay quien dice que si se exprime lo que dijo no sale una gota de sustancia. ¿Quieres que te diga mi opinión? Pues el tal Peña me parece un papagayo. ¡Lo
30 que vale aquí la oratoria brillante y esa facultad española de decir cosas bonitas que no significan nada práctico! Ya hablan de presentar diputado a Peñita y dispensarle la edad... Como si no tuviéramos aquí hombres graves, hombres encanecidos... Te lo digo con franqueza: me revienta ese niño y su manera de ha-
35 blar... Lo que es en el púlpito no tendría igual para hacer llorar a las viejas..., pero en un Congreso... ¡Hombre, por amor de Dios! Es verdaderamente lamentable que se hagan reputaciones

así. Después de todo, ¿qué dijo? [ . . . ] Yo creo que concluiremos por hablar en verso, del verso se pasará a la música, y, por fin, las sesiones de nuestras Cámaras serán verdaderas óperas . . . Véte al Congreso de los Estados Unidos, oye y observa cómo se tratan allí las cuestiones. Hay orador que parece un borracho haciendo cuentas. Y sin embargo, vé a ver los resultados prácticos . . . Es verdaderamente asombroso. Nada, nada; estos oradores de aquí, estas eminencias de veinte años, estos trovadores parlamentarios me atacan los nervios. Y lo que es el tal Peñita me revienta. Pondríalo yo a picar piedra en una carretera para que aprendiese a ser hombre práctico. [ . . . ] ¡Por amor de Dios, hombre, no digas que no! Háganme autócrata, denme mañana un poder arbitrario y facultades para hacer y deshacer a mi gusto. Pues mi primera disposición sería crear un presidio de oradorcitos, filósofos, poetas, novelistas y demás calamidades, con la cual dejaría verdaderamente limpia y boyante la sociedad.

—¡José! —exclamé con efusión humorística y hasta con entusiasmo—, eres el mayor bruto que conozco.

[ . . . ]

Parecióme que se amoscaba . . . Pues yo también.

—Pues todos en presidio, veríais qué bien quedaba esto.

—Sí, la nación sería un pesebre.

—Eso . . . lo veríamos. Yo hablaría. . .

—Y dirías *mu*.[3]

—Hombre, la vanidad, la suficiencia, el *tupé* de estos señores sabios es verdaderamente insoportable. Ellos no hacen nada, ellos no sirven para nada; son un rebaño de idiotas. . .

Y se amoscaba más.

—Pero la vanidad del ignorante —dije yo—, además de insoportable es desastrosa, porque funda y perfecciona la escuela de la vulgaridad.

—Pues mira cómo estamos, gobernados por tanto sabio.

—Mira cómo estamos, gobernados por tanto necio.

[ . . . ]

Trémulo de ira salió, cerrando la puerta con tan furioso golpe,

[3] This sentence alludes to the proverb: "Habló el buey y dijo: **mu**"; that is, he said nothing.

que retembló toda la casa. Y cuando nos vimos luego, evitaba el dirigirme la palabra, y estaba muy serio conmigo. Por mi parte, no conservaba de aquella disputa pueril más que la desazón que su recuerdo me producía, unida a un poquillo de remordimiento. 5 Deploraba que por cuatro tonterías se hubiera alterado la buena armonía y comunicación fraternal que entre los dos debía existir siempre, y si hubiera sorprendido en él la más ligera inclinación a olvidar la reyerta, habríame apresurado a celebrar cordiales y duraderas paces. Pero José estaba torvo, cejijunto, y al pasar junto 10 a mí no se dignaba mirarme.

### TEMAS

1. ¿Será hipócrita Irene?
2. José María expresa sus opiniones sobre la oratoria.
3. Una disputa entre hermanos.

## XXXII

# Entre mi hermano y yo fluctuaba una nube

¿Saldría de ella el rayo? Mi propósito era evitarlo a todo trance. Hablé de esto con Lica, que en el breve espacio de un día había vuelto a caer en sus inquietudes y tristezas. [ . . . ] Durante todo el día que siguió a la trivial disputa, acompañé a mi hermana política,[1] escuchando con paciencia sus quejas, que eran interminables . . . Sí; ya no la engañaría más, ya iba aprendiendo ella las picardías. Ya no volvería a embaucarla con cuatro palabras y dos cariñitos . . . Por fuerza había algo en la vida de su esposo que le sacaba de quicio. José no era el José de otros tiempos.

Con estas jeremiadas entreteníamos las horas de la tarde y de la noche, que eran largas y tristes, porque Lica había suprimido la reunión y a nadie recibía. José María no se presentaba en la casa sino breves momentos, porque había recibido su acta, habíala presentado al Congreso, había jurado, le habían elegido presidente de la Comisión de melazas, y el buen representante del país, consagrado en cuerpo y alma a los sagrados deberes del padrazgo parlamentario y político, no tenía tiempo para nada. En esto transcurrieron cuatro días, que fueron para mí pesados y fastidiosos, porque Irene no me había dado el prometido aviso para ir a su casa; y yo, con mis delicados escrúpulos, no quería infringir de ningún modo una indicación que me parecía mandato. Me pasaba la mayor parte del día acompañando a la olvi-

[1] **hermana política** sister-in-law

dada y digna esposa de José María, la cual, entre las salmodias de su agravio, aprovechaba mi constante presencia en la casa para inclinarme a ser su pariente, casándome con su hermana. ¡Proyecto tan bondadoso como imposible! Reconociendo yo como 5 el primero [2] las excelentes cualidades de Mercedes, no sentía ni la más ligera inclinación amorosa hacia ella, y además se me figuraba que yo le hacía muy poca gracia para marido y menos para novio.

Rompían, por cierto muy desagradablemente, la monotonía de 10 nuestros coloquios los malos ratos que nos daba el ama con su bestial codicia, sus fierezas, y el peligro constante en que estaba Maximín de quedarse en ayunas. Yo maldecía a las nodrizas, y hubiera dado no sé qué por poder hacer justicia en aquélla [ . . . ] de todos los desafueros que cometen las de su oficio. Lica y yo 15 temíamos una desgracia, y en efecto, el golpe vino hallándonos desprevenidos para recibirle.

Disponíame a salir una mañana para ir a clase, cuando se me presenta Ruperto sofocadísimo.

—Niña Lica que vaya usted pronto allá. El ama de cría se ha 20 marchado hace un rato. El niño no tiene de qué mamar. . .

—¿No lo dije? . . . Esto sí que es bueno . . . ¿Y el señorito José María, qué hace?

—Mi amo no fue esta noche a casa. El lacayo ha salido a buscarle . . . Mi ama, que vaya usted pronto . . . para que le busque 25 otra *criadera.*

—Yo . . . ¿y dónde la busco yo? . . . ¡Pero vamos allá! . . . ¿Y la señorita Manuela, qué hace?

—Llorar. Le están dando al nene leche con una botella. Pero el nene no hace más que rabiar.

30 —Bueno, bueno . . . Ahora busque usted un ama. . .

Bajaba la escalera, cuando una muchacha que subía me dio una carta. ¡Fuerzas de la naturaleza! Era de Irene. Rasgué, abrí, desdoblé, leí, tembloroso como la débil caña sobre la cual se desata el huracán.

35 "Venga usted hoy mismo, amigo Manso. Si usted no viene, no se lo perdonará nunca su amiga . . . —*Irene.*"

[2] **Reconociendo . . . primero** Although I was the first to admit

La escritura era indecisa, como hecha precipitadamente por una mano impulsada del miedo y del peligro. . .

¡Dios misericordioso! ¡Tantas cosas sobre un triste mortal en un solo momento! Buscar ama, ir al socorro de Irene . . . , porque indudablemente había que socorrerla . . . ¿Contra quién? Había peligro . . . ¿de qué?

—¿Qué tiene usted, Mansito? —me dijo doña Javiera, que volvía de misa.

—Pues poca cosa . . . Figúrese usted, señora . . . Buscar un ama . . . , volar al socorro de. . .

—¿Hay fuego? . . .

—No, señora; no hay más sino que el ama. . .

—¿El ama del niño de su hermano? No hay pestes como esas mujeres. [ . . . ]

—¿Usted no sabría de alguna? . . .

—Veremos, veremos; voy a echarme a la calle . . . Y a propósito, amigo Manso; ¿ha visto usted a Manuel anoche?

—¿Qué he de ver,[3] señora?

—Ésta es la hora que no ha venido a casa. Creo que tuvieron cena en Fornos [4] . . . ¡Ay qué chico! ¡Pero qué afanado está usted! [ . . . ] Aprenda, aprenda usted para cuando sea padre.

—Señora, si usted tuviera la bondad de buscarme por ahí una de esas bestias feroces que llaman amas de cría. . .

—Sí, voy a ello . . . Espere usted: la vecina me dijo que conoce . . . Ya, sí [ . . . ] Pues no me quito la mantilla y echo a correr. Vaya usted por otro lado. No deje usted de ir a la Concepción Jerónima, a casa de Matías. [ . . . ] Ea, hombre, no se quede usted lelo, coja usted *La Correspondencia* [5] y lea los anuncios. *Ama para casa de los padres.* ¿Ve usted? Váyase pronto al Gobierno Civil, donde está el reconocimiento . . . Si encuentra usted alguna, no se fíe de apariencias: llévese un médico. Escójala cerril, fea y hombruna . . . Pechos negros y largos. Mucho cuidado con las bonitas, que suelen ser las peores . . . No dejen de examinar la leche, y fíjense en la buena dentadura. Yo voy por otro lado; avisaré lo que encuentre. Abur.

[3] **¿Qué . . . ver** Of course not; How could I see him [4] a popular restaurant of the time [5] popular daily of the time

Diome esperanzas la solicitud de aquella buena señora. Y yo, ¿adónde acudiría primero? No había que cavilar y corrí a casa de Manuela, pensando en Irene, en su carta garabateada aprisa, y no cesaba de ver la trémula mano trazando los renglones y me figuraba a la maestra amenazada de no sé qué fieros vestiglos. Y en tanto, mis alumnos se quedaban sin clase aquel día. [. . . ]

Encontré a Manuela desesperada. Con mi ahijado sobre las rodillas, rodeada de su madre y hermana, era la figura más lastimosa y patética de aquel cuadro de desolación. Maximín chillaba como un becerro; Lica se empeñaba en que chupara de la redoma; apartaba él con furiosos ademanes aquella cosa fría y desapacible, y en tanto, las tres aturdidas mujeres invocaban a todos los santos de la Corte celestial. Se habían mandado recados a varias casas amigas para que diesen noticias de alguna nodriza, pero ¡ay! la familia confiaba principalmente en mí, en mi rara bondad y en mi corazón humanitario.

### TEMAS

1. ¡Se va el ama de cría!
2. Un recado de Irene para Manso.

XXXIII

## ¡Dichoso corazón humanitario!

Eras un adminículo de universal aplicación, maquinilla puesta al servicio de los demás; eras, más propiamente, un fiel sacerdote de lo que llamamos el *otroísmo*, religión harto desusada. [ . . . ] Así pensaba camino del Gobierno de la Provincia, lugar seguro para encontrar lo que hacía falta a mi ahijadito. Antes había tratado de ver a Augusto Miquis, joven y acreditado médico amigo mío. No le encontré, pero sus amigos me dijeron que quizás le hallaría en el Gobierno Civil. Afortunadamente, estaba encargado del reconocimiento de amas. Esta feliz coincidencia me animó mucho; di por salvado a Maximín, y sin tardanza me personé en aquella paternal oficina. [ . . . ]

Quedéme pasmado al entrar en aquella gran pieza, nada clara ni pulcra, y ver el escuadrón mamífico, alineado en los bancos fijos en la pared, mientras dos facultativos, uno de los cuales era Augusto, hacían el reconocimiento. El antipático ganado inspiraba repulsión grande, y mi primer pensamiento fue para considerar la horrible desnaturalización y sordidez de aquella gente. Las que habían tomado por oficio semejante industria se distinguían al primer golpe de vista de las que, por una combinación de desgracia y pobreza, fueron a tan indignos tratos. Las había acompañadas de padres codiciosos, otras de maridos o *arrimados*. Rarísimas eran las caras bonitas, y dominaba en las filas la fealdad, sombreada de expresión de astucia. Era la escoria de las ciudades mezclada con la hez de las aldeas. [ . . . ]

Entraban personas que, como yo, iban en busca del remedio de un niño, y se oían contrataciones y regateos. [ . . . ] Miquis, después de rebuscar vestigios de pasadas herejías, cogía el lactoscopio, y poniendo en él la preciosa substancia de nuestra vida, miraba junto a la ventana, al trasluz, la delgadísima lámina líquida, entre cristales extendida.

—En ésta toda es agua . . . —decía—; ésta tal cual . . . ,[1] mayor cantidad de glóbulos lácteos . . . Hola, amigo Manso, ¿qué busca usted por estos barrios?

—Vengo por una . . . , y pronto, amigo Miquis. Déme usted lo mejor que haya, y a cualquier precio.

—¿Se ha casado usted o se ha hecho padre de hijos ajenos?

—Más bien lo segundo . . . Tengo mucha prisa, Augusto; me están esperando. . .

—Esto no es cosa de juego; espere usted, amiguito.

Me miró, sin apartar de su ojo derecho el maldito instrumento, con tan picaresca malicia, que me hizo reír, aunque no tenía ganas de bromas.

Y cuando preparaba el adminículo para echar en él nuevo licor, me amenazó con rociarme, diciendo:

—Si no se me quita usted de delante. . .

¡Maldito Miquis! Siempre había de estar de fiesta, sin tener en cuenta la gravedad de las circunstancias.

—Querido, que tengo prisa. . .

—Más tengo yo. ¿Le parece a usted que es agradable este viaje diario por la *vía láctea*? . . . Estoy deseando soltar los trastos y que venga otro. Luego nos queda el examen químico con el lactobutirómetro . . . Porque hay falsificaciones, amigo. [ . . . ]

—Pero Miquis, que es tarde, y. . .

—A ver, Sánchez, Sánchez.

Sánchez, que era el otro médico, se acercó.

—A ver aquélla, la que vimos antes. Es la única res que vale algo. La segoviana . . . Ahí está, la que tiene una oreja menos, porque se la comió un cerdo cuando era niña.

—¿Es buena?

—Bastante buena, primeriza, inocentísima. Me ha contado que era pastora. No recuerda de dónde le vino la desgracia, ni sabe

[1] **tal cual** so-so; not much better

quién fue el Melibeo . . .[2] Esta gente es así. Suele resultar que las ignorantonas saben más que Merlín.[3] Allí está. Vea usted qué facciones, jamás lavadas . . . Creo que para salir del paso . . . ¿Es para un sobrino de usted?

—Y ahijado, por más señas. 5

—A veces más vale un padrino que un padre . . . Diga usted: ¿es cierto que José María se ha hecho hombre de distracciones? . . . Ahora lo veo todos los días. Es vecino mío.

—¿Vecino de usted?

—Sí; vivo allá por Santa Bárbara. En el tercero de mi casa se 10 nos ha metido hace tres días una señora. . .

—¡Doña Cándida! —murmuré, sintiendo que la malicia de Miquis se infiltraba en mi corazón cual mortífera ponzoña.

—Mi mujer me ha contado que la vio subir con una joven. ¿Es hija suya? 15

—Sobrina.

—Bonita. Su hermano de usted va todas las tardes . . . Eso me han dicho. Cuando nos encontramos en la escalera, hace como que no me conoce, y no me saluda.

—Mi hermano es muy particular. 20

Y diciéndolo me puse torvo, y cayeron al suelo mis miradas con pesadez melancólica, y se quedó embargado mi espíritu de tal modo que dejé de ver el reconocimiento, el antipático rebaño y los médicos. . .

—Aquí la tiene usted —me dijo aquel señor Sánchez, bondado- 25 sísimo, presentándome una humana fiera embutida en un refajo verdinegro. [ . . . ] Es buena. No haga usted caso de[4] esto de la oreja. Es que se la comió un cerdo cuando niña. Por lo demás, buena sangre . . . , buena dentadura. A ver, chica, enseña las herramientas. No hay señales de mal infeccioso. 30

Y mirándola apenas, me dispuse a llevármela conmigo. Ella graznó algo, mas no lo entendí. Como aldeano que tira del ronzal para llevarse el animalito que ha comprado en la feria, así tiré de

[2] Melibeo is a shepherd in Virgil's first and seventh *Eclogues.* Since the girl is a shepherdess, the meaning here is that she didn't know who the shepherd was who had left her in that condition. [3] the fabulous magician who appears in early romances of chivalry and legends [4] **No . . . de** Pay no attention to

la manta de lana que la pastora llevaba sobre sus hombros, y dije: "Vamos."

—Abur, Manso.

—Miquis, abur y mil gracias.

Al salir, observé que el ronzal arrastraba, con la bestia, otras de la misma especie, a saber: un padre, involucrado también en paño pardo, [. . .] con sombrero redondo y abarcas de cuero; una madre, engastada en el eje de una esfera de refajos verdes, amarillos, negros, con rollos de pelo en las sienes; dos hermanitos de color de bellota seca, vestidos de estameña recamada de fango, sucios, salvajes, el uno con gorra de piel y el otro con una como banasta en la cabeza.

Y en la calle, el venerable cafre que hacía de padre, me paró y ladró así:

—Diga, caballero, ¿cuánto va a dar a la mocica?

—Porque somos gente honrada —regurgitó la mamá silvestre—. Mi Regustiana [5] no va a cualquier parte.

—Señor —bramó uno de los muchachos—, ¿quiéreme por criado?

—Oiga, señor —añadió el autor de los días de Regustiana—, ¿es casa grande?

—Tan grande que tiene nueve balcones y más de cuarenta puertas.

Cinco bocas se abrieron de par en par.

—¿Y adónde es? ¿Y cuánto le va a dar a la mocica?

—Se le pagará bien. Verán ustedes qué señora tan buena.

—¿Es buena la señora? Llévenos pronto.

—Ahora mismo. Y les voy a llevar en coche.

Abrí la portezuela. Consideré las fumigaciones a que debía someterse después el vehículo, si llevaba todo aquel rústico cargamento. . .

—No, conmigo no van más que la chica y la madre. Los hombres que vayan a pie.

—No, señorito, llévenos a todos —exclamaron a coro, con el tono plañidero de los mendigos que asaltan las diligencias.

—No, lo que es sin mí no va mi hija —manifestó el papá, con aspavientos de dignidad.

[5] Popular mispronunciation of Robustiana; see p. 189.

—¡Llévenos a todos! ... Yo me monto atrás —dijo uno de los chicos—. Diga, señor: ¿me tomará de criado?

—Y yo alante [6] —gritó el otro.

—Diga, señor, ¿y cuánto me dará?

Me aturdían estrujándome, porque hablaban más con las patas delanteras que con la boca, me sofocaban con sus preguntas, con sus gestos, y al fin, deseando concluir pronto, cargué con todos y los llevé a casa de mi hermana.

Cuando entré, me reía de mí mismo y de la figura que hacía pastoreando aquel rebaño. Tuve intención de decir: "Ahí queda eso," y marcharme adonde me solicitaban mi curiosidad y mi afán; pero esto hubiera sido muy inconveniente, y me detuve hasta ver qué tal recibía Máximo a su nueva mamá, y cómo se desenvolvía Manuela con los indómitos padres y hermanitos de la tal Robustiana. Atenta mi cuñada a la necesidad de su hijo, y a ver si tomaba bien el pecho, no se cuidaba de la cola que el ama traía. Sentado en el recibimiento, el padre aguardaba con tiesa compostura el resultado de la prueba; los chicos huían por los pasillos, aterrados de la vista de Ruperto; y la madre, sin separarse de su moza, examinaba todo lo que veía con miradas de espanto y júbilo, y estaba como suspensa y encantada. Tan maravillosa era a sus ojos la casa, que sin duda se figuraba estar en los palacios del Rey.

Y Maximín [ ... ] chupaba, y veíamos con gozo sus buenas disposiciones gastronómicas y aquella codicia egoísta con que se agarraba al negro seno, temeroso de que se lo quitaran. Lica lloraba de contento.

—Eres un ángel del cielo, Máximo. Si no es por ti ... ¡Qué mujer me has traído! ¡Ya la quiero más ... ! [7] Tiene ángel.[8] En seguida la vamos a poner como una reina. ¿Y su madre? ... ¡Qué buena es! ¿Y su padre? Un santo. ¿Y los hermanitos? ¡Unos pobrecillos! Ya he dicho que les den de almorzar a todos ... ¡Los pobres! ... ¡Me da una lástima! ... Es preciso protegerlos bien, sí. Me dijo la madre que no tienen nada de comer, que no ha llovido

[6] **alante = adelante** [7] **¡Ya ... más!** I already like her a lot [8] **Tiene ángel** She has charm, a knack, talent

nada,[9] que no cogen nada y tienen que pedir limosna . . . ¡Gente mejor. . . !

Todo esto me parecía muy bien. Yo no hacía falta allí . . . Andando. Pasillos, escaleras, calle, ¡qué largos me parecíais!

[9] **no . . . nada** nothing has come their way; they've had no luck

### TEMAS

1. El reconocimiento de amas.
2. Manso consigue ama de cría para su sobrino.

## XXXIV

# ¡Y al fin entré por tu puerta, casa misteriosa!

Y subí tu escalera nuevecita, estucada, oliendo todavía a pintura, fresco el barniz de las puertas y del pasamanos. En el principal vi una placa de cobre que decía: *Doctor Miquis, consulta de* 3 *a* 6; más arriba encontré un carbonero que bajaba, luego el panadero con su gran banasta, una oficiala de modista de sombreros con la caja de muestras, y a todos les preguntaba con el pensamiento: "¿Venís de allá?"

Y al fin tiré del botón de aquel timbre, que me asustó al sonar vibrante, y abrióme la puerta una criada desconocida que no me fue simpática y me pareció, no sé por qué, avechucho de mal agüero. Y heme aquí en una salita clara, tan nueva que parecía que yo la estrenaba en aquel momento. De muebles estaba tal cual, pues no había más que tres sillas y un sofá; pero en las paredes vi lujosas cortinas, y entre los dos balcones una bonita consola con candelabros y reloj de bronce. Se conocía que la instalación no estaba concluída, ni mucho menos. Así me lo manifestó doña Cándida, que majestuosa se dejó ver, acompañada de una sonrisa proteccionista, por la gran puerta del gabinete.

—Pero chico . . . me da vergüenza de recibirte así . . . ¡Si esto parece una escuela de danzantes! Estos tapiceros, ¡qué calmosos! Desde el 17 están con los muebles, y ya ves; que hoy, que mañana. Espera, hombre, espera; no te sientes en esa silla, que está rota . . . Cuidado, cuidadito; tampoco en esa otra, que está un poco derrengada.

Dirigíme a la tercera.

—Aguarda, aguarda. Ésa también... Melchora te traerá una butaca del gabinete... ¡Melchora!

Dios y Melchora quisieron que yo al fin me sentara.

5 —¿Irene...? —le pregunté.

—Quizás no puedas verla... Está algo delicada...

Toda mi atención, toda mi perspicacia, mi arte de leer en las fisonomías no me parecían de bastante fuerza para descifrar el jeroglífico moral que con fruncimiento de músculos, cruzamiento
10 de arrugas, pestañeo, pucherito de labios y una postiza sonrisilla se trazaba en el rostro egipcio de doña Cándida. O yo era un ser completamente idiota, o detrás de los oscuros renglones de aquel semblante antiguo había algún sublime sentido. ¡Desgraciado de mí que no podía entenderlo! Y ponía al rojo [1] mis facultades todas,
15 para que, llegando al último grado de su poder y sutileza, me dieran la clave que deseaba.

—Conque delicada... —murmuré, pasándome la mano por los ojos.

Mi cínife iba a decir algo, cuando Irene se presentó. ¡Qué ad-
20 mirable aparición!

—¿Qué tal te encuentras, hijita? —le preguntó su tía, en quien sorprendí disgusto.

—Bien —replicó secamente Irene—. Y usted, Máximo, ¡qué caro se vende! [2]

25 ¡Maldito Calígula! Sin género de duda, quería desviarme de mi objeto, distraerme, interponerse entre Irene y yo con pretextos rebuscados.

—¡Ah! —exclamó con aspavientos que me causaron frío—, ¿no has visto lo que dicen de ti los periódicos?... Te ponen en las
30 nubes. Mira, Irene, trae *La Correspondencia* de la mañana. Allí está sobre mi cómoda.

Irene salió. Observé (yo lo observaba todo) que tardaba más tiempo del que se necesita para traer un papel que está sobre una cómoda. Vino al fin, trajo un periódico y me lo puso delante.
35 Sobre el periódico había un papelito pequeño, y en él, escritas

[1] **ponía al rojo** I exerted to the utmost; strained [2] **¡qué... vende!** how hard it is to see you

con lápiz y al parecer rápidamente, estas palabras: *Ha venido usted tarde. Nunca hace las cosas a tiempo. No puedo hablar delante de mi tía. Me pasan cosas tremendas. Despídase usted diciendo que no vuelve en una semana y vuelva después de las tres.*

Haciendo que[3] leía *La Correspondencia* guardé con disimulo el papelejo. Irene me parecía desmejoradísima. Palidez suma y tristeza confirmaban [ . . . ] la veracidad de aquellas cosas tremendas. Y yo, puesto en guardia con lo que el papel decía, hablé de lo que no me importaba, de lo alegre de la casa, de sus buenas vistas y. . .

—¿Pero no sabes, Máximo —me dijo Calígula de improviso—, que anoche hemos tenido ladrones en casa? ¡Qué susto, Dios mío!

—¡Señora!

—Ladrones, sí, lo que oyes . . . , una cosa atroz. Esa Melchora, que duerme como un palo, dice que no oyó ni vio nada . . . Te contaré . . . Yo duermo ahora muy mal . . . , estos tunantes de nervios . . . Serían las dos de la madrugada, cuando sentí ruido en una puerta. Llevantéme, llamé a Irene . . . Ésta sostiene que dormía profundamente . . . ¡Yo tenía un miedo . . . , ya puedes figurarte! En fin, que alboroté toda la casa. Melchora dice que yo veo fantasmas . . . Podrá ser que mis nervios . . . , pero juraría que a la claridad de la luna . . . , porque no encontré los malditos fósforos . . . , a la claridad de la luna vi un hombre que escapaba. . .

—¿Por la ventana?

—No, por la puerta de la escalera.

Miré a Irene para ver qué decía sobre las fantásticas apariciones, pero en aquel momento se levantaba y salía diciendo:

—Han llamado, tía; creo que será la modista.

—¿Pero no está Melchora? . . . Pues sí, Máximo, hemos pasado un susto . . . La pobre Irene, al oír mis gritos, salió despavorida. Busca los fósforos por aquí y por allí . . . , nada. Melchora se reía de nosotras y decía que estábamos locas. . .

—¿Pero usted vio. . . ?

—Hombre, que vi . . . La suerte es que no nos han robado nada. He registrado, y ni una hilacha me falta . . . , cosa atroz.

[3] **Haciendo que** Pretending

—Resultado, que esos ladrones no robarían más que los fósforos...

Cuando esto dije, mi espíritu, espoleado por su pesimismo, se precipitaba en las más extravagantes cavilaciones. Despeñada mi
5 mente, no conocía ningún camino derecho. ¿Sería verdad lo que doña Cándida contaba? ... Y si no lo era, ¿qué interés, qué malicia, qué fin... ?

Pero mi primer cuidado debía ser cumplir el programa consignado con lápiz trémulo por la mano de la institutriz. Retiréme
10 diciendo que no volvería hasta dentro de una semana, y pasé las horas que para la misteriosa cita faltaban discurriendo por la Castellana, el barrio de Salamanca y Recoletos.[4] A las tres y media tiraba otra vez del timbre, y la misma Irene abría la puerta. Estábamos solos.

15 —¡Gracias a Dios! —le dije sentándome en el mismo sillón que horas antes había sacado Melchora para mí y que aún estaba en el mismo sitio ... —Al fin puede usted decirme qué tremendas cosas son ésas...

—¡Y tan tremendas! ...

20 ¡Qué temblor el de sus labios, qué falta de aire en sus pulmones, qué palidez mortal y qué timbre de pánico y duelo el de su voz al decirme!:

—¡Si usted no me salva, si usted no me prueba que se interesa por esta huérfana desgraciada... !

25 No sé, no sé lo que pasó en mi interior. La efusión de mi oculto cariño, que se expansionaba y se venía fuera, cual oprimido gas que encuentra de súbito mil puntos de salida, hallaba obstáculos en el temor de aquella soledad traicionera, en el comedimiento que creí exigido por las circunstancias; y así, cuando las más vul-
30 gares reglas del romanticismo pedían que me pusiera de rodillas y soltara uno de esos apasionados trenos que tanto efecto hacen en el teatro, mi timidez tan sólo supo [5] decir del modo más soso posible:

[4] The Castellana, one of Madrid's most beautiful boulevards, runs along the then new and elegant Barrio de Salamanca. Recoletos, now named Calvo Sotelo, is the continuation of the Castellana running south from the Plaza de Colón. [5] **tan sólo supo** could only

—Veremos eso, veremos eso. . .

Y lo dije cerrando los ojos y moviendo la cabeza, mohín de cátedra, que la costumbre ha hecho más fuerte que mi voluntad.

—¿Pero usted no lo adivina? . . . ¿Usted no comprende que mi tía me tiene aquí prisionera para venderme a don José? Esto es la cosa más tremenda que se ha visto. ¿Quién ha puesto[6] esta casa? Don José. ¿Quién ha amueblado aquel gabinetito? Don José. ¿Quién viene aquí las tardes y las noches a ofrecerme veinte mil regalos, cositas, porvenires, qué sé yo, villas y castillos?[7] Don José. ¿Quién me persigue con su amor empalagoso, quién me acosa sin dejarme respirar? Don José. He tenido la desgracia de que ese señor se enamore de mí como un loco, y aquí me tiene usted puesta entre lo que más odio, que es su hermanito de usted, y la necesidad de matarme, porque estoy decidida a quitarme la vida, amigo Manso, y como hoy mismo no encuentre usted medio de librarme de esto, lo juro, sí, lo juro, me tiro a la calle por ese balcón.

Petrificado la oí; balbuciente le dije:

—Lo sospechaba. Si usted no me hubiera prohibido venir acá desde el primer día, quizás le habría evitado muchos disgustos.

—Es que yo. . .

Al argumentarme, había tropezado en una velada y misteriosa idea, quizás en la misma que a mí me faltaba para ver aquel asunto con completa claridad. Ocurrióseme entonces un argumento decisivo.

—Vamos a ver, Irene —le dije procurando tomar un tono muy paternal—. ¿Por qué tenía usted tanta prisa en salir de la casa, donde no debía temer las asechanzas de mi hermano? ¿No consideraba usted, en su buen juicio, que doña Cándida, al poner esta casita y traerla a usted, la trajo a una ratonera? Yo lo sospeché; mas no me era posible intervenir en asunto tan delicado . . . ¿Por qué le faltó a usted tiempo para abandonar aquella colocación honrada y tranquila?

[6] **ha puesto** set up [7] **villas y castillos** A combination found in the old Spanish ballads, as in don Rodrigo's lament when he is vanquished: "Ayer era rey de España,/hoy no lo soy de una villa;/ayer villas y castillos,/ hoy ninguno poseía."

—Allí también me perseguía.

—Pero allí precisamente tenía usted poderosas defensas contra él, mientras que aquí. . .

—Porque mi tía me engañó.

—Imposible. Doña Cándida no puede engañar a nadie. Es como las actrices viejas y en decadencia, que no consiguen producir ilusión ninguna en quien las ve representar. Por la atrocidad excesiva de sus embustes, esta infeliz señora se vende a sí misma apenas empieza a desempeñar sus innobles papeles. Su loco apetito de dinero ha corrompido en ella hasta los sentimientos que más resisten a la corrupción. Yo creí que usted no caería en semejante lazo, tan torpemente preparado. Usted misma se ha lanzado al abismo . . . Y no se justifique ahora con razones rebuscadas; llénese usted de valor y dígame el motivo grande, capital, que ha tenido para abandonar aquella casa. Ese motivo no lo sé, pero lo sospecho. Venga [8] esa declaración, o me faltará la fe en usted, que me es necesaria para salir a su defensa. Nada hay más erróneo, Irene, que la mitad de la verdad. Yo no puedo patrocinar la causa de una persona cuya conciencia no se me manifiesta sino por indicaciones incompletas y vagas. No quiero evitar un mal y proteger neciamente la caída en otro peor. Desde el momento en que usted llama a un abogado en su defensa, muéstrele todas las fases de su asunto; no le oculte nada; infúndale con su franqueza el valor y la convicción que él a causa de sus dudas no tiene. Una persona que la ha tratado a usted de cerca me ha dicho: "No te fíes de ella, es una hipócrita." Arránqueme usted las raicillas que estas palabras han hecho en mi pensamiento, y ya me tiene usted pronto a servirla como jamás hombre alguno ha servido a mujer desvalida.

Esto le dije; estuve elocuente, y un si es no es [9] sutil o caballeroso. A medida que hablaba comprendí el grandísimo efecto que cada palabra hacía en su espíritu turbado, y antes de terminar, observéla desasosegada, luego afligida, al fin llena de temor.

Creía yo hallarme en terreno firme.

—Reconoce usted —le dije en tono de amigo— que antes de pedirme mi ayuda para salir de la ratonera, debe declararme alguna

[8] **Venga** Out with; Let's have [9] **un . . . es** a bit; rather

cosa, ¿no es eso?, ¿alguna cosa que nada tiene que ver con mi hermano?... Digamos, para mayor claridad, que es como un mundo aparte.

Humildemente dolorida inclinó su cabeza, y como próxima a sucumbir, repondió: 5

—Sí, señor.

Esta afirmación respetuosa me lastimó en el alma.

[ . . . ] Sentí un hundimiento colosal dentro de mí, algo como el caer de la vida, la total ruina mía interior. Costóme trabajo sumo sobreponerme a la aflicción... No quería mirar a Irene, abatida 10 delante de mí, con no sé qué decaimiento de suicida y resignación de culpable. Conté y medí las palabras para decirle:

—Puesto que eso que necesito saber no es ni puede ser vergonzoso, no me tenga usted en ascuas más tiempo.

¡Dios mío, nunca dijera yo tal cosa! La vi acometida repenti- 15 namente de horrible congoja... Su cara fue el dolor mismo, después la vergüenza, después el terror... Rompió a llorar como una Magdalena, levantóse del asiento, echó a correr, huyó despavorida y desapareció de la sala.

No supe qué hacer; quedéme perplejo y frío... Sentí sus ge- 20 midos en la habitación cercana. Dudé lo que haría, y al fin corrí allá. Encontréla arrojada con abandono en un sillón, apoyada la cabeza sobre el frío mármol de una consola, llorando a mares.

—No quiero verla a usted así... no hay motivo para eso... —murmuré conteniéndome para no llorar como ella—. Usted se 25 juzga quizás con más rigor del que debe... Desde luego yo...

Con la mano derecha se cubría el rostro, y con la izquierda hizo un movimiento para apartarme.

—Déjeme usted... Manso...; yo no merezco...

—¿Qué, criatura? 30

—Que usted me proteja... Soy la más desgraciada...

Y más llanto, y más.

—Pero sea usted juiciosa... Veamos la cuestión, examinémosla fríamente...

Esta tontería que dije no hizo, como es de suponer, ningún 35 efecto. Y ella con la izquierda mano quiso alejarme.

—No, no me marcharé . . . No faltaba más . . . Ahora menos que nunca.

—Yo no merezco . . . Me he portado tan mal. . .

—Pero hija mía. . .

No pudiendo calmar su horroroso duelo, ni arrancarle una palabra explícita, volví a la sala, donde estuve paseándome no sé cuánto tiempo. Al dar la vuelta me veía en el espejo con semblante tétrico, los brazos cruzados, y me causaba miedo. No sé las curvas que describí ni los pensamientos que revolví. Creo que anduve lo necesario para dar la vuelta al mundo, y que pensé cuanto puede irradiar en su giro infinito la mente humana. Los gemidos no concluían, ni aquella tristísima situación parecía tener término. De pronto sonó el picaporte: alguien entraba. Sentí la voz de Melchora ásperamente armonizada con la de doña Cándida. Al fin llegaba la maldita; ¡buena le esperaba! [10] . . . Entró. . .

No sé pintar el asombro de la señora de García Grande al abrir la puerta de la sala y verme. Con el rápido chispazo de su vista perspicua debió de conocer mi enojo y la tormenta que la amenazaba. Por mi parte, nunca me pareció más odiosa su faz de emperador romano, que, con la decadencia, tocaba en la caricatura, ni me enfadaron tanto su nariz de caballete, sus cejas rectilíneas, su acentuada boca, su barba redondita y su gruesa papada, [ . . . ] que le colgaba ya demasiadamente, y con el hablar le temblaba y parecía servirle de depósito de los embustes. Su primer pensamiento y palabra fueron:

—Pero qué . . . ¿se te olvidó algo? . . .

No le respondí. Mi cólera me puso una mordaza . . . La papada de doña Cándida temblaba y sus cejas culebrearon. Acercóse a la puerta del gabinete, abrióla, vio a su sobrina consternada, miróme después. Tuvo miedo, y de tanto temer, no pudo decirme nada. Yo seguía paseándome, y el silencio y las miradas suplían con ventaja entre los dos a cuanto la voz pudiera expresar . . . Pasado el primer momento de enojo, debió Calígula pedir fuerzas a su malicia, porque me pareció que se envalentonaba. Después de gruñir, con artificio de cólera digna, sentóse, y sin mirarme se permitió decir:

[10] **¡buena le esperaba!** she was really in for something

—Me gusta . . . Como si cada cual no supiera lo que tiene que hacer en su casa, sin necesidad de que vengan los extraños a mangonear. . .

Entre ahogarla y afrontar su descaro con ventajosa actitud de ironía y desprecio, preferí esto último. Entróme una risa nerviosa, 5 fácil desahogo de la cólera que me amargaba el corazón y los labios, y con todo el desdén del mundo dije a mi cínife:

### TEMA

1. Manso hace una visita a la nueva casa de doña Cándida.

## XXXV
# "Proxenetes"

—¿Qué, hombre?

—*Proxenetes.* Se lo digo a usted en griego para mayor claridad.[1]

—¡Ay!, estos señores sabios ni siquiera para insultarnos saben hablar como la gente.

5 —Alguien vendrá que le hablará a usted más claro que el agua.

—¿Quién?

—El juez de primera instancia.

Ni con risitas ni con un gesto desdeñoso pudo disimular su terror. Yo seguía paseándome. Siguió larga pausa, durante la cual 10 vi que el fiero Calígula batía compases con una mano sobre el brazo del sillón . . . Su ingenio debió indicarle el cómodo partido de desviar el asunto ingiriendo otro completamente extraño, en el cual podía hacer el papel de víctima.

—Tú siempre tan inoportuno y tan . . . filosófico. Vienes aquí 15 cuando no se te llama, y haces aspavientos. Mejor te ocuparas de lo que nos importa a todos, y no me pusieras en mal lugar, como lo has hecho hoy . . . Sí; porque de haber sabido[2] lo que pasaba, de haber sabido que Maximín se quedó sin ama, ¿cómo no hubiera volado yo a casa de Lica para buscarle al instante otra? . . . 20 ¡Ay, qué apunte eres! Como si yo no existiera . . . Es hasta una falta de respeto, sí señor. Bien sabes que tengo tanto interés como tú, como la misma Manuela . . . Francamente, este olvido me ha llegado al alma. ¡Y tú tan sabio como siempre! En vez de

[1] See p. 15, n. 2. [2] **de haber sabido** if I had known

correr en busca mía y contarme lo que pasaba, te fuiste al Gobierno Civil para buscar por ti mismo . . . Ya, ya sé que llevaste a la casa una familia de cafres . . . Precisamente, conozco un ama que no tiene precio. Véase aquí lo que se saca de interesarse por los demás: desaires y más desaires. 5

Y yo, pasea que pasearás . . .[3] La oía como quien oye llover sandeces.

—Luego se espantan de que se nos agríe el carácter, de que un disgusto tras otro, y por añadidura los achaques y males nerviosos, pongan a una infeliz mujer en el estado más triste del mundo. De 10 aquí resultan cosas que parecen distintas de lo que son. Cada una en su casa hace lo que le acomoda, siempre dentro del límite de los deberes y de la dignidad a que las personas de cierta clase no podemos faltar nunca. Viene luego cualquiera que no está en antecedentes, y por lo primero que ve, juzga y sentencia de plano 15 sin enterarse. Una chica mimosa y llorona contribuye con sus tonterías a embrollar la cuestión; el sabio se acalora, hace papeles caballerescos . . . ; y si mediara una explicación, todos quedarían en buen lugar. . .

Aquel zumbido me mortificaba de un modo indecible. No 20 podía contenerme.

—Señora. . .

—¡Qué!

—¿Quiere usted hacerme el favor de callarse?

—¡Qué falta de respeto! ¿Quieres tú hacerme el favor de mar- 25 charte? Estoy en mi casa . . . Mucho estimo a tu familia, mucho quise a tu madre, aquel ángel del cielo, aquella criatura sin igual . . . ¡Ah!, no os parecéis a ella, y si resucitara y se nos presentase aquí, me juzgaría como merezco . . . Digo que mucho la quise, y mucho vale para mí su recuerdo al hallarme delante de 30 tu descortesía; pero ésta puede llegar a ser tal que no pueda perdonarla . . . Porque esto es una iniquidad, Máximo; una cosa atroz. Lo que haces conmigo no tiene nombre. ¡Venir a insultarme en mi propia casa! . . . , sin reparar mis canas . . . , sin acordarte de aquella santa. . . 35

La papada se movía tanto, que parecían agitarse impacientes

[3] **pasea que pasearás** walking up and down

dentro de ella todas las farsas, todos los embustes y trampantojos almacenados para un año. Al mismo tiempo pugnaba por traer a su defensa un destacamento de lágrimas, que al fin, tras grandes esfuerzos, asomaron a sus ojos.

—Nunca —gimió, sonándose con estrépito para aumentar artificialmente el caudal lacrimatorio—, nunca hubiera creído tal cosa en ti. Me debes, si no otra cosa, respeto. Y antes de formar malos juicios de esta desgraciada, a quien podrías considerar como tu segunda madre, debes informarte bien, preguntarme... Yo estoy pronta a responder a todo, a sacarte de dudas... ¿Quieres saber por qué llora Irene? Pues no se lo preguntes a ella, pregúntamelo a mí, que te lo diré. Estas muchachas de hoy no son como las de mi tiempo, tan recogidas, tan sumisas. ¡Quia!, una cosa atroz... No hay vigilancia bastante para impedir que hagan mil coqueterías y enredos. ¿Quieres que te la pinte en dos palabras?... Pues es una mosquita muerta[4]... No lo creerás, sé que no lo vas a creer y que descargarás tu furor contra mí. Pero mi deber es ante todo, y el interés que me tomo por ella. Allí, en la propia casa de Lica, donde la sujeción parecía ser tan grande como en un convento, la muy picarona, ¿lo creerás?, pues sí, tenía un novio. No hay como estas tontuelas para ocultar las cosas. Ni Lica, ni tú, ni yo, que allá iba todos los días, sospechábamos nada... ¿Qué habíamos de sospechar, viendo aquella modestia, aquella conformidad mansa, aquella cosita... así...? Pero estas mansas son de la piel de Barrabás para esconder sus líos. ¡Un novio! Cuando nos mudamos lo descubrí, y si quieres que te lo pruebe...

La ira que se encendió súbitamente en mí era tal, que me desconocí en aquel instante, pues en ninguna época de mi vida me había sentido transformado como entonces en un ser brutal, tosco y de vulgares inclinaciones a la venganza y a todo lo bajo y torpe. Cómo se levantaron en mi alma revuelta aquellos sedimentos, no lo sé.

—¿Quieres que te lo pruebe? —repitió doña Cándida a la manera de las hienas, sorprendiendo, con su feliz instinto, mi momentánea bajeza, y creyendo que la suya permanente podría hallar en mí fugaz acogida—. ¿Quieres que te lo pruebe?...

[4] **mosquita muerta** hypocrite

Cuando nos mudamos, en aquel desorden de baúles, sorprendí un paquete de cartas . . . ; no tienen firma . . . ; ¿conocerás tú. . . ?

Afianzó las manos en los brazos del sillón para levantarse. Vacilé un momento . . . ¡Dios! ¡Descubrir el misterioso enigma, saber al fin . . . ! ¡No, por aquel medio jamás! 5

—Señora, no se mueva usted —grité con brío, ya repuesto en mi normal ser—. No quiero ver nada.

—Tú quizás sepas . . . Algún moscón de los muchos que entran en aquella casa . . . La pícara mulata era quien llevaba y traía las cartitas . . . ¿Pero cómo se las componen estas criaturas para en- 10 volver en gran misterio sus picardías? . . . Yo estoy aterrada y de seguro voy a sucumbir a fuerza de disgustos . . . Esta criatura, a quien he consagrado mi vida . . . ¡Oh! Máximo, tú no comprendes este dolor atroz, este dolor de una madre, porque madre soy de ella, madre solícita y siempre sacrificada . . . Y ya ves qué pago. . . 15

Otra vez su cinismo agotaba mi paciencia.

Yo no la miraba, porque su semblante me hería. [ . . . ]

—Señora, hágame usted el favor de callarse.

—Bien, lloraré sola, me lamentaré sola. ¿A ti qué te importa, caballero andante y filósofo aventurero? 20

Y en aquel punto los dolorosos gemidos de Irene se oyeron de nuevo . . . El corazón se me dividía ante aquella angustia secreta, apenas declarada, que a combinarse venía dentro de mí con otra angustia mayor. El honor mío se agitaba entre accidentes de despecho y enojo, como llama entre tizones. [ . . . ] Pensé acudir a 25 Irene, que parecía sufrir gravísimo paroxismo; pero no sé qué repugnancia me alejaba de ella. Doña Cándida se levantó, diciendo con agridulce voz:

—La pobrecita está tan afligada . . . Es que la he reñido . . . No puedo contenerme. Es preciso darle una taza de tila. 30

Dejóme solo. Y yo pasea que pasearás. Me rodeaba de una atmósfera de drama. Presentía la violencia, lo que en el mundo artificioso del teatro se llama la situación . . . ¡Tilín! ¡El timbre, la puerta! . . . ¡Mi hermano! . . .

## TEMAS

1. Doña Cándida frente a Manso.
2. Manso frente a doña Cándida.

## XXXVI

# ¡Ésta es la mía! [1]

Los segundos que tardó en aparecer en la sala, ¡cómo se deslizaron pavorosos!... Entró, y al verme... No, jamás ha sufrido un hombre desconcierto semejante. Yo me sentí fuerte y dueño de mis facultades para operar con ellas como me conviniera...
5 Mereciera o no la mosquita muerta mi ardiente defensa, ¿qué me importaba? Yo, caballero del bien, me disponía a dar una batalla a su enemigo, que era también el mío. A la carga, pues, y luego se vería...

La sorpresa pudo en José más [2] que la turbación, y se le escapó
10 decirme:

—¿Qué demonios buscas aquí?

Advertí en él esfuerzos inauditos para poner concierto en sus ideas, disimular su cogida y cubrir el flanco de su amor propio.

—¡Ah! —exclamó fingiéndose asombrado—. ¡Qué casualidad!
15 Los dos venimos de visita... nos encontramos... Es verdad; te dije que pensaba venir.

Y el tunante no caía en la cuenta de que no nos hablábamos desde la disputilla, siendo, por tanto, imposible que me hubiera avisado su visita. Viéndose cogido en su red, cambió de táctica.
20 Inició torpemente dos o tres temas de conversación (a punto que Melchora traía otra butaca, por no ser suficiente una para los dos); pero desde las primeras palabras se aturrullaba y confundía.

[1] **¡Ésta . . . mía!** This is my chance! [2] **pudo . . . más** was stronger in José; had greater effect on José

Dejóse ver por la puerta del gabinete doña Cándida, tan turbada como mi hermano, y más con la papada que con la voz nos dijo:

—Dispénsenme los Mansitos; pero estoy tan ocupada . . . Vuelvo. . .

Y desapareció como espectro con pocas ganas de ser evocado. 5 Las tenía tan grandes mi hermano de hacerme creer que a la casa venía por vez primera, que no quiso esperar la segunda aparición del espectro para decirle a gritos:

—Al fin me tiene usted por aquí. . .

Pero notando mi empaque severo, me miró despacio. Estábamos sentados el uno frente al otro. 10

—Pues sí, es bonita la casa. No la había visto. ¿Habías estado tú aquí?

—Es la primera vez.

—Muy fría la sesión de esta tarde . . . La discusión de presupuestos sumamente lánguida. Tres diputados en el salón de sesiones. Pero en las Secciones hemos tenido mar de fondo. [ . . . ] Es verdaderamente escandaloso lo que pasa. [ . . . ] La Comisión de melazas no ha dado aún dictamen. [ . . . ] 15

Y yo callado. Él debía estar sobre ascuas. Presagiaba sin duda una escena ruda y quiso debilitarme anticipadamente con la lisonja. 20

—¡Ah!, se me olvidaba —dijo, tomando la máscara de la risa. [ . . . ] Tengo que darte las gracias. Ya me contó Manuela. El pobre Maximín, si no es por ti, se nos muere hoy. Anoche no pude ir en toda la noche a casa, porque . . . es verdaderamente cargante. [ . . . ] ¡Cuánto sentí esta mañana, al ir a casa, lo que había pasado con la tunanta del ama! Parece que es buena la que llevaste . . . Pero mira; allí me encontré con un familión . . . El padre me abordó con aire marrullero, y me dijo: "Ya sé que el señor marqués va para *menistro*. Si quisiera dar algo a estos *probecitos de Dios* . . ." [3] Empezó a pedir. [ . . . ] Yo me desternillaba de risa y Sáinz del Bardal le prometió proponerle para una mitra. 25 30

Con fuerte carcajada celebraba José la gracia del cuento . . . Y yo siempre callado, serio. Estaba impaciente, deshecho, porque no quería romper el fuego hasta que estuviera delante el empera- 35

[3] José María imitates the speech of the wet nurse's father.

dor Vitelio.[4] Pero probablemente la taimada había hecho propósito de no presentarse, dejando que los Mansitos se despacharan solos a su gusto. De repente se levantó José. Le había entrado súbito afán de admirar las dos grandes láminas que doña Cándida había colgado en la pared de su salita.

—¿Pero has visto esto? Es un grabado verdaderamente magnífico. *Naufragio del navío* INTRÉPIDO *delante de las rocas de Saint-Maló*. ¡Qué olas! parece que le salpican a uno a la cara. ¿Y este otro? *Naufragio de la Medusa,* por Géricault . . .[5] Pero aquí todos son naufragios.

En esto el reloj dio las once. Eran las cinco.

—Allá se va este reloj [6] con los dos de mi casa —observó mi hermano, sentándose—. [ . . . ] Pues señor, me gusta este modo de recibir visitas. Si no se presenta pronto doña Cándida, me voy.

Farsa, pura farsa. Bien conocía él que en la casa pasaba algo grave. Mi inopinada presencia, mi silencio sombrío le causaban miedo, por lo que pensó en ponerse en salvo.

—¿Tú te quedas?

—Sí; y tú también.

—Hombre, eso es mucho decir.

—Tenemos que hablar.

—¿Tienes algo que decirme?

—Algo, sí.

—Pues mira, no se conoce.[7] Hace un cuarto de hora que estoy aquí.

—Yo quería que estuviese presente doña Cándida; pero ya que esa señora tiene vergüenza de ponerse delante de los dos. . .

José palideció. Hice propósito de explanar mi interpelación con todo el comedimiento posible y de no hacer lógica con violencia ni manotadas. Mi enemigo era mi hermano. ¡Difícil y peligroso lance!

—Pues dímelo pronto —indicó él, festivo, a fuerza de contracciones de músculos.

[4] Roman emperor, A.D. 69, famed for his cruelty; here meaning doña Cándida [5] J.L.A. Théodore Géricault, 1791-1824, French painter, initiator of the Romantic movement [6] This clock is a match for [7] **no se conoce** you'd never think so

—En dos palabras. Has estado haciendo la farsa de que venías aquí hoy por primera vez, cuando vienes todas las tardes y noches, desde que vive aquí doña Cándida. Entre esta señora, a quien voy a recomendar al juez del distrito, y tú, padre de familia y representante de la nación, habéis armado una trampa ... poco digna, quiero ser prudente en las calificaciones ..., una trampa contra esa pobre joven honrada, sin padres ni pariente alguno...

—No sigas, no, no sigas —dijo mi hermano, echándoselas de espíritu fuerte—. Pareces verdaderamente un caballero andante. ¿Eres tú padre, hermano, esposo o siquiera novio ... ? Y si no lo eres, ¿para qué te metes a juzgar lo que no conoces? ¿Vienes en calidad de filántropo?

—Vengo en calidad de indiferente. Soy el primero que pasa, un hombre que oye gritos de angustia y acude a prestar socorro a ... quienquiera que sea. Hablo con el título de persona humana, el único que se necesita para entrar donde martirizan, y desempeñar las primeras diligencias de protección mientras llegan Dios y la justicia terrestre. No tengo más que decir sobre mi derecho a intervenir aquí.

—Pero vamos a ver ... es preciso poner las cosas ... —balbució José, enredado en el laberinto de sus conceptos, sin saber por dónde salir—. Tú no puedes hacerte cargo ... Lo primero que hay que tener en cuenta...

—Es que tu conducta ha sido impropia de un caballero y más impropia aún de un padre de familia. En tu misma casa trataste de pervertir a la que era maestra de tus hijos. No conseguiste nada. [ ... ] Pero tú necesitabas emplear ciertas perfidias. Allá no era posible. Te confabulaste con esta desgraciada mujer, te valiste de su feroz codicia, armasteis entre ambos el lazo ... Pero ya ves, ni con tus visitas, ni con tus regalos, ni con tus promesas, ni con tus amabilidades, que son tan empalagosas como la Comisión de melazas, has conseguido tu objeto. Acosada por ti y maniatada por su señora tía, la víctima ha encontrado en su virtud fuerzas bastantes para defenderse...

—Pero hombre, escúchame, déjame hablar un poco ... Hay que presentar las cosas como son ... Te diré ... Tú te pones a filosofar, y abur ... Cosa absurda ... Aguarda ... Oye.

—No proceden así los caballeros. Si tienes pasiones, véncelas; si no puedes vencerlas con dignidad trampéalas. En resumidas cuentas...

—En resumidas cuentas, tú no te has enterado... Por Dios, Máximo, estás hablando ahí... y no es eso, no es eso...

—¿Pues qué es?...

Tal era su atontamiento, que no acertaba a salir del ovillo de embustes en que se había envuelto. Tenía la boca seca, el rostro encendido, y fumaba cigarrillos con nerviosa presteza. Ofrecióme uno, y le dije:

—Pero hombre, ¿ahora te enteras de que no fumo ni he fumado en mi vida?

—Es verdad: pues vamos a ver... Yo he venido aquí la otra tarde por casualidad, cuando salí de la Comisión... Pero no es eso. Lo primero es definir bien... porque así, presentadas las cosas con ese aparato de moral... Aquí no hay lo que crees... Empezaré por decirte que Irene... No es que piense mal de ella... Tú no estás enterado... Y ya se ve; cuando sin estar en autos...[8] En cuanto a caballerosidad, yo te aseguro que nadie me ha dado lecciones todavía... Y vamos al caso..., por amor de Dios...

—Al caso, sí. Oye, José María; descubierta la poco noble conspiración fraguada por ti y doña Cándida, y desarrollada con sus ideas y tu dinero...

—Poco a poco... De que yo ampare a los desvalidos, no se deduce... Ven a razones, hombre. Aquí no somos filósofos, pero sabemos razonar... Porque tú... Entendámonos...

—Sí, entendámonos. Descubierto el plan poco noble, no puedes salir adelante, José. Dálo por [9] frustrado. Haz cuenta que en una jugada de Bolsa perdiste el dinero que has dado a doña Cándida. Esto se acabó. No hay que hablar. En este juego prohibido se ha presentado la policía, y poniendo el bastón sobre la mesa, ha dicho: "Ténganse a la justicia." [10] La policía soy yo. Estoy pronto a indultar, si esto se da por concluído. Estoy pronto a promover un escándalo, si esto sigue.

[8] **sin... autos** without knowing what's going on [9] **Dálo por** Consider it [10] **Ténganse... justicia** Give yourselves up to the law

—Dále, dále . . . ¡Si no comprendes . . . ! Eres verdaderamente testarudo . . . Déjame que te explique . . . No hay que tomar las cosas tan por lo alto . . . dále. . .

—¿Sabes cuáles son mis armas? La publicidad, el escándalo, son espadas de dos filos que hieren a ti y a mi protegida. Pero no importa: es inocente. Dios cuidará de ella. Te amenazo, pues, con la publicidad, con el escándalo, y además con el juez.

—Dále. Si no es eso. . .

—¿Cómo que no es eso? . . . Veremos. Ten presente [11] lo que acabo de decir: el juez. . .

—¿Pero qué juez ni qué niño muerto? [12]

—En cambio, si esto se queda así, si me prometes no volver a poner los pies en esta casa, habrá paz; tu mujer no sabrá nada, y puedes dedicarte tranquilamente a la vida pública.

—Hombre, te estoy oyendo —gritó mi hermano envalentonándose mucho y cruzándose de brazos—, y no sé qué pensar . . . ¡Estamos bonitos! . . . [13] ¿Qué significa esto? Te he oído con paciencia, pero ya se me acaba . . . ¿Conque es decir que yo soy un criminal, un no sé qué, un . . . ? Tus filosofías me apestan . . . No habrá más remedio que tomarlo a risa . . . Y en último caso, ¿a qué se reduce todo? . . . A nada, a una bobada . . . Tanta bulla, tanta ponderación y tanta soflama por una cosa sin maldita importancia. Estos sabios son verdaderamente idiotas . . . Que se me haya antojado decir cuatro tonterías a Irene . . . ¡Por amor de Dios, hombre! Que aquí en esta casa le haya dicho también cuatro tonterías, o cinco . . . ¡no, por amor de Dios! ¿Es eso motivo? . . . Ni sé cómo te escucho. . .

—Quedamos en que esto se acabó —dije, gozoso de verle batiéndose en retirada.

—Pero si no se ha empezado, si no hay nada, si todo es figuración tuya . . . Francamente, yo no sé cómo te aguantan tus amigos . . . Si te casaras, tu mujer se tiraría por el Viaducto [14] y tus hijos te maldecirían. Eres muy *plantillero*, el colmo de la imper-

[11] **Ten presente** Keep in mind; Remember [12] **¿Pero . . . muerto?** What judge or what nonsense are you talking about? [13] **¡Estamos bonitos!** This is absurd! [14] Bridge or overpass near the Royal Palace, over the calle de Segovia; a popular spot for suicides

tinencia, de la pedantería y del entrometimiento. Vamos, que si no conociera tus buenas cualidades...

—Quedamos en que no volverás más aquí.

—Eres tonto... Como si yo tuviera algún interés en ello... Eso bien lo puedes creer, y si hay algo aquí que me ha costado dinero, interprétalo con más caridad, hombre; atribúyelo a compasión de esta desgraciada familia. Dime tú: ¿los beneficios se hacen públicamente o con cierto recato? Al menos yo he aprendido que la caridad debe practicarse en silencio. Vosotros los filósofos lo entendéis de otro modo.

—Eres un santo... Vamos, ¿a que [15] concluyes por pedirme que te canonicen...?

—Y cuando yo me intereso por los desvalidos, cuando les ayudo a vencer las dificultades de este mundo, hago las cosas completas, no me quedo a la mitad del camino. Poco me importa que después venga la calumnia a desfigurar mis acciones... Yo desprecio la calumnia. Cuando mi conciencia está tranquila...

No pude remediarlo; rompí a reír, viendo que el muy farsante, acalorándose más con el papel que representaba, prentendía nada menos que darme a mí la feísima parte de calumniador. Quería sacar partido de su falsa posición, y tornándose en juez, me decía:

—Y vamos a ver, camaradita; ¿quién me asegura que tú, con esos aires caballerescos y esas cosas sublimes, no vienes aquí con una intención solapada?... Me parece que eres de los que las matan callando. Eso sería bueno: que quien sólo ha tenido propósitos benéficos y caritativos pase por hombre corrompido, tramposo y malo, y el señorito filósofo, sabio y profesor de moral, sea el verdadero perseguidor de la honra de las doncellas puras... Verdaderamente...

Se puso delante de mí, y con su bastón iba marcando sus palabras más arriba de mi cabeza, sin tocarme, se entiende.

—Yo te he visto caracoleando en el cuarto de Irene, haciéndole la rueda en el paseo, como un pavito real, muy hueco y filosófico; yo te he visto relamido y sumamente pedante y traviatesco junto a ella... Es verdad que nunca sospeché que te pudiera querer... Eres muy antipático...

[15] **¿a que** I bet

Y fue a colocarse delante del espejo, a estirarse el cuello de la camisa y acomodarse la corbata, que andaba un poco descarriada.

—¡Si saldremos ahora con que un señor catedrático de moral anda enamorado! . . . ¡Por amor de Dios, hombre! Con esa cara de cura y esa respetable fisonomía, [ . . . ] y con esa cortedad de genio . . . Por María Santísima, Máximo, no hagas el oso . . . Tú no sirves para eso: nunca gustarás a las mujeres.

Aun siendo tan poco autorizado quien las hacía, aquellas burlas me mortificaban.

—Yo no comprendo el interés ridículo que te tomas por la pobrecita Irene, que de seguro se reirá de ti bajo aquella capita de bondad . . . , porque, eso sí, otra que tenga mejores modos y que sepa esconder tan bien sus picardías. . .

Se paseaba por la sala haciendo molinete con el bastón.

—Mira, José —le dije—, haz el favor de marcharte de una vez.[16] Abandona el campo, y déjanos en paz. Si te empeñas en ser pesado, yo me empeñaré en ser inflexible. Te he cogido en tu propio lazo; no tienes defensa contra mí. Márchate; este disgustillo se acabó, y desde mañana seremos hermanos.

—No, no, si en mí no hay disgusto ni despecho . . . —balbució contradiciendo sus palabras con la expresión colérica de su semblante—. ¿Crees que doy importancia a tus majaderías? No, hombre, no hago caso: mi conciencia está tranquila . . . He sabido amparar a una familia desgraciada: veremos lo que haces tú ahora . . . Me marcharé. .

—Pues de una vez. . .

—Te dejo en plena posesión de tu papel de desfacedor de agravios.[17] Trabajo te mando,[18] camaradita, porque no es oro todo lo que reluce. Y no es que yo quiera agraviar a la pobre Irene. Yo me he interesado por ella, no como un sabio filósofo, sino como un buen padre, como un hermano. Que viene doña Cándida a contarme que ha descubierto paquetes de cartas . . . Bueno, ¡cosas de chicas!, es natural que se enamoren de cualquier pelagatos . . . ,

[16] **de una vez** once and for all [17] Archaic phrase. Don Quixote is the archtype of the **desfacedor de agravios** 'righter of wrongs'; literally 'undoer of wrongs.' [18] **Trabajo te mando** You'll have your hands full; It's a big order

es natural que lo disimulen, que hagan mil tapujos y tonterías... Que doña Cándida me dice: "Irene llora; a Irene le pasa algo; Irene anda en malos pasos." Bueno: la juventud, la ilusión..., cosas de niñas que leen novelas. No doy importancia a tales boberías... Que yo mismo observo a cierta persona rondando la casa por las tardes, por las noches... ¡Qué le hemos de hacer![19] Mientras haya coquetas, habrá gomosos. He tenido ganas de andar a galletas con uno, mejor dicho, de aplacarle el resuello. Pero eso tú lo harás ahora, tú, el señor de la protección caballeresca. Veremos si con rociadas de moral ahuyentas al enemiguito. [...]

Se echó a reír como un condenado.[20]

—Otra cosa. Trae al juez, hombre; trae a ese juez con que me amenazabas, y dile: "Señor juez, aquí tiene usted un novio de mi futura, métalo usted en la cárcel, y a mí mándeme a un tonticomio"...[21] Eso es, eso. Aquí te quiero ver, escopeta.[22]

Francamente..., iba yo a contestar algo; pero pensé que era más digno no contestarle nada.

—Y yo me marcho. Te obedezco, hermanito. Aquí te quedas. Ya me contarás y nos reiremos.

Le vi dispuesto a marcharse. Algo me ocurrió entonces que decir; pero me callé para que se fuera de una vez. Salió sin decirme nada, tarareando una musiquilla, pero con la rabia en el corazón. Alegréme de este resultado, porque mi objeto estaba conseguido, y conociendo a José María como le conocía yo bien pude asegurar que daba por perdido el juego.[23] Su miedo al escándalo me garantizaba su vencimiento y abandono de sus planes. Por el momento yo había triunfado, y lo mejor fue que conseguí mi objeto sin gritería ni violencia. No hubo drama, cosa en extremo lisonjera para todos.

José me conocía; debió comprender que en caso de reincidencia yo daría el escándalo, intervendría la justicia, se enteraría Manuela. Era probable que ésta pidiera la separación de bienes,[24] y

[19] **¡Qué... hacer!** What can you do about it? It can't be helped [20] **como un condenado** like a madman; wildly [21] **tonticomio** is based on **manicomio** 'madhouse,' 'insane asylum.' Thus 'an asylum for fools.' [22] **Aquí... escopeta** Let's see what you'll do then [23] **daba... juego** knew the game was up; considered the cause lost [24] **separación de bienes** separation, division of property

a Cuba se marchara . . . El marrullero, el hombre práctico no podía menos de detenerse ante la amenaza de estos peligros verdaderamente terribles. ¡Campaña ganada, y ganada sin batalla, por la prematura retirada del enemigo, antes convencido que derrotado! O esto es estrategia sublime, o no sé lo que es. 5

## TEMAS

1. José María rompe su largo silencio.
2. Por fin, Manso rompe el suyo.

## XXXVII

# Anochecía

La propia doña Cándida trajo en sus venerables manos una luz con pantalla, y poniéndola sobre la mesa, me dijo con voz cascada y temerosa:

—Ya se ha ido . . . ¡Jesús! Yo creí que íbamos a tener función
5 gorda . . . Pero ambos sois muy prudentes, y entre buenos hermanos . . . La pobre niña. . .

—¿Qué?

—Le ha entrado fiebre; pero una fiebre atroz. Ya la hemos acostado. ¿Quieres pasar a verla? . . . Se ha calmado un poco; pero
10 hace un rato deliraba y decía mil disparates.

—Que suba Miquis. . .

—Le hemos dado un cocimiento de flor de malva. Creo que le conviene sudar. Anoche debió constiparse horriblemente cuando aquella alarma de los ladrones. . .

15 —Que suba Miquis. . .

—Creo que no será preciso. Siéntate. Parece que estás así como perplejo. Delirando hace un rato, Irene te nombraba.

—Pero que suba Miquis. . .

—Le llamaremos si es preciso . . . ¿Quieres entrar a verla? Pa-
20 rece que duerme ahora. Mañana le diré que pasaste a verla, y se alegrará mucho. ¡Qué sería de nosotras sin ti!

Tanta melosidad me ponía en ascuas. Pasé al gabinete, que se comunicaba con la alcoba. [ . . . ] En aquella entrada me detuve. La alcoba estaba casi a oscuras, pero pude ver el cuerpo de Irene modelado en esbozo por las ropas blancas del lecho. Era como una escultura cuya cabeza estuviese concluída y el tronco solamente desbastado. La vi de espaldas; se había vuelto hacia la pared, y de sus brazos no asomaba nada. Su respiración era fatigosa y febril, acompañada de un cuchicheo que más parecía rezo que delirio. [ . . . ] Puse atención para entender alguna sílaba; pero, ¡cosa extraña!, siempre que yo sutilizaba mi atención y mi oído, ella callaba . . . Volvía; era imposible entender nada de aquella música del espíritu. 5

—La pobrecita tiene una gran pena —me dijo doña Cándida al oído—. El motivo vé a saberlo. . .[1] 10

—Ya . . . ¿le parece a usted poco? . . .

—No, no es sólo por la cuestión de tu hermano . . . ¡Qué delirio el suyo! . . . Nada menos que de puñales, de venenos y de revólveres hablaba, como herramientas para quitarse la vida. 15

Acerquéme un poco paso a paso; la curiosidad me empujaba, la delicadeza me detenía . . . Al fin la vi de cerca. Tenía el rostro encendido, la boca entreabierta, el cabello suelto, encrespado, anilloso y formando un gran nimbo negro, partido en dos, alrededor de la cabeza. De cerca el cuchicheo era tan ininteligible como de lejos: diálogo misterioso entre el alma y el sueño. 20

Me retiré alarmado, y en la sala puse cuatro letras a Miquis sobre una tarjeta, rogándole que subiera. Hecho esto, pensé en irme a comer a mi casa, con propósito de volver más tarde. Adivinó mi pensamiento Calígula, y muy obsequiosa y acaramelada me dijo: 25

—Si quieres puedes quedarte a comer conmigo. No te daré las cosas ricas que hay en tu casa. . .

—Gracias.

—Mal agradecido . . . La culpa tiene quien te quiere y te obsequia. Bien sabes que para mí no hay mayor gusto que verte en mi casa. 30

Tanta finura me alarmó. No contaba con ella.

—Pero siéntate . . . ¿Qué prisa tienes? . . . No puedes figurarte cuánto me alegro de que tu dichoso hermano haya desfilado . . . 35

[1] **El motivo . . . saberlo** Who knows what the cause is

Ahora te puedo hablar con franqueza, Máximo. ¡Ay!, nos tenía acosadas . . . una cosa atroz.

La miré para recrearme en su cinismo, y ver con qué rasgos y matices se traduce en el rostro humano aquel excepcional modo 5 del espíritu.

—Porque hazte cargo . . . , empeñado en que esa pobre criatura le ha de querer; como si el querer fuera cosa de aquí me llego . . .[2] Pero tú no puedes figurarte qué arrumacos, qué agonías, qué frenesí el suyo . . . Se pasaba las horas mirándola como un bobo y 10 echándole unas flores tan cursis . . . Luego venían los regalos; todas las tardes traía una cosa nueva, joyita, caprichito, baratija. Y a cada rato . . . ¡tilín!, un dependiente de la tienda con dos vestidos . . . , ¡tilín!, un mozo con sombreros . . . [ . . . ] La pobre Irene, firme y heroica, ha sufrido mucho, y yo también, porque . . . ya 15 puedes suponer mi dificilísima situación. Yo no podía coger a José María por un brazo y ponerlo en la calle. Le debo favores . . . , es como de la familia. [ . . . ] Irenilla le ponía cara de hereje,[3] últimamente hasta le insultaba. No sabes; tiene un genio de lo más atroz . . . En cuanto a los regalos, allí están todos tirados. Algunos 20 se han roto. Por cierto que por empeño de José María [ . . . ] se han traído algunas cosas, que vendrán a cobrar, y. . .

La miraba, la observaba con verdadero placer, cosa que parecerá imposible, pero que es verdad. Era yo como el naturalista que de improviso se encuentra, entre las hojarascas que pisa, con 25 un desconocido tipo o especie de reptil, con feísimo coleóptero, con baboso y repugnante molusco. Poco afectado por la mala traza del hallazgo, no piensa más que en lo extraño del animalejo. [ . . . ] Así observaba yo a doña Cándida, con interés de psicólogo. [ . . . ] No sé si en esta crisis de admiración moví la mano con algo 30 de instinto protector hacia mis bolsillos, porque la célebre papada se estremeció anunciando una fuerte emisión de risa. La señora, con bonísimo humor, me dijo:

—Hombre, no seas tonto . . . Pues ¡qué! ¿creías que te iba a pedir dinero? . . . ¡Ay qué gracioso! . . . No, tranquilízate. Que te 35 vuelva el alma al cuerpo. No estamos ahora en ese caso. Es verdad que José María me debe un piquillo. . .

[2] **aquí me llego** here I am, take me [3] **le . . . hereje** looked at him sourly

Al oír que mi hermano le debía un piquillo . . . , vamos, no rompí a reír con gana porque mi espíritu se hallaba en el estado más congojoso del mundo. Pero me hizo tanta gracia, que me reí un poco. Era motivo para alegrar un cementerio o para hacer bailar a un carro fúnebre. 5

—Pues es preciso que le pague a usted . . . no faltaba más.

—Hombre, no; no quiero cuestiones. Ya sabes que tratándose de los de la familia . . . Estoy acostumbrada a sacrificarme . . . No hablemos de eso. Además, no me hace falta por ahora. Sólo en el caso de que ésa siguiera enferma. . . 10

—Creo que esto pasará pronto —dije en voz alta; y para mis adentros—: Ya te siento zumbar, cínife.

—¿Estará buena mañana? ¡Dios lo quiera! ¡Pobre niña! Cuando pasaban dos, tres días y no venías a vernos, la observaba yo tan triste . . . Eso sí, cuando habla de Máximo no acaba. Y a cualquiera se la doy yo.[4] Un hombre como tú, una celebridad . . . , y luego con tus cualidades eminentes . . . Eres el número uno de los hombres. . . 15

—¡Oh! Gracias . . . Que me sonrojo. . .

—Te digo la verdad. Cuando Irene sepa el interés que te has tomado por ella, se va a volver loca, loca en toda la extensión de la palabra. 20

—En toda la extensión de la palabra nada menos . . . Será una cosa atroz. . .

—A buen seguro que si hubieras sido tú el de los obsequios. . . 25

¡Oh! no podía oír más. Le corté la palabra. Una de dos: o ella se callaba o yo le pegaba. Fue preciso conseguir lo primero, y para esto el mejor medio era alejarme de la esfera de acción de su papada y salir al aire libre. ¡Terrible cosa el desear salir y el desear y necesitar volver! Irene me atraía. Calígula me alejaba. 30 En un solo punto estaban mi interés más vivo y mi repugnancia más honda, mi cielo y mi purgatorio . . . Salí pensando en diversas cosas, todas a cual más tristes;[5] pasadas, presentes y futuras. Nunca había sentido en mi cabeza obstrucción semejante. [ . . . ] En este laberinto dominaba una evidencia muy desconsoladora, 35

[4] **a cualquiera . . . yo** I wouldn't just give her to anybody [5] **a cual más tristes** each sadder than the other

en la cual la verdad era luz que alumbraba mi espíritu y llama que me freía los sesos. Por primera vez en mi vida bendije la ilusión, indigna comedia del alma, que nos hace dichosos, y dije: "Bienaventurados los que padecen engaño de los sentidos o ceguera del entendimiento, porque ellos viven consolados. . ."

Aquella evidencia había venido en su momento histórico fatal, cual modificación de anteriores estados del espíritu; yo la veía proceder de mis suspicacias, como viene la espiga del tallo y el tallo de la simiente. Del mismo modo el árbol de la duda suele dar la flor de la certeza. ¡Flor negra, amargo fruto, destinado al maldecido paladar del hombre de estudio! [ . . . ] Naturaleza pródiga ha puesto dificultades y peligros en la averiguación de sus leyes, y de mil modos da a conocer que no le gusta ser investigada por el hombre. Parece que desea la ignorancia, y con ella la felicidad de sus hijos. Pero éstos, es decir, los hombres, se empeñan en saber más de la cuenta; han inventado el progreso, la filosofía, la experimentación, el arte y otros instrumentos malignos, con los cuales se han puesto a roturar el mundo, y de lo que era un cómodo Limbo han hecho un Infierno de inquietudes y disputas . . . Por eso. . .

Iba yo por la calle muy engolfado en estas impuras filosofías pesimistas, impropias de mí, lo confieso, cuando tropecé. [ . . . ] Quedéme parado ante él y él ante mí, sin hablarnos, ambos algo cohibidos. La conmoción del choque había sido en él tan grande como en mí . . . Y de pronto subió a mis labios, del corazón, no sé qué hiel más amarga que la amargura, y la escupí en estas palabras:

—¡Manuel . . . ! ¿Adónde vas por aquí?

Le traspasé con miradas, me sentí dotado de una lucidez sobrehumana, comprendí todo lo que se dice de los taumaturgos y de los seres privilegiados, a quienes un conjunto de hechos y circunstancias da el privilegio de la adivinación. Leí a mi hombre de una ojeada, le leí como si fuera un cartel de los que estaban pegados en la próxima esquina.

Y él, vacilando como todo el que no está diestro en mentir, me contestó:

—Pues . . . precisamente . . . iba a casa de Miquis a consultarle.

—¿Estás enfermo?

—La garganta . . . , siempre la garganta.

—¿Conque la garganta. . . ?

Le agarré un brazo con mi mano, que se me figuraba tenaza, y le dije: 5

—¡Farsa!; tú no ibas a consultar con Miquis. Ésta no es hora de consulta.

—Pero como es amigo. . .

—¡Manuel, Manuel! . . .

Le atravesé de parte a parte otra vez con mis miradas. Des- 10 pués me ha contado que se quedó yerto. Ocurrióme decirle una cosa que le desconcertó sobremanera, y fue esto:

—Bien, yo también soy amigo de Miquis; iremos juntos, te esperaré, y después que consultes, saldremos, porque tengo que hablarte. 15

—No . . . ; pero . . . bueno . . . , en fin, si usted quiere . . . ¿Tanta prisa tiene? . . . Vamos; no, no. . .

## TEMAS

1. Doña Cándida explica la situación.
2. Un encuentro.

## XXXVIII

# ¡Ah!, ¡traidor embustero!

"¡Tú eres, tú, pollo maldito, orador gomoso, niño bonito de todos los demonios; tú eres, tú, el ladrón de mi esperanza; tú, el que pérfidamente me ha tomado la delantera; tú, el que está ya de vuelta cuando yo apenas comienzo a andar! [1] Lo sospechaba, pero
5 no lo creía; ahora lo creo, lo siento, lo veo, y aun me parece que lo dudo. Has tronchado mi dicha, has cerrado mi camino, mozalbete infame, y quiero ahogarte, sí, te ahogo. . . !"

Esto que parece natural, en el estado de mi ánimo, y que encajaba a maravilla en mi desolada situación, debí decirlo sin
10 duda, acomodándome a las conveniencias y tradiciones dramáticas del caso; pero no, no lo dije. Al ver que con su aturdimiento confirmaba Manuel sus mentiras, le traté con el mayor desprecio del mundo, diciéndole:

—No quiero molestarte. Vé solo.

15 Y seguí mi camino. A los pocos pasos le sentí venir detrás de mí, y oí su voz:

—Maestro, maestro. . .

—¿Qué quieres?

[ . . . ]

20 —Me voy con usted . . . Tengo que decirle. . .

Tomóme el brazo con su amable confianza de otros días. Yo no pude menos de exclamar:

[1] **tú . . . andar** you, who are already back when I have just started out; that is, way ahead of me

—¡Hipócrita! . . .

—¿Por qué? . . . —me respondió con frescura—. Hablaremos . . . Yo sé dónde ha estado usted hoy dos veces; primero por la mañana, después por la tarde.

¡Darle a conocer mi despecho, mi confusión, el estado tristísimo en que me había puesto la evidencia adquirida recientemente . . . !, imposible. Era preciso afectar dos cosas: conocimiento completo del asunto y poco interés en él. Como Catón [2] cuando se desgarraba el vientre con las uñas, padecí horriblemente al decirle:

—Eres un calavera, un libertino. Mereces. . .

—Maestro, ha llegado la hora de la franqueza —manifestó él con desenvoltura—. ¿Por quién ha sabido usted esto?

Y con afectada serenidad, ¡Dios sabe lo que me costó afectarla!, le respondí:

—Necio, ¿por quién lo había de saber? Por ella misma.

—¡Ah, ya! . . . Habíamos convenido en revelar a usted nuestro secreto. Disputábamos sobre quién lo haría. Ella: "Díselo tú." Yo: "Tú debes decírselo."

Este tuteo, esta discusión en la intimidad amorosa, me envenenaba la sangre. Tragué mucha saliva para poder replicar:

—Ella ha tenido conmigo una confianza nobilísima, y me ha declarado lo que yo sospechaba ya.

—Lo sospechaba usted . . . Es posible. Sin embargo, maestro, habíamos tomado toda clase de precauciones para que nadie descubriera nuestro secreto. Así es más sabroso. . .

—¡Mala cabeza! . . .

Tuve que violentarme horriblemente para no llenarle de vituperios . . . Ardorosa curiosidad se despertó en mí, y en vez de injurias, dirigíle no sé cuántas interrogaciones . . . ¡Qué fúnebres, qué terribles fuisteis apareciendo ante mí, noticias, antecedentes y detalles de aquel hecho! Con temor os sospeché, con espanto os vi confirmados. Os oí en boca del traidor, [ . . . ] y mi alma se

[2] Marcus Porcius Cato of Utica, 95-46 B.C., great-grandson of Cato the Censor (see p. 105, n. 1), was a man of unbending morals and conscience, defender of liberty against Caesar, and he committed suicide after the death of Pompey and the battle of Thapsus.

cubría de luto. [ . . . ] En estas cosas llegábamos a mi casa, entrábamos, subíamos. ¡Muerte y materialismo! Cuando Manuel me dijo: "Está loca por mí," yo apreté tan fuertemente el pasamano de hierro, que me pareció sentirlo ceder como blanda cera entre 5 mis dedos.

Y en mi cuarto miré a mi discípulo, que se había sentado en mi sillón como esperando que yo le hiciera más preguntas. Le vi como el más odioso, como el más antipático, como el más aborrecible de los seres. ¡Arrojarle de mi casa! . . . No; esto me habría 10 vendido, y yo quería conservar mi máscara de invulnerabilidad . . . Pero sí le arrojaría con buenos modos.

—Manuel —le dije—. Esta noche tengo mucho que hacer . . . Un maldito prólogo para esa traducción de Spencer . . . Tendré que velar . . . Te suplico que no me distraigas, porque si empezamos a 15 charlar se nos iría la noche tontamente.

—¿Va usted a trabajar después de comer?

—Es preciso.

—¿No sale usted?

—No. . .

20 —Pues le dejaré a usted solo . . . Para concluir, amigo Manso, con lo que veníamos diciendo . . . , esto traerá cola, quiero decir que esto no es un pasajero accidente en mi vida; esto no es una aventura; esto es serio, profundamente serio.

—De modo que también tú . . . —le pregunté sintiendo cierto 25 alivio.

Se sujetó la cabeza con ambas manos, apoyando los codos en la mesa, y miró un libro abierto que por casualidad estaba allí.

—También yo —murmuró— estoy loco por ella.

Dio un gran suspiro. La luz iluminaba ampliamente su rostro 30 un tanto pálido y excesivamente abatido.

—Es preciso declararlo todo, querido maestro. Voy a necesitar de sus consejos, de su útil amistad. Esto, que al principio tomé por pasatiempo, ha venido rodando, rodando, a ser la cosa más grave del mundo . . . Tengo la conciencia alborotada y la imagi-35 nación hecha un volcán . . . tengo que hablar de esto con mi madre. . .

—Harás bien. [ . . . ]

—Vea usted . . . maestro . . . Parece mentira cómo se van eslabonando las cosas; cómo paso a paso, de tontería en tontería, se llega a lo que parecía más lejano, más imposible...

No sabiendo qué hacer, me puse a hojear un libro, y después a revolver papeles, haciendo como que buscaba un objeto perdido; y daba manotadas sobre la mesa... 5

—Si me hallo más comprometido de lo que parece, maestro, la culpa la tiene su hermano de usted. Por algo me fue este señor tan antipático desde que usted me presentó en su casa...

—También tú tienes unas cosas... —gruñí, por aquello de que [3] estar completamente mudo no era propio de un buen disimular. 10

Cogí un papel, y como si éste fuera lo que buscaba, me puse a leerlo con fingida atención. Era el prospecto de una zapatería que no sé cómo había ido allí.

—¡Su hermano de usted!... ¡Qué punto! Entre él y la García Grande, doña Cosa Atroz... ¿Usted sabe la que tenían armada los dos...? 15

—Hombre, sí —dije con murmurio, que más debía parecer gemido—. Lo sé..., pero no debemos juzgar así las intenciones.

—¿Cómo que no?...[4] A poco más la sitian por hambre... La suerte que yo... Hace tres noches salí de mi casa decidido a armar el escándalo H...[5] Estaba fuera de mí, querido Manso; deseaba hacer cualquier barbaridad... 20

—¡Drama, violencia!..., la pasión juvenil.

Estas palabras sueltas y sin sentido salían de mí como burbujas de un líquido que hierve. Mi semblante debía parecer una mascarilla de yeso; pero yo me ponía delante el papelucho para que Manuel no me viera. [...] 25

—Aquella noche llevé un revólver... Yo había comprado a Melchora, la criada. Me metí en la casa... Me escondí... Si llega a presentarse su hermano de usted..., le mato... 30

Volví a mirar a Manuel, en cuyo rostro vi la decisión juvenil, el brío del amor y cuanto de poético y romancesco puede encerrar el espíritu del hombre. Parecióme un caballero calderoniano con

[3] **por aquello de que** simply because; for the well-known reason that
[4] **¿Cómo que no?** Why not? Why shouldn't we? We certainly should
[5] **el escándalo H** a big scandal. H is used as an anonymous entity (such as X).

su espada, chambergo y ropilla; y yo a su lado . . . ¡Oh, genios de la ilusión, apartad la vista de mí, la figura más triste y desabrida del mundo!

—Pero mi hermano no fue . . . —dije.

5 —Le esperamos. Todos dormían. La noche estaba hermosísima. Callandito salimos al balcón. ¡Qué noche, qué cielo estrellado! ¡qué silencio en las alturas! . . . , y luego las sombras entrecortadas de las calles, y el roncar de Madrid, soñoliento, enroscándose en su suelo salpicado de luces de gas . . . Maestro, hay mo-
10 mentos en la vida que. . .

Di una vuelta sobre mí mismo, como veleta abofeteada por el viento . . . Inclinéme para recoger un papel que no se había caído. . .

—Hay momentos, maestro . . . Parece mentira que toda la esen-
15 cia de la vida, Dios, la inmortalidad, la belleza, el mundo moral todo entero, la idea pura, la forma acabada, quepan en un solo vaso y se puedan gustar de un sorbo. . .

Se me presentaba ocasión de decir algo humorístico que aliviara mi espíritu. Así lo hice, y de mi amargura brotó esta chanza:

20 —Metafísico estás . . .[6] y poeta de redomilla. . .

Debí reírme como los que suben al patíbulo. Y haciendo como que me picaba horriblemente el cuello, me volví y me hice un ovillo para aplacar con el roce de mis dedos la comezón. Creo que me hice sangre, mientras Manuel decía:

25 —A la mañana siguiente volví. . .

—¿Con revólver?

—Se me olvidó llevarlo . . . La pasión me trastornaba el juicio. Ni peligros ni obstáculos veía yo. . .

Como una máquina de hablar, como el frío metal del teléfono
30 que habla lo que le apunta la electricidad, así dije yo: "Romeo y Julieta," sin saber de dónde me habían venido aquellas palabras, porque mi cerebro se había quedado vacío.

—Estuve hasta la madrugada; todos dormían. Al escaparme, ya cuando aclaraba el día, hice un poco de ruido, y salió doña Cán-
35 dida gritando: "¡Ladrones!"

[6] Cf. the remark of Babieca, the Cid's horse, to Rocinante in the sonnet which appears among the preliminary verses dedicated to Part I of *Don Quixote:* "B. Metafísico estáis./R. Es que no como."

Esto lo oí desde mi alcoba, adonde fui a buscar refugio, huyendo de un vengativo impulso que brotó en mí... Casi rompo a gritar y declaro... ¡Mengua insigne para mí vender un secreto que debe bajar al sepulcro conmigo! Sudé gotas enormes, frías y pesadas como las del Monte Olivete, y en la oscuridad de mi alcoba, donde seguí haciendo el papel de que buscaba algo, me apabullé con mis propias manos, y grité en silencio de agonía: "¡Aniquílate, alma, antes que descubrirte!" Creo que di dos o tres vueltas en la oscura habitación, y transcurrió un espacio de tiempo en el cual no sé a punto fijo lo que hice, porque positivamente perdí la razón y el conocimiento de mí mismo. Recuerdo tan sólo vocablos sueltos, ideas incompletas que me escarbaban la mente, y es probable que dijera: "Ladrones..., doña Cándida..., no encontrar fósforos...," o bien otros disparates por el estilo.

Cuando recobré mi juicio, aparecí en el despacho, miré a Manuel... Petra, mi ama de llaves, entraba en aquel momento...

—Travesuras de gravísimas consecuencias —dije con voz campanuda—. Petra, la comida.

Manuel miró su reloj y yo miré el mío.

—Yo tengo las ocho y veinte; voy adelantado.

—Yo las ocho y siete...; voy atrasado. ¿Quieres comer?

—Gracias. ¿Y qué me aconseja usted?

—La cosa es grave... Hay que pensarlo...

Sentí que me serenaba un tanto. Declaróme él entonces algo que no sé si me fue agradable o penoso en tan crítico momento. Mis ideas estaban trastrocadas, mis sentimientos barajados en desorden; unas y otros aparecían fuera de tiempo. Anarquía loca reinaba en mi espíritu, y mi razón [...] se escondía donde nadie podía encontrarla. Alegréme de ver que Manuel tenía prisa; prometíle que hablaríamos del mismo asunto otro día, y se fue...

## TEMAS

1. Manso no dice todo lo que piensa.
2. Peña confiesa la verdad.

XXXIX

## Quedéme solo delante de mi sopa

Y vi desfilar en ordenado tropel, por delante de mí, los garbanzos redondos con su nariz de pico, y después una olorosa carne estofada, a quien [1] siguieron pasa de Málaga,[2] bollo de no sé dónde y mostillo de no sé qué parte. No puedo, al llegar aquí, ocultar
5 un hecho que me pareció entonces, y aun hoy me lo parece, rarísimo, fenomenal y extraordinario. Bien quisiera yo, al contar que comí, ajustarme a lo que es uso y costumbre en estos casos, es decir, suponerme desganado y con más ánimos para vomitar el corazón que para comerme un garbanzo; pero mi amor a la ver-
10 dad me impone el deber de manifestar que tuve apetito y que comí como todos los días. Fuese porque almorcé poco o por otra causa, lo cierto es que hice honor a los platos. Bien se me alcanza que esto resùlta en contradicción con lo que afirman los autores más graves que han hablado de cosas de amor, y aun los fisiólogos
15 que estudian el paralelismo de las funciones corporales con los fenómenos afectivos. Pero sea lo que quiera, como pasó lo cuento, y saque cada cual las consecuencias que guste. Lo único que revelaba mi trastorno era la distracción con que comí y aquello de no saber lo que entraba por mi boca. De donde deduzco que hay
20 mucho que hablar sobre la parte que toma el espíritu en la digestión. Punto y aparte.[3]

[1] This use of **quien** for things is archaic. [2] **Málaga** is a region of Southern Spain, famous for its grapes. [3] **Punto y aparte** New paragraph; Let's change the subject

En mi despacho pasé luego horas tristísimas y pesadas. No podía hallar consuelo en la lectura, ni ningún autor, por grande que fuera, lograba cautivar mi alma. [ . . . ] Si con esfuerzos de imaginación lograba entretenerla un poco, llevándola engañada a otras esferas, ella se escapaba bonitamente y por misteriosos caminos se volvía a su objeto . . . Avanzaba la noche, y cuando parecía que las energías mismas del dolor se cansaban, entróme aplanamiento de nervios y marasmo mental. Todo era entonces sensaciones fúnebres, ideas de próxima muerte . . . A la madrugada, excitado mi cerebro con la falta de sueño, estas ideas de muerte llegaron a ser en mí verdadera manía con su convicción correspondiente. Antojóseme que iba a amanecer muerto, y me entretenía en considerar la sorpresa que recibirían mis amigos al saber la triste nueva [4] y el duelo que harían las personas que verdaderamente me estimaban. ¡Y yo, tranquilo, observando este duelo y aquella sorpresa desde el ámbito misterioso de la muerte! Figurábame estar absolutamente ausente de todo lo conocido hasta ahora, pero continuando conocedor de mí mismo en una esfera, región o espacio completamente privado de las propiedades generales de la física. ¡Meditación morbosa, fiebre del vacío, yo no sabía lo que era aquello!

Pensaba luego en las frases que emplearían los periódicos para dar cuenta de mi inopinado fallecimiento. [ . . . ] Sobre mi mesa se encontrarían algunas cuartillas del prólogo a Spencer que había empezado a escribir . . . Mis panegiristas llamarían al incompleto escrito *el canto del cisne* . . . Cuando pensaba en esto, cuando pensaba también que se celebraría en mi honor una velada literaria con versos y discursos, me entraban vivas ganas de no morirme, o de resucitar, si es que ya muerto estaba, para que no se dieran lustre a costa mía Sáinz del Bardal y los demás poetillas, oradorzuelos y muñidores de veladas . . . Nada, nada, ¡a vivir!

Con estas cosas me dormí profundamente. ¡Bendito sueño, y cómo reparó mis fuerzas físicas y morales, y cómo templó todo lo que en mí estaba destemplado, y qué equilibrios restableció, y qué frescura y aplomo concedió a mi ser todo! Levantéme algo

[4] **nueva** news

tarde, pero sintiendo en mi cabeza despejo, lucidez y mucha energía moral. Usando una figura de género místico y muy bella, aunque algo gastada por el uso de tantas manos de poetas y teólogos, diré que algún ángel había descendido a mí y consoládome durante mi sueño. Y, no obstante, yo no recordaba haber soñado nada... Si acaso, si acaso, tuve ligerísima sensación de que se celebraban veladas en honor mío.

La energía moral, cierta robustez hercúlea que advertí en mi conciencia, dábanme fuerzas físicas, agilidad, actividad... Fui a clase; tenía deseos de explicar, y subí a mi cátedra con secreta confianza en que lo haría bastante bien. Ideas mil, vigorosas y claras, acudían a mi mente como disputándose la primacía de la verbalización. Bien, bien. Quisiera conservar lo que expliqué aquel día. Me sentí fecundo y con una facilidad de expresión que me causaba asombro.

"El hombre es un microcosmos. Su naturaleza contiene en admirable compendio todo el organismo del Universo en sus variados órdenes...

[...] "A veces se ve palpablemente esto en un acto solo, en uno de esos actos que ocurren diariamente y que por su aparente insignificancia apenas merecen atención...

"Existe alianza perfecta entre la sociedad y la Filosofía. El filósofo actúa constantemente en la sociedad y la Metafísica es el aire moral que respiran los espíritus sin conocerlo, como los pulmones respiran el atmosférico.

"A veces un hecho aislado, corriente, ofrece, bien analizado, un reflejo de la síntesis universal, como cualquier espejillo retrata toda la grandeza del cielo.

"El filósofo actúa en la sociedad de un modo misterioso. Es el maquinista interior y recatado de este gran escenario. Su misión es el trabajo constante en la investigación de la verdad.

"El filósofo descubre la verdad, pero no goza de ella. El Cristo es la imagen augusta y eterna de la Filosofía, que sufre persecución y muere, aunque sólo por tres días, para resucitar luego y seguir consagrada al gobierno del mundo.

"El hombre de pensamiento descubre la verdad; pero quien goza de ella y utiliza sus celestiales dones es el hombre de acción, el hombre de mundo, que vive en las particularidades, en las contingencias y en el ajetreo de los hechos comunes.

"Considerada en su conjunto y unidad, la Filosofía es el triunfo lento o rápido de la razón sobre el mal y la ignorancia.

"Al fin, lo que debe ser es. La razón de las cosas triunfa de todo.

"Desde su oscuro retiro, el sacerdote de la razón, privado de los encantos de la vida y de la juventud, lo gobierna todo con fuerza secreta. Él sabe ceder al hombre de mundo, al frívolo, al perezoso de espíritu las riquezas superficiales y transitorias, y se queda en posesión de lo eterno y profundo. Se halla colocado entre dos esferas igualmente grandes: el mundo exterior y su conciencia.

"La conciencia es creadora, atemperante y reparadora. Si se la compara a un árbol, debe decirse que da flores preciosísimas, cuya fragancia trasciende a todo lo exterior. Sus frutos no son la desabrida poma del egoísmo, sino un rico manjar que se reparte a todo el que tiene hambre.

"Estas flores y frutos suplen en la sociedad la falta de un principio de organización. Porque la sociedad actual sufre el mal del individualismo. No hay síntesis. La total ruina vendría pronto si no existiese el principio reconstructivo y vigilante de la conciencia. . ."

Y tanto hablé, que concluí por sufrir ligero aturdimiento. Observé que algunos chicos bostezaban; pero otros me oían con gran atención. Algunos de estos pedantuelos que todo lo quieren saber en un día, y son harto pegajosos y marean al profesor con preguntillas, me dijeron al salir que no habían entendido bien; a lo que respondí entre bromas y veras que ya lo irían entendiendo a fuerza de cardenales, si eran escogidos, y si no, que muy bien se podían pasar sin entenderlo. Llamaba yo escogidos a los que tienen la piel delicada para apreciar bien los palmetazos, pellizcos y carrilladas que da el próvido maestro de escuela, pues a los señores que tienen sus almas forradas con cuero semejante al del rinoceronte, ni con disciplinas les entra una sola letra.

### TEMAS

1. Reacciones de Manso ante la realidad.
2. Una clase del profesor Manso.

XL

## Mentira, mentira

Dígolo porque ahora trae mi narración cosas tan estupendas, que no las creerá nadie. Y no porque en ellas entre ni un adarme de ingrediente maravilloso, ni tenga el artificio más parte que la necesaria para presentar agradable y bien ataviada la verdad, sino porque ésta [ . . . ] dispuso una serie de acontecimientos aparen- 5 temente contrarios a las propias leyes de ella, de la misma verdad, con lo que padecí nuevas confusiones. Empezó la fiesta [1] por aquello de tener apetito fuera de sazón, contraviniendo todo lo que ordenan la idealidad, la finura en cosas de comer y hasta el buen gusto; después vino lo de volverme yo elocuente en mi cá- 10 tedra; luego pasó una cosa muy rara: doña Javiera se me presentó en mi casa a decirme que había roto toda clase de relaciones con aquel marido provisional y temporero que llamaban Ponce. Era, según ella decía, hombre ordinario, gastador, vicioso. Tiempo hacía que la señora estaba harta de él, y al fin todo acabó. Arrepen- 15 tidísima de aquella larga distracción de mal género, la señora pensaba hacerla olvidar con una vida arregladísima, de intachables apariencias. El porvenir de su hijo, que entraba en el mundo rodeado de esperanzas, así lo exigía. Ya el negocio de carnes había sido traspasado, y tal es la fuerza reparatriz del olvido, que aun 20 la misma doña Javiera no se acordaba de haber pesado chuletas en su vida. El mundo y las relaciones hacían lo mismo.

No hay cosa que tan pronto entre en la historia como un pasado mercantil que al huir ha dejado dinero. Observé en mi amiga

[1] **Empezó la fiesta** The whole thing started

visibles esfuerzos por plegar la boca, hablar bajito, escoger vocablos finos y evitar un dejo demasiado popular. Su vestido respondía bien a este plan de regeneración, que había empezado por tormento de lengua y gimnasia de laringe. Todo ello me parecía muy bien. La señora, sumamente expansiva conmigo, me dijo que parte de su capital había sido empleado en comprar una casa, hermosa finca, allá por los holgados barrios próximos al Retiro. Se reservaba el principal y las cocheras, y alquilaría lo demás. Yo le daría un disgusto si no aceptaba un tercerito muy mono que me destinaba, y que me alquilaría en el mismo precio del de la calle del Espíritu Santo.

—Gracias, muchas gracias . . . , no sé cómo pagar. . .

Algo más tenía que decirme la señora. [ . . . ]

[ . . . ] La señora, sentándose confiadamente en mi sillón, frente al estante coronado de *padrotes,* me manifestó que no tenía límites el agradecimiento que hacia mí sentía por haber abierto en su hijo con mi enseñanza la brillante senda. . .

—Señora . . . , por Dios . . . , yo . . . No hable usted más. . .

Y no parecía sino que cuantos conocían a Manuel se disputaban el enaltecerle y abrirle paso. Ni la misma envidia, con ser tan poderosa, podía nada contra él. Se le disputaban todas las Academias y Corporaciones; era seguro que Manuel sería pronto un orador parlamentario [ . . . ] y al cabo de algunos años ministro. La señora pensaba poner su nueva casa en altísimo pie de elegancia y lujo, porque. . .

—Ya puede usted figurarse, amigo Manso, que mi hijo tendrá que dar tés, y el mejor día se me casa con alguna hija de un título . . . A mí no me gustan oropeles, ni sirvo para hacer el *randibú,*[2] como soy tan llanota . . . ; pero no tendré más remedio que violentarme para que mi hijo no desmerezca.

Todo me parecía muy bien, incluso la persona de doña Javiera, que estaba, como dicen los revisteros de salones hablando de las damas entradas en edad,[3] más hermosa cada día. Allí era cierta la hipérbole. Por doña Javiera parecía que no pasaban los años. [ . . . ]

[2] **randibú** 'rendezvous.' Cf. p. 32, n. 15. [3] **entradas en edad** no longer young; middle-aged

La señora, que no acababa nunca de exponerme sus confianzas, diome el encargo de explorar a Manuel para ver si descubría el motivo de que anduviera tan ensimismado por aquellos días, de que pasara fuera de casa gran parte de la noche, cuando no toda ella, y de sus melancolías, inapetencia y desabrimiento de carácter.

—Por supuesto, a mí no me la da . . .[4] Esto es enamoramiento, o soy tan pava que no entiendo . . . Me han dicho que en la casa de su hermano de usted y en otras donde ha ido mi Manolo, todas las pollas se morían por él, empezando por las hijas de los duques y marqueses. . .

Todavía le quedaba a mi vecina algo que decir; y era que cualquier cosa que se me ofreciese. . .

—No tiene usted más que mandarme un recadito. La verdad es, amigo Manso, que está usted muy mal servido. Esa Petra es buena mujer, pero muy torpe, y no le cabe en la cabeza la casa de un caballero. Usted necesita mejor servicio, [ . . . ] no sé si me explico.

—Señora, mis medios. . .

—Qué medios ni medios . . . Usted merece más; un hombre tan notable, una gloria del país no debe vivir así. . .

Y temiendo sin duda ir demasiado lejos en su delicado y solícito interés por mí, se retiró, después de convidarme a comer para el día siguiente, que era domingo.

Esto que he referido entra en la lista de las cosas que entonces me parecieron tan inverosímiles como mi apetito de la noche anterior; pero aún hubo otro fenómeno más raro, y fue que en casa de José encontré a éste y a Manuela partiendo un piñón. Creeríase, ¡Dios del cielo!, que ni la más ligera nube había empañado nunca el sol de la concordia entre marido y mujer. Ella estaba contenta, él festivo, aunque me pareció observarle receloso y como en expectativa bajo aquel capisayo de jovialidad. A mí me trató con una dulzura que nunca empleara conmigo. Corrió a cerrar una puerta por temor a que con el aire que violentamente entraba me constipase. Aquel día todo era plácemes. El ama se portaba bien. [ . . . ]

[4] **a mí . . . da** he can't fool me

En un momento que estuvimos solos, díjome Lica:

—No sé qué le ha pasado a José María que está hecho un guante conmigo.[5] Todo es "mi mujercita por aquí y por allá." Ahora quiere que hagamos viaje a París. Mira, no me alegro de hacerlo sino por traerte algún regalo. [ . . . ] No sé, no sé; algún buen ángel ha tocado el corazón de José María. ¡Qué complaciente; qué amable! Pero no me fío, y siempre estoy en ascuas cuando le veo tan *cambambero*. . .

Después de tal inverosimilitud, viene la más grande y fenomenal de todas las de aquel día. Ésta sí que es gorda.[6] Estoy seguro que nadie que me lea tendrá tragaderas bastante anchas para ella; pero yo la digo, y protesto de la verdad de su mentira con toda mi energía. Pásmese el que aún tenga fuerzas para pasmarse. El absurdo es que doña Cándida me sacó dinero. ¡Se comprende que su peregrino cacumen hallara trazas y su audacia valor para pedírmelo; pero que yo se lo diera! [ . . . ] Ello fue no sé cómo, una emboscada, un lazo, un secuestro. Las circunstancias hicieron gran parte, mi debilidad lo demás. [ . . . ]

Al retirarme la noche anterior, la noche fatal, prometí volver. No lo hice porque después de las confianzas de Peña me había entrado cierta repugnancia de aquella casa y de sus habitadores. Fui cuando fui por un vivo ímpetu de mi conciencia. Padecí mucho cuando se me presentó Irene, cuya vista renovó en mí las turbaciones pasadas; pero ya entonces tenía yo en mi espíritu fuerza poderosa con que ocultarlas. Ella estaba completamente desmejorada, repuesta ya de la fiebre, pero sufriendo sus efectos, y yo me preguntaba confuso: ¿La debilidad y la pena aumentan su belleza, o la destruyen casi por completo? ¿Está interesantísima, tal como el convencionalismo plástico exige, o completamente despoetizada? [ . . . ] Cuando me saludó su voz temblaba tanto, que casi no entendí lo que me dijo. Vergonzosa y cohibida, se sentó junto a mí y se puso a revolver una cesta de costura mientras yo me informaba de si había subido Miquis y de lo que había prescrito. Doña Cándida caracoleaba junto a los dos ferozmente amable. Con la frescura que tan bien cuadraba contra ella, le dije:

[5] **está . . . conmigo** he is treating me with kid gloves [6] **Ésta . . . gorda** This really is incredible

—Ahora nos hará usted el favor de dejarnos solos. Irene y yo tenemos quc hablar. Estése usted por ahí fuera todo el tiempo que guste; cuanto más, mejor.

—¡Qué cosas tienes! . . . Abur, abur. No queréis estorbos. . .

Y se fue riendo. Irene y yo nos quedamos solos en el gabinetito donde había muchas cosas en desorden. [ . . . ] Miré todo aquello; después, alzando los ojos a la vidriera del balcón, vi un canario en bonita y pintoresca jaula.

—Ése es obsequio especial de don José a mi tía —me dijo Irene, buscando en la conversación corriente un fácil medio de hablar sin turbarse.

—¿Y usted, qué tal se encuentra? —le pregunté, como hacen esas preguntas los médicos.

—Regular . . . ,[7] perfectamente. . .

—¿Cómo entendemos eso? ¡Regular y perfectamente!

—Es bonito este canario . . . , si lo oyera usted cantar. . .

—Como si lo oyera . . . A quien quiero oír cantar es a usted . . . Si usted me hiciera el favor de sentarse en esa butaca y contestarme a dos o tres preguntas. . .

—Ahora mismo, amigo Manso . . . Déjeme usted buscar una cosa que estaba cosiendo para mi tía. [ . . . ] Aguarde usted . . . , aquí tengo ya mi costura.

[7] **Regular** so-so

TEMAS

1. La visita de doña Javiera.
2. José María y Lica felices.

XLI

## La pícara se sentó con la espalda a la luz

Había entornado las maderas del balcón para atenuar la viva luz del día, y de esta manera su rostro estaba en sombra. Todos estos procedimientos denotaban su práctica en el arte del disimulo.

—Vamos a ver: ¿Cuándo vio usted por primera vez a Manuel Peña?

Inclinado el rostro sobre la costura, yo no podía verla bien cuando me contestaba con humilde voz de escolar:

—Una noche, cuando entró usted en el comedor a tomar un refresco. . .

—¿Habló él con usted en aquellos días?

—No, señor . . . Una tarde . . . Yo entraba del paseo con las niñas, él salía, bajaba la escalera . . . No sé cómo tropecé y caí.

—Una tarde . . . Y yo ¿dónde estaba esa tarde?

—Se había quedado usted en el portal hablando con un catedrático amigo suyo.

—Y poco más o menos, ¿cuándo ocurrió eso?

—Antes de Navidad . . . Después le vi otra vez que salía con Ruperto. Él me siguió, empeñándose en hablar conmigo. Me dijo muchas tonterías. Yo iba tan sofocada; no sabía qué hacer . . . Al día siguiente. . .

—Le escribió a usted una carta, que sin duda era larga. Se la mandó a usted con la mulata. [ . . . ] A media noche usted leyó la carta, encerrada en su cuarto. . .

—Es cierto —respondió sin levantar los ojos de su costura—. ¿Cómo lo sabe usted?

—Y otras noches también pasó usted largas horas leyendo cartas de Manuel y contestándolas. Se acostaba usted muy tarde. . .

Tardó mucho la contestación, que fue un humilde "sí, señor." 5

—Y en las noches de gran reunión solían ustedes verse a escape en el pasillo, por algunas partes no bien alumbradas. . .

Con leve sonrisa me contestó afirmativamente. Y vedme ahí convertido en el hombre más bondadoso y paternal del mundo. [ . . . ] Sin saber bien qué razones espirituales me llevaban a des- 10 empeñar este papel, me dejé mover de mi bondad, y le dije:

—Se trata aquí de un buen amigo mío y discípulo a quien quiero mucho; pero no le perdono el secreto que ha guardado de esto. Quizás haya sido usted la más empeñada en rodear de sombras sus amores . . . Es usted muy secretera. Hace tiempo que lo 15 he conocido. No he sido engañado por completo. Yo observaba en usted los síntomas del trastorno, y tenía por seguro que en su vida había algo más de lo que constituye la vida ordinaria, y para prueba de que no me engañó la maestra, voy a ayudarla en su confesión, como hacen los curas viejos con los chicos tímidos que 20 por primera vez van al confesonario. Usted vio a Manuel, que es de los chicos más simpáticos que pueden ofrecerse a la contemplación de una joven apasionada. Ambos se agradaron, se ofrecieron con mutuo placer el regalo de las miradas, se comunicaron después por cartas, y en este comercio epistolar en que se cambia 25 alma por alma, la de usted, que es la de que ahora tratamos, se fue empapando en ese rocío de dulzura ideal que desciende del cielo . . . No dirá usted que no estoy poético. Sigo adelante. Las cartas, algún diálogo corto, y por lo corto [1] más intenso; las miradas furtivas, por lo escasas más fulminantes, iban sosteniendo en 30 ambos la pasión primera, en la cual [ . . . ] todo era ternura, honestidad, nobleza, los fines más puros y legítimos del alma humana . . . Las cualidades de Manuel debían producir en usted efectos de otro orden, porque siendo él un joven de gran porvenir, y que ya ocupa excelente posición en el mundo, usted debía de 35

[1] **por lo corto** because it was so short; because of its brevity

sentir halagado su amor propio, debía de sentir además algún estímulo de ambición... [ ... ]

La vi acercar más la cabeza a la costura, acercarla tanto que casi se iba a meter la aguja por los ojos. [ ... ] Ni una palabra dijo Irene; mas con su silencio yo me envalentonaba, y seguí:

—Todavía su espíritu de usted no había adquirido fijeza; amaba, pero sin llegar a ese afecto exaltado que no admite contradicción y que suele proponerse el dilema de la victoria o la muerte. Pasaban días, y con las cartitas, las miradas y alguna que otra palabreja [2] se alimentaba esa pasión, sin llegar a mayores.[3] Pero había de llegar la crisis, el momento en que usted perdiera la chaveta, como se suele decir, y esa crisis, ese momento vinieron con la velada, aquella famosa noche en que vio usted a su ídolo rodeado de todo el prestigio de su talento, bañado en luz de gloria ... Aquella noche firmó Manuel su pacto con la suerte, abrió de par en par las puertas de su brillante porvenir ... ¡Qué hermosura, Irene, qué dicha infinita suponerse unida para siempre al héroe de aquella fiesta, al orador insigne, al que ha de ser pronto diputado, ministro... !

Esta vez herí tan en lo vivo,[4] que no fue una lágrima, sino un torrente lo que bajó a inundar la metamorfoseada bata.[5] Irene se llevó el pañuelo a los ojos, y con voz de ahogo me dijo:

—Sabe usted ... más que Dios...

—Quedamos en que aquella noche perdió usted la chaveta —añadí bromeando—. Sigamos ahora. Desde aquel momento le entró a mi amiga el desasosiego de un querer ya indomable y abrumador. Su alma aspiraba ya con sed furiosa a la satisfacción del más ardiente anhelo. La persona querida se salía ya de los términos de persona humana para ser criatura sobrenatural. Se interesaban igualmente su corazón de usted, su mente, su fantasía proyectista. Manuel era el ángel de sus sueños, el marido rico y célebre ... [ ... ] Parece que estoy leyendo un libro, y sin em-

[2] **alguna ... palabreja** a little word or two [3] **sin ... mayores** without amounting to very much [4] **herí ... vivo** I hit such a sore point; I hit so close to home [5] **metamorfoseada bata** In a passage missing here Galdós had previously made reference to the many changes undergone by the robe which Irene was mending.

bargo, no hago más que generalizar... Paciencia, y hablaré un momento más. Entonces nació en usted el deseo de salir de la casa de mi hermano... ¿Me equivoco? Usted necesitaba resolver pronto el problema de su destino. Manuel se declararía más amante después de la velada, y probablemente incitaría a su amada a procurarse independencia. Usted se sintió con bríos de actividad. Su instinto de mujer, su corazón, su talento no le permitían un triste papel pasivo. Era preciso dar algunos pasos y alargar la mano para coger los tesoros que ofrecía la Providencia. Pero ahora tenemos una cosa muy singular. ¿Es la Providencia o el Demonio quien, permitiendo la trampa armada por mi hermano, le facilita a usted lo que ardientemente desea, que es salir de la casa, adquirir libertad y comunicarse fácilmente con Manuel? Al fin y al cabo, los dos deben tener cierto agradecimiento a José María, que puso esta casa, y a doña Cándida. [...] Usted vino a la ratonera sin sospechar lo que había en ella; usted también creyó la patraña de que mi cínife había variado de fortuna... Bueno: consigue usted su objeto; se pone al habla con Manuel, que soborna a la criada y se mete aquí. Las sugestiones de mi hermano producen momentánea contrariedad. Para vencerla me llama usted a mí. Intervengo. Quito de en medio el gran estorbo. Manuel, entre bastidores, triunfa en toda la línea. ¿Y ahora qué queda por hacer? Manuel y usted han de decirlo.

Esto último que dije lo dije a gritos, porque el canario empezó a cantar tan fuerte que mi voz apenas se oía. Irene se levantó alterada; no sabía qué hacer... Volvióse al pájaro, le mandó callar, y viendo que no obedecía, me dijo:

—No callará mientras no cierre el balcón.

Y diciéndolo, entornó tanto las maderas, que nos quedamos casi a oscuras. Lo que quería la muy pícara era estar en penumbra para que no se le viera la alteración ruborosa de su semblante... En vez de volver a tomar la costura, que era tan sólo un pretexto para no mirarme de frente, sentóse en una banqueta que en el ángulo de la pieza estaba, y siguió el lloriqueo.

No quise hacerle por el momento más preguntas. Mi procedimiento de confesión interrogatoria y deductiva no podía ser empleado delicadamente en lo que aún restaba por declarar. En realidad, nada quedaba oculto; yo vi tan clara la historia toda, cual si la hubiese leído en un libro. La historia tenía un final triste y embrollado; mejor dicho, no tenía final, y estaba como los pleitos pendientes de sentencia. Ésta podía ser feliz o atrozmente desdichada. ¿Me correspondía intervenir en ella, o, por el contrario, debería yo evadirme lindamente dejando que los criminales se arreglaran como pudieran? . . . ¡Pobre Manso! O yo no entendía nada de penas humanas, o Irene esperaba de mí un salvador y providencial auxilio. Mucho tiempo pasó hasta el momento en que me dijo, sin dejar de llorar:

—Usted lo sabe todo . . . Parece que adivina.

Este descomedido elogio me indujo una observación sobre mí mismo. No quiero guardármela, porque es de mucho interés y quizás explique aparentes contradicciones de mi vida. Yo, que tan torpe había sido en aquel asunto de Irene, cuando ante mí no tenía más que hechos particulares y aislados, acababa de mostrar gran perspicacia escudriñando y apreciando aquellos mismos hechos desde la altura de la generalización. No supe conocer sino por vagas sospechas lo que pasaba entre Irene y mi discípulo, y en cambio, desde que tuve noticia cierta de una sola parte de aquel sucedido, lo vi y comprendí todo hasta en sus últimos detalles, y pude presentar a Irene un cuadro de sus propios sentimientos y aun denunciarle sus propios secretos. Aquella falta de habilidad mundana y esta sobra de destreza generalizadora provienen de la diferencia que hay entre mi razón práctica y mi razón pura; la una incapaz, como facultad de persona alejada del vivir activo, la otra expeditísima como don cultivado en el estudio.

Todo lo que dije a Irene al confesarla, y que tanto la pasmó, fue dicho en teoría, fundándome en conocimientos académicos del espíritu humano. ¡Ella me llamaba adivino, cuando en realidad no mostraba más que memoria y aprovechamiento! ¡Bonito espíritu de adivinación tenía este triste pensador de cosas pensadas antes por otros; este teórico que con sus sutilezas, sus métodos y sus timideces había estado haciendo charadas ideológicas alrededor de su ídolo, mientras el ser verdaderamente humano, desordenado en su espíritu, voluntarioso en sus afectos, desconocedor del método, pero dotado del instinto de los hechos, de corazón valeroso y alientos dramáticos, se iba derecho al objeto y lo acometía! . . . Ved en mí al estratégico de gabinete que en su vida ha olido la pólvora y que se consagra con metódica pachorra a estudiar las paralelas de la plaza que se propone tomar; y ved en Peñita al soldado raso que jamás ha cogido un libro de arte, y mientras el otro calcula, se lanza él espada en mano a la plaza, y la asalta y toma a degüello . . . Esto es de lo más triste. . .

Sacóme de mis reflexiones Irene, que dejó de llorar para obsequiarme con nuevas lisonjas. Helas aquí:

—Usted no tiene precio . . . Es la persona mejor del mundo . . . Manuel le respeta a usted tanto, que para él no hay autoridad como la del amigo Manso . . . Si ahora le dice usted que es de noche se lo creerá. No hace más que lo que usted le mande.

Te veo venir, palomita[6] —pensé sonriendo en mi interior—. Ahora quieres que yo te case . . .[7] Temes, y lo temes con razón, que haya inconvenientes . . . Primero, doña Javiera se opondrá; segundo, el mismo Manuel . . . (estos soldados rasos son así) . . . después de su triunfo y de haber tomado la plaza con tanto brío, no tendrá gran empeño en conservarla. [ . . . ] Veo, Irenita, que no pierdes ripio . . . ¿Conque yo mediador, yo diplomático, yo componedor y casamentero? . . . Es lo que me faltaba.

Díjele esto en espíritu, que es como se dicen ciertas cosas. Y en aquel punto parecióme oír ruido en la puerta que a la sala daba. Otra prueba de mis facultades adivinatorias. Doña Cándida estaba tras las frágiles maderas oyendo lo que decíamos. Para cerciorarme, abrí la puerta. Desconcertada al verse sorprendida, la señora hizo como que limpiaba la puerta con un gran zorro que en la mano traía.

—Hoy sí que no te nos escapas, Máximo —me dijo.

—Pues, qué, señora, ¿me va usted a enjaular?

—No; es que hoy tienes que quedarte a comer con nosotras.

Desde el rincón en que estaba, Irene me hizo señales afirmativas con la cabeza.

—Bueno —respondí.

[6] **Te . . . palomita** I see what you're driving at or what you're after, my little one [7] **casar** used as a transitive verb: I marry you off

—No tendrás las cosas ricas de tu casa . . . Díme: ¿te gustan los pichones? Porque tengo pichones.

—A mí me gusta todo.

—Ayer me han regalado una anguila; ¿te gusta?

5 —¿Qué más anguila que usted?

No; esto también lo dije en espíritu . . . Luego se tocó el bolsillo, donde sonaban muchas llaves. Yo temblé como la espiga en el tallo.

—Tengo que salir a buscar algunas cosas . . . Mira, Irene te
10 hará un pastel que a ti te gusta mucho.

Miré a Irene, que se apretaba la boca con el pañuelo, muerta de risa y con las lágrimas corriendo todavía por sus pálidas mejillas. ¡Pastel de risa y llanto, qué amargo eras!

### TEMA

1. Manso lo adivina todo.

## XLII

# ¡Qué amargo!

—Yo tengo que salir. Melchora vendrá pronto —dijo Calígula entrando—. ¿Pero qué tienes, niña? ¿Por qué lloras? ¿La has reñido, Máximo?... Nada, nada, tonterías. Véte a la cocina y te distraerás. ¿Harás el pastel? Mira, Máximo te ayudará, que de todo entiende... ¿Sabes lo que puedes hacer también? Sacar la vajilla, 5 mantel, servilletas; ahí está todo en el baúl grande. [...] ¿Qué es eso? ¡Ay, Máximo, en diciendo que vienes tú aquí, esta joven filosófica se desconcierta!... Por supuesto, Máximo, que a ti no te gusta el cocido. Te voy a dar de comer a la francesa. ¡Verás qué bien! Una cosa atroz... Oye, Irene, la lumbre está encen- 10 dida. Todo va a ser frito, asado y nada de cazuela ni guisotes. Vamos, que ya quedará acostumbrado el mocito para volver otro día. Abur, abur. Cuidado, Irene, que al volver me lo encuentre todo arreglado.

—¡Qué cosas tiene mi tía! —me dijo Irene cuando nos queda- 15 mos solos—. Le matará a usted de hambre. Aquí no hay nada, ni tenedores... Eso que mi tía llama la vajilla son unos cuantos platos desiguales que aún están en los baúles. ¡El comedor! Falta que haya mesa para los tres. Hasta ahora hemos comido en un veladorcito de hierro que tiene una pata menos y hay que cal- 20 zarlo con una caja de galletas... Se va usted a divertir... Le juro a usted que yo preferiría mil veces comer el rancho de un hospicio a vivir más tiempo con mi tía.

No olvidaré nunca la expresión de horror, de asco, que vi en su semblante.

—Pues usted ha venido aquí por su gusto . . . Vuelvo a mi tema.

—Sí; pero creí venir de paso —me respondió con una decisión
5 que me parecía nueva en ella—. Vine como se va a una estación de ferrocarril para tomar el tren.

Y luego, arrogante, altiva, como no la había visto nunca, revelándome una energía que me pasmó, me dijo:

—Créalo usted, pronto saldré de aquí, o casada o muerta.

10 Me dejó frío. . .

—Pero, en fin, Irene, será preciso que ayudemos a doña Cándida. Si no, es fácil que al levantarnos de la mesa tengamos que ir a comer a una fonda.

Echóse a reír. Hízome seña de que la siguiera. Me enseñó el
15 comedor, que era una pieza digna de estudio. [ . . . ]

—Éste es el museo de mi tía —dijo Irene burlándose—. Ahora, explaye usted sus miradas por esta suntuosa *salle à manger*. Ella dice que es del gusto de la *Renaissance* por esas dos arquitas talladas que tiene ahí y por aquel cuadro de la cacería. [ . . . ] Es
20 moda vieja ésa de sentarse en sillas para comer. Aquí nos sentamos en baúles y cajas, y ponemos la mesa, ¿dónde dirá usted? . . . En días de gran ceremonia, en el veladorcillo que se trae del gabinete; en días comunes, sobre una tabla que se coloca encima de los brazos de aquel sillón. Hoy es día de demasiada suntuosi-
25 dad, y voy a traer la mesa de la cocina. [ . . . ] Esto está montado a la alta escuela,[1] amigo Manso . . . Aprenda usted para cuando se case. . .

Bien comprendía yo el horror de Irene a la casa de su tía, y aquella enérgica frase: “O muerta o . . .” Ella me la quitó de la
30 boca para remacharla así:

—¿Comprende usted ahora lo que le dije hace poco? ¿Vivir así es vivir? . . . Y si yo no me ocupo de salvarme, de abrirme un camino, ¿quién puede hacerlo?

—¡Es verdad, es verdad!

35 —¡Yo he pensado tanto en esto, he cavilado tanto! . . . Difícil

[1] **a la alta escuela** in high style

es abrirse un camino en las circunstancias mías . . . : una pobre chica sola, sin padres, sin guía.

Complacíame mucho verla tan expansiva.

—Ahora, si usted quiere —añadió—, vamos a traer la mesa de la cocina. Amigo, es preciso trabajar. Si no. . . 5

Llevóme a la cocina, que me sorprendió por dos cosas: por su mucha limpieza y porque no veía allí, fuera del caldero que a la lumbre estaba y que despedía rumoroso vapor, ningún síntoma, señal, ni indicio de cosa comestible.

—Eso sí —observó Irene—, hay que hacer justicia a mi tía. Todo 10 el día se lo lleva [2] fregoteando la cocina. A ver, Manso, coja usted por ahí.

—Yo la llevaré solo . . . Si [3] puedo muy bien. . .

—No, no, que quiero hacer ejercicio. Me gusta esto. Obedezca usted . . . , coja por ese lado. 15

Levantamos la mesa, y andando yo hacia atrás, pasito a paso, ella riendo, yo también, llevamos nuestra carga al comedor.

—Bueno . . . Ahora manteles, vajilla . . . Hay que abrir esos baúles . . . Pruebe usted las llaves, pues sólo mi tía entiende bien esto. Todavía no se han vaciado los baúles en que se trajo la mudanza. 20

—Vengan esas llaves . . . , abriremos.

Después de diversas y no fáciles probaturas, abrimos los tres baúles y dimos con aquel en que la loza estaba. Fue preciso para extraerla de lo profundo, sacar antes el *Año Cristiano* [4] en doce tomos, algunas colchas, un bastidor de bordar y no sé qué más. 25

—Vaya, vaya . . . , ya tenemos platos . . . : la sopera . . . ; precisamente es lo que menos se necesita . . . ; pero venga . . . En fin, no está del todo [5] mal. En lo que hay escasez es en el ramo de cubiertos . . . Mi tía y yo, con un par de tenedores nos arreglamos; pero no sé si nuestro convidado . . . ¡Ah! sí, en el otro baúl, allí 30 donde están las escrituras de las fincas que fueron de mi tía, los papeles viejos y documentos, debe haber un juego de cubiertos . . . Y si no, en el museo está una daga que dicen es de Toledo. . .

[2] **lleva = pasa** [3] **Si** Do not translate. [4] See p. 92, n. 1. [5] **del todo** completely; so

Yo no podía contener la risa... Y por fin, la mesa fue puesta, y no quedó mal. El mantel limpio, recién comprado, y alguna cristalería nueva dábanle excelente aspecto.

—Ahora falta lo principal —dijo Irene—. Veremos cómo sale del paso... Será una comedia graciosa, tremenda... Fíjese usted en lo que dirá al entrar... Como si lo oyera...

Fatigada del trabajo, se sentó en una de las dos sillas que yo traje de diferentes regiones de la casa, y apoyó el codo desnudo en la mesa y la sien en el puño, dedicándose a observar las rayas del mantel. Yo, de pie al otro extremo, observaba las de la bata de ella, de color claro, veraniega y tan almidonada, que por dondequiera que iba, la tela tiesa producía vibraciones extrañas y una música que... Dejemos esto.

—¿Le parece a usted, le parece si esta vida, si esta casa son para desear seguir en ella?... ¿No está justificado que yo, por cualquier medio, quiera emanciparme?... Y lo más particular es que así me he criado. Pero es tan distinto mi genio, soy tan contraria a este desorden, a esta miseria, como si hubiera estado toda mi vida en palacios...

—Medios tenía usted de sobra para emanciparse, como joven de mérito. Usted no debía dudar que se emanciparía, sin precipitarse por malos caminos.

—Los caminos, amigo Manso, se nos ponen delante, y hay que seguirlos. No sé si es Dios o quién es el que los abre. Vea usted, le voy a contar...

Y no ya un codo, sino los dos puso sobre la mesa, y vuelta hacia mí, frente a frente, a manera de esfinge, me hizo estas revelaciones que no olvidaré nunca:

—Pues mire usted, cuando yo era chiquita, cuando yo iba a la escuela, ¿sabe usted lo que pensaba y cuáles eran mis ilusiones? ... No sé si esto dependía de ver la aplicación de otras niñas o de lo mucho que quería a mi maestra... Pues bien: mis ilusiones eran instruirme mucho, aprender de todas las cosas, saber lo que saben los hombres..., ¡qué tontería! Y me apliqué tanto que llegué a tomar un barniz... tremendo... La vocación de profesora duróme hasta que salí de la escuela de institutrices. Entonces me pareció que me asomaba a la puerta del mundo y que lo veía todo, y me decía: "¿qué puedo yo hacer aquí con mis sabidurías?..." No, yo no tenía vocación para maestra, aunque otra cosa pareciese. Cuando habló usted con mi tía para que fuera yo a educar a las niñas de don José, acepté con gozo, no porque me gustara el oficio, sino por salir de esta cárcel tremenda, por perder de vista esto y respirar otra atmósfera. Allí descansé; estaba al menos tranquila; pero mi imaginación no descansaba...

¡Error de los errores! ¡Y yo que, juzgándola por su apariencia, la creía dominada por la razón, pobre de fantasía; yo que vi en ella la mujer del Norte, igual, equilibrada, estudiosa, seria, sin caprichos!... Pero atendamos ahora.

—Yo he sido siempre muy metida en mí misma, amigo Manso. Así es que no se me conoce bien lo que pienso. ¡Me gusta tanto estar yo a solas conmigo pensando mis cosas, sin que nadie se me entrometa a averiguar lo que anda por mi cabeza...! En casa de don José yo cumplía bien mis deberes de maestra, yo ganaba bien; pero, ¡ay!, si supiera usted, amigo, lo que padecía para vencer mi tristeza y mi resistencia a enseñar...; ¡qué cargante oficio! ¡Enseñar Gramática y Aritmética! Lidiar con chicos ajenos, aguantar sus pesadeces... Se necesita un heroísmo tremendo, y ese heroísmo yo lo he tenido... Pero estaba llena de esperanza, confiaba en Dios, y me decía: "Aguanta, aguanta un poco más, que Dios te sacará de esto y te llevará adonde debes estar..." [...]

—¡Y qué agradecida estaba yo al interés que usted se tomaba por mí! Pero como yo me guardaba de contarle a usted mis pensamientos, usted no me comprendía bien... Usted veía y admiraba en mí a la maestra, mientras yo aborrecía los libros; no puede usted figurarse lo que los aborrecía y lo que ahora los aborrezco ... Hablo de esas tremendas Gramáticas, Aritméticas y Geografías...

¡Y yo que creía...! ¡Y para esto, santo Dios, nos sirve el estudio! Para equivocarnos en todo lo que es individual y del corazón... Yo la oía y me pasmaba de la magnitud de mis errores. [...] En aquel momento mostrábame agudo, pues con los datos positivos y de verdad que acababa de obtener podía filosofar otra vez a mis anchas, como lo había hecho lucidamente horas antes.

Y la perspicacia que en época anterior me había faltado para comprenderla, la tuve entonces para ver claramente toda la extensión de sus ambiciones burguesas, tan disconformes con el ideal que yo me había forjado. En el fondo de aquellos pruritos de sociabilidad ¡había tanto de común y rutinario!... Irene, tal como entonces se me revelaba, era una persona de esas que llamaríamos de distinción vulgar, una dama de tantas, hecha por el patrón corriente, formada según el modelo de mediocridad en el gusto y hasta en la honradez, que constituye el relleno de la sociedad actual. ¡Cuánto más alto y noble era el tipo mío! La Irene que yo había visto desde la cumbre de mis generalizaciones; aquel tipo que partía de una infancia consagrada a los estudios graves y terminaba en la mujer esencialmente práctica y educadora; aquella Minerva coetánea en que todo era comedimiento, aplomo, verdad, rectitud, razón, orden, higiene...

—Lo que yo aseguro a usted —me dijo—, es que mis deseos han sido siempre los deseos más nobles del mundo. Yo quiero ser feliz como lo son otras... ¿Hay alguien que no desee ser feliz? No... Pues yo he visto a otras que se han casado con jóvenes de mérito y de buena posición. ¿Por qué no he de ser yo lo mismo? Yo se lo he pedido a Dios, Manso. ¡Para que me concediera esto, he rezado tanto a Dios y a la Virgen...!

¡También santurrona!... Era lo que me faltaba ya para el completo desengaño... Horror del estudio; ambición de figurar en la numerosa clase de la aristocracia ordinaria; secreto entusiasmo por cosas triviales; devoción insana que consiste en pedir a Dios carretelas, un hotelito y saneadas rentas; pasión exaltada, debilidad de espíritu y elasticidad de conciencia: he aquí lo que iba saliendo a medida que se descubría; y sobre todas estas imperfecciones descollaba, dominándolas y al mismo tiempo protegiéndolas de la curiosidad, un arte incomparable para el disimulo, arte con el cual supo mi amiga presentárseme con caracteres absolutamente contrarios a los que tenía.

¿Dónde estaba aquel contento de la propia suerte, la serenidad y temple de ánimo, la conciencia pura, el exacto golpe de vista para apreciar las cosas de la vida? ¿Dónde aquel reposo y los maravillosos equilibrios de mujer del Norte que en ella vi, y por cuyas cualidades, así como por otras, se me antojó la más perfecta criatura de cuantas había yo visto sobre la tierra? ¡Ay!, aquellas prendas estaban en mis libros; producto fueron de mi facultad pensadora y sintetizante, [ . . . ] de aquel funesto don de apreciar arquetipos y no personas. ¡Y todo para que el muñeco fabricado por mí se rompiera más tarde en mis propias manos, dejándome en el mayor desconsuelo! . . . No sé adónde habría llegado yo con estas lamentaciones internas si no apareciera doña Cándida cuando menos la esperábamos. . .

—¡Ay! . . . , ¡angelitos! Veo que habéis trabajado bien . . . : la mesa puesta . . . ¡Jesús, qué lujo! ¿Pero es verdad, Máximo, que te quedas a comer? Yo creí . . . Como eres tan raro, nunca has querido sentarte a mi mesa. . .

Irene sofocaba la risa. Yo no sé lo que dije.

—No es que no tenga qué darte. Por si comías con nosotras, he traído aquí. . .

De un pañuelo empezó a sacar varias cosas envueltas en papeles: un trozo de pavo trufado, un pastelón, lengua escarlata, cabeza de jabalí y otros fiambres. [ . . . ]

Un momento después nos asomábamos Irene y yo al balcón. Había que esperar algún tiempo para que la comida estuviese dispuesta, y no sabíamos cómo pasar el rato, porque ni ella ni yo teníamos muchas ganas de hablar.

—Dígame usted, Irene —le pregunté con interés profundo—. ¿Si Manuel tuviese ahora un mal pensamiento y. . . ?

No me dejó concluir. Respondióme con una grandísima descomposición de su semblante que anunciaba dolor y vergüenza, y después me dijo:

—Me mata usted sólo con suponerlo . . . Si Manuel, ¡ay! . . . Me moriría de pena. . .

—¿Y si no se moría usted? . . . Se dan casos. . .

—Me mataría . . . ; tengo fuerzas para matarme y volverme a matar, si no quedaba bien muerta . . . Usted no me conoce. . .

¡Y qué verdad! Pero ya empezaba a conocerla, sí.

Doña Cándida nos desconcertó presentándose de improviso para decirme:

—Tengo una botellita de champagne que me regalaron el año

pasado . . . ¡Verás qué buena! Ya pronto comemos. Melchora ha venido ya, y al momento va a freír la carne y hacer la tortilla.

—¡Tortilla para comer . . . ,[6] tía!

—¿Tú qué sabes, tonta? No me gustan bazofias . . . ; aborrezco las ollas. ¿No eres de mi opinión, Máximo?

—Sí, señora; todo lo que usted quiera. . .

—Dentro de un momento ya podéis venir. ¿Qué hora es?

¡Qué banquete más triste! Faltaban en él las dos cosas que hacen agradable la mesa, es decir, alegría y comida. Nos sirvió primero Melchora una desabrida tortilla, que verdaderamente no sé cómo pude pasarla. Luego vino un plato de carne, escaso y seco, al cual dio doña Cándida el retumbante apodo de *filet à la Maréchale.*

—Es riquísimo, Máximo. Aquí tienes un plato que nadie sabe hacerlo ya en Madrid más que yo . . . ¡Cuando digo que se van perdiendo las tradiciones culinarias!

Irene me hacía guiños, gestos y mohines graciosísimos para burlarse de la comida de su tía y de la menguada mesa, en la cual no aparecieron ni en efigie los pichones y la anguila anunciados.

—Aquí tienes un pavo trufado —declaró Calígula— que lo ha hecho expresamente para mí el señor de Lhardy . . .[7] Luego te daré un platito a la francesa, que te gustará mucho . . . Vamos, destapa la botella de champagne. . .

—Pero, señora, si esto es sidra, y no de la mejor. . .

[ . . . ] Tú entenderás de filosofía; pero no de bebidas.

—Pero qué . . . ¿vamos a comer otra tortilla?

—Es el platito de que te hablé . . . , *haricots à la sauce provençale* . . . Lo hace Melchora a maravilla.

—Si usted me permite una franqueza, señora, le diré que esto me parece una cataplasma . . . ; pero, en fin, se puede pasar. . .

—¡Mal agradecido! . . . Prueba este pastel . . . Irene, ¿no comes?

[6] Irene is shocked at the idea of serving the Spanish omelette because it seems too ordinary a dish for Manso at dinner, especially when her aunt had been putting on such airs of elegance.

[7] One of the elegant restaurants of Madrid, which was founded in the early nineteenth century and is still in existence on the Carrera de San Jerónimo, mentioned earlier. There are many references to it in other works of Galdós, especially in *Episodios Nacionales.*

. . . Así es todos los días; se mantiene del aire como los camaleones.

Y en efecto; Irene apenas comía más que pan y un poco del famoso *filet à la Maréchale*. Considerando su sobriedad, pasé a reflexionar otra vez sobre el tema eterno. 5

[ . . . ] "Eso de la mujer-razón que tanto te entusiasmaba —me dije— ¿no será un necio juego del pensamiento? Hay retruécanos de ideas como los hay de palabras . . . Ponte en el terreno firme de la realidad, y haz un estudio serio de la mujer-mujer . . . Estos que ahora te parecen defectos, ¿no serán las manifestaciones naturales del temperamento, de la edad, del medio ambiente? . . . ¿De dónde sacaste aquel tipo septentrional más frío que el hielo, compuesto no de pasiones, virtudes, debilidades y prendas diferentes, sino de capítulos de libro y de hojas de enciclopedia? [ . . . ] La pasión es propio fruto de la juventud, y el arte de disimular que tanto te espeluzna es una forma de carácter adquirida en el estado de soledad en que ha vivido esta criatura, sin padres, sin apoyo alguno. [ . . . ] Ese disimulo ha sido su gran arma en la lucha por la vida. Se ha defendido del mundo con su reserva. Y esa ambición que tanto te desagrada no es más que un producto del mismo desamparo en que ha vivido. Ha sabido acostumbrarse a deberlo todo a sí misma, y de ahí el prurito de emprenderlo todo por sí misma. Arrastrada por la pasión, ha tenido flaquezas lamentables. Su agudeza y su prudencia han sido vencidas por el temperamento . . . Hay que considerar lo extraordinario de las seducciones con que luchaba. Enamorada, la seducía el galán de sus sueños; pobre, la seducía el joven de posición. ¡Amor satisfecho y miseria remediada! [ . . . ] El espíritu utilitario de la actual sociedad no podía menos de hacer sentir su influjo en ella. [ . . . ]

¡No sé qué más pensé! Levantéme de aquella antipática mesa. [ . . . ] Irene me acompañó a la sala; nos sentamos, pero no nos dijimos nada. Caía la tarde, y nos rodeaban sombras melancólicas. La tristeza de haber estado todo el día sin ver al objeto de su cariño, la tenía muda y tétrica. Y a mí me ponía lo mismo un nuevo trastorno de que fui acometido a consecuencia de lo que arriba dije. Consistía mi nuevo mal en que, al representármela despojada de aquellas perfecciones con que la vistió mi pensamiento, me interesaba mucho más, la quería más, en una palabra, llegando a sentir por ella ferviente idolatría. ¡Contradicción extraña! Perfecta, la quise a la moda petrarquista, con fríos alientos 5 sentimentales que habrían sido capaces de hacerme escribir sonetos. Imperfecta, la adoraba con nuevo y atropellado afecto, más fuerte que yo y que todas mis filosofías.

[ . . . ] ¡Oh, cuánto más valía ser lo que fue Manuel, ser hombre, ser Adán, que lo que yo había sido, el ángel armado con la espada 10 del método defendiendo la puerta del paraíso de la razón! . . . Pero ya era tarde.

Y en aquella oscuridad, a la cual llegaban tímidas luces del crepúsculo y el amarillo resplandor de los faroles públicos, la vi tan soberanamente guapa, que tuve miedo de mí mismo, y me 15 dije: "Urge que yo salga de aquí, no sea que [8] mi sentimiento se sobreponga a mi razón y diga o haga las tonterías de que hasta ahora, a Dios gracias, me he visto libre." [ . . . ] Dije tres o cuatro frases de fórmula [9] y me marché . . . , porque si no me marchaba. . . [ . . . ]

[8] **no sea que** lest [9] **frases de fórmula** conventional phrases

## TEMAS

1. Una comida en casa de doña Cándida.
2. Manso siente una contradicción extraña.

XLIII

## Doña Javiera me acometió con furor

Hízome temblar de espanto, porque su cólera era para mí hasta entonces desconocida, y siempre había yo visto en ella mucho ángel, afabilidad y suma tolerancia. Lo mismo fue [1] entrar yo en la casa, a las seis del domingo, que corrió hacia mí con gesto amenazador, tomóme de un brazo, llevóme a su gabinete, cerró. . . 5

—Pero, señora. . .

Yo no comprendía. [ . . . ] Gesticulaba como actriz de la legua, y respirando con gran fatiga, no acertaba a expresarse sino con monosílabos y entrecortadas cláusulas:

—Estoy . . . volada . . . Me muero, me ahogo . . . Amigo Manso, 10 ¿no sabe usted lo que me pasa? . . . No resisto, me muero . . . ¿No sabe usted? Manuel, ¡qué pillo, qué ingrato hijo!

—Pero, señora. . .

—¿Le parece a usted lo que ha hecho? . . . Es para matarle . . . Pues se quiere casar con una maestra de escuela. 15

Y al decir *maestra de escuela,* alzaba la voz con alarido de agonía, como el que recibe el golpe de gracia. . .

—Alguna pazpuerca muerta de hambre . . . , ¡qué afrenta, Virgen, re-Virgen! [2] . . . Parece mentira, un chico como él, tan listo, de tanto mérito . . . Vamos, esto es cosa de Barrabás . . . , o castigo, 20 castigo de Dios . . . Señor de Manso, ¿no se indigna usted, no salta

[1] **Lo mismo fue** As soon as; No sooner had I [2] **re-Virgen!** emphatic exclamation

bufando? Hombre, usted es de piedra, usted no siente... ¿Pero usted se ha hecho cargo?... ¡Una maestra de escuela!..., de esas que enseñan a los mocosos el *pe a pa*... Si le digo a usted que estoy volada...; a mí me va a dar algo...; no sé cómo no le hice así... y le retorcí el pescuezo cuando me dijo... Ahí tiene usted un hombre perdido...; adiós carrera, adiós porvenir... ¡Jesús, Jesús! Y usted no se sulfura, usted tan tranquilo...

—Señora, vamos a comer. Serénese usted, y después hablaremos.

El criado anunció que la comida estaba dispuesta. Antes de pasar al comedor, mi vecina me dijo del modo más solemne del mundo:

—En el señor de Manso confío. Usted es mi esperanza, mi salvación.

—Yo...

—Nada, nada. Usted es para mi hijo lo que llaman un oráculo. ¿No se dice así?

—Así se dice.

—Pues si usted no le quita de la cabeza esa gansada, perdemos las amistades.

Estaba escrito que todo lo malo y desagradable de aquellos días me pasara al tiempo de comer en mesa ajena. Y la de doña Javiera se parecía bien poco a la de doña Cándida en la riqueza de los manjares y régimen del servicio. [...] La mesa de mi vecina ofrecía variedad de manjares sabrosos y recargados, servidos en vajilla nueva y de relumbrón. [...] Y las consecuencias del berrinche no se conocían ni poco ni mucho en el apetito de la señora de Peña, a quien observé aquel día tan bien dispuesta como los demás del año a no dejarse morir de hambre. Lo poco que habló fue para incitarme a que me atracase, [...] y para reprender a Manuel porque hablaba demasiado alto y a todos nos aturdía. Éste entró cuando ya habíamos tomado la sopa. Venía sumamente jovial. Le conocí que había visto a su víctima; mas no pude suponer dónde ni cómo. Probablemente habría sido en la misma casa caligulense, pues no era difícil para Manuel embaucar a doña Cándida y aun prescindir completamente de ella. Durante toda la comida, doña Javiera no perdía ripio para reñir a su hijo. [...] A mí me atendía y me obsequiaba con cariñosa finura. Cuando me despedí, después de hablar un poco sobre el consabido conflicto, le dije:

—Déjelo de mi cuenta . . . , yo lo arreglaré.

Y ella: "En usted confío. Dios le bendiga por su buena obra . . . Cada vez que lo pienso . . . ¡Una maestra de escuela! [ . . . ] ¡Qué dirá la gente! . . . Será cosa de no poder salir a la calle." 5

Y cuando al salir vi a Manuel que entraba en su cuarto, le indiqué que le esperaba en mi casa. [ . . . ]

## TEMAS

1. Doña Javiera furiosa.
2. ¿Qué favor le pide a Manso, y por qué se lo pide a él?

XLIV

## Mi venganza

Cuando Manuel se presentó ante mí, parece que tenía gran impaciencia por decirme: "¿Ha hablado usted con mamá?"

—Sí, tu mamá está furiosa. No le entra en la cabeza que te cases con Irene; y la verdad es que no le falta razón. Ahora parece que os vais a poner en pie de aristócratas,[1] y te convendría una buena boda. Ya ves que la pobre Irene...

—Es pobre y humilde..., y yo la quiero.

[...]

—Dime con franqueza lo que piensas... Pero no me ocultes nada; la verdad, la verdad pura quiero.

—Déme usted consejos.

—¿Consejos? Venga primero lo que tú sientes, lo que deseas...

—Pues yo, querido maestro, si usted me pregunta lo que siento, le diré con toda franqueza que estoy como fuera de mí de enamorado y de ilusionado; pero si usted me pregunta si he hecho propósito de casarme, le contestaré con la misma sinceridad que no he podido adquirir todavía una idea fija sobre esto. Es una cosa grave. Por todas partes no se oye otra cosa que diatribas contra el matrimonio. Luego, tan jóvenes ambos... Hay que pensarlo y medirlo todo, amigo Manso.

—¿Tienes algún recelo —le dije violentándome para aparecer sereno— de que Irene, esposa tuya, no corresponda a tus ilusiones, a ese tu entusiasmo de hoy?...

[1] **os vais... aristócratas** you're going to live like aristocrats, become aristocrats

—Eso no, no tengo recelo... O porque la quiero mucho y me ciega la pasión, o porque ella es de lo más perfecto que existe, me parece que he de ser feliz con ella...

—Entonces...

—Además, ya ve usted... la posición de mi madre. Usted conoce a Irene, la ha tratado en casa de don José. ¿Qué idea tiene usted de ella?

—La misma que tú.

—¡Es tan buena, tiene tanto talento!... Nada, nada, amigo Manso, yo me embarco con ella.

—¿Crees que no te pesará?

—Me hace usted dudar... Por Dios. Pregunta usted de un modo y da unos flechazos con esos ojos... ¡Qué sé yo si me pesará o no!... Considere usted la época en que vivimos, las mudanzas grandísimas que ocurren en la vida. Las ideas, los sentimientos, las leyes mismas, todo está en revolución. No vivimos en época estable. Los fenómenos sociales, a cual más inesperado y sorprendente, se suceden sin tregua. Diré que la sociedad es un barco. Vienen vientos de donde menos se espera, y se levanta cada ola...

Yo meditaba.

—¡Casarme! ¿Qué me aconseja usted?...

—¿Serás capaz de hacer lo que yo te mande?

—Juro que sí —me dijo con entereza—. No hay nadie en el mundo que tenga sobre mí dominio tan grande como el que tiene mi maestro.

—¿Y si te digo que no te cases?...

—Si me dice usted que no me case —murmuró muy confuso mirando al suelo y poniendo punto a su perplejidad con un suspiro—, también lo haré...

—¿Y si además de decirte que no te cases, te mando que rompas absolutamente con ella y no la veas más?

—Eso ya...

—Pues eso, eso. No te aconsejaré términos medios. No esperes de mí sino determinaciones radicales. De no casarte, rompimiento definitivo. Aconsejar otra cosa sería en mí predicar la ignominia y autorizar el vicio.

—Pero ya ve usted que eso... renunciar, abandonar... Usted no puede inspirarme una villanía.

—Pues cásate.

—Si realmente...

5 —Yo concedo que por circunstancias especiales te resistas a unirte a ella con lazos que duran toda la vida. Yo convengo en que podrías considerar este casorio como un entorpecimiento en tu carrera... Podrías aguardar a que dentro de algún tiempo, cuando tu notoriedad fuera mayor, se te presentara un partido
10 brillantísimo. [...] Eres medianamente rico; pero tu fortuna no es tan considerable que puedas aspirar a satisfacer las exigencias [...] de la vida moderna. [...] Dentro de diez o quince años quizás te consideres pobre, y quién sabe, quién sabe si las posiciones oficiales que ocupes ofrezcan un peligro a tu moralidad.
15 Piénsalo bien, Manuel, mira a lo futuro, y no te dejes arrastrar de un capricho que dura unas cuantas semanas. Ten por seguro que, si te dispensan la edad, entrarás en el Congreso antes de tres meses. Al año, ya tus grandes facultades de orador te habrán proporcionado algunos triunfos. Te lucirás en las comisiones y en
20 los grandes debates políticos. [...] De seguro acaudillarás pronto uno de esos puñados de valientes que son la desesperación del gobierno. Te veo subsecretario a los veintiséis años, y ministro antes de los treinta. Entonces... figúrate: un matrimonio con cualquier rica heredera española o americana remachará tu for-
25 tuna, y... no te quiero decir lo que esto valdrá para ti...

Él me miraba atento y pasmado. Yo, firme en mi propósito, continué así:

—Ahora examinemos el otro término de la cuestión. La pobre Irene... Es una buena chica, un ángel; pero no nos dejemos
30 arrastrar del sentimentalismo. De estos casos de desdicha está lleno el mundo. [...] Supongamos que tú, inspirándote ahora en ideas de positivismo, das por terminada la novela de tus amores, la rematas de golpe y porrazo, como el escritor cansado que no tiene ganas de pensar un desenlace. La víctima llorará, llorará;
35 pero los ríos de lágrimas son los que al fin resisten menos a las grandes sequías. Al dolor más vivo dále un buen verano, y verás ... Todo pasa, y el consuelo es ley del mundo moral. ¿Qué es el

Universo? Una sucesión de endurecimientos, de enfriamientos, de transformaciones que obedecen a la suprema ley del olvido. Pues bien: la joven se oculta, se desmejora; pasa un año, pasan dos, y ya es otra mujer. Está más guapa, tiene más talento y seducciones mayores. ¿Qué sucede? Que ni ella se acuerda de ti, ni tú 5 de ella. Es verdad que su pobreza la impulsaría quizás a la degradación; pero no te importe, que la Providencia vela por los menesterosos, y esa discreta y bonita joven encontrará un hombre honrado y bueno que la ampare, uno de esos solterones que se acomodan a la calladita con los restos del naufragio... 10

—Por vida de las ánimas —gritó Peña con ímpetu, sin dejarme acabar—, que si no le tuviera a usted por el hombre más formal del mundo, creería que está hablando de broma. Es imposible que usted...

Lo que yo decía hubiera sido insigne perfidia, si no fuera tác- 15 tica, que mi discípulo descubrió antes de tiempo. Anticipándose a mi estratagema, me descubría lo que yo quería descubrir. No me quedaba duda de la rectitud de su corazón...

—No siga usted —exclamó levantándose—. Yo me marcho; no quiero oír ciertas cosas... 20

Y yo, entonces, me fui derecho a él, le puse ambas manos sobre los hombros, hícele caer en el asiento. Cada cual quedó en su lugar con estas palabras mías:

—Manuel, esperaba de ti lo que me has manifestado. Al suponer que yo bromeaba, veo que sabes juzgarme. No estaba seguro de 25 tu modo de pensar, y te armé una argumentación capciosa. Ahora me toca a mí hablar con el corazón... ¿Quieres un consejo? Pues allá va... No sé cómo has esperado a pedírmelo, ni sé cómo has creído que fuera de tu conciencia hallarías la norma de conducta ... Para concluir: si no te casas, pierdes mi amistad; tu maestro 30 acabó para ti. Toda la estimación que te tengo será menosprecio, y no me acordaré de ti sino para maldecir el tiempo en que te tuve por amigo...

Me dio un abrazo. En su efusión no dijo más que esto:

### TEMA

1. Táctica de Manso para aconsejar a Peña.

XLV

## "Mi madre..."

—Déjala de mi cuenta... Yo la aplacaré haciéndola ver... Ella no conoce a Irene, no sabe su mérito. Le diré que la memoria de mi madre me impone la obligación de tomar bajo mi amparo a esa pobre huérfana, de cuya familia tiene la mía antiguas deudas 5 de gratitud... Sí, lo declaro: sabedlo tú y tu madre. La maestra de escuela es ahora mi hermana; su desgracia me mueve a darle este título y con él mi protección declarada, que irá hasta donde lo exijan el honor de un hombre y el cerebro de una familia.

Yo me entusiasmaba, y a cada palabra me ocurrían otras más 10 enérgicas.

—Las preocupaciones de tu madre son ridículas. Dejémonos de abolengos, pues si a ellos fuéramos, cuán malparados quedaríais tú, tu madre y todos los Peñas de Candelario.

—Sí —gritó él con entusiasmo—, ¡abajo los abolengos!

15 —Y no hablemos de entorpecimientos en tu carrera... ¡Si te llevas un tesoro; si es tu futura capaz de empujarte hasta donde no podrías llegar quizás con tu talento!... Sí; ¡que tiene ella pocos bríos en gracia de Dios! Manuel, no hagas caso de tu mamá; ten mucha flema. Doña Javiera cederá; déjala de mi cuenta.

20 Lo que después hablamos no tiene importancia. Quedéme solo y entre triste y alegre. Vi que lo que había hecho era bueno, y esto me daba una satisfacción bastante grande para sofocar a ratos mis penas pensando en ellas.

Y aunque doña Javiera subió aquella misma noche a preguntarme el resultado de la conferencia, no quise hablar explícitamente.

—Convencido, señora, convencido —fue lo único que le dije.

Ella insistía que yo estaba mal cuidado en mi habitación de soltero con ama de llaves a manera de presbítero. 5

—Usted no quiere seguir mi consejo, y lo va a pasar mal, amigo Manso . . . Esto no parece la casa de un profesor eminente. ¿Qué le pone de comer esa Petra? Bodrios y fruslerías; alimentos pobres que no dan sustancia al cerebro . . . ¡Si tendré que venir yo todos los días a ponerle de comer! . . . Luego necesita usted una casa 10 mejor. ¡Ah!, señor mío, en la calle de Alfonso XII estaremos bien. Yo me encargo de arreglarle a usted su cuartito y ponérselo como un primor. No, no venga usted dando las gracias . . . Soy muy llanota, y usted se lo merece. No faltaba más. . .

Estas finezas se repitieron dos o tres veces, hasta que un día, 15 sabedora mi vecina de la resolución de su hijo y de mi consejo, se me presentó cual pantera africana, y después de alborotar con retahila de espantables imprecaciones, se me puso delante, gesticuló mucho pasando una y otra vez sus manos muy cerca de mis ojos, y al fin pude entender lo siguiente: 20

—Conque usted . . . Miren el falsillo, el tramposo; en vez de predicar a Manuel para quitarle de la cabeza su barbaridad, le predica para que me traiga a casa la maestra . . . Señor de Manso, es usted un mamarracho.

Y con la confianza que solía tomarme, correspondiendo a las 25 suyas, me atreví a responderle:

—El mamarracho ha sido usted, señora doña Javiera, al suponer que yo podría aconsejar a su hijo cosa contraria a su honor.

—No hable usted así, que estoy volada. . .

—Vuele usted todo lo que quiera, pero en este asunto no me 30 oirá usted hablar de otra manera.

—Pero, señor don Máximo . . . , ¿qué se ha figurado usted, que mi hijo está ahí para que me lo atrape la primera esguízara? . . .

—Poco a poco, señora. Por mucha que sea la nobleza de usted, no logrará hacer pasar por cualquier cosa a mi protegida, porque 35 sepa usted que Irene es mi protegida, hija de un caballero principalísimo que prestó a mi padre grandes servicios. Soy agradecido, y esa señorita huérfana no sufrirá desaires de ningún mocoso mientras yo viva.

—¡Eh!, ¡eh!, aquí tenemos al caballero quijotero... ¿Sabe usted que se va volviendo cargante? Mi hijo...

5 —Vale menos que ella.

—Vale más, más; óigalo usted: más.

Y a cada sílaba alzaba la poderosa voz. Sus gritos me ponían nervioso.

—Bonito servicio me ha hecho usted, [ ... ] amigo Manso.

10 —[ ... ] Los chicos se casarán, y en paz.

—No le doy la licencia —exclamó doña Javiera puesta en jarras.

—Se la dará usted.

Y a pesar del furor de mi amiga y vecina, yo, sereno ante ella, no podía vencer cierta inclinación a tratar humorísticamente
15 aquel grave tema.

—¡Vaya, vaya... con los humos de esta señora!... ¿Es su hijo de usted algún Coburgo Gotha? [1] ...

—No ponga usted motes, caballero. Si somos gotas o no somos gotas,[2] a usted no le importa. Y por lo que valga, sepa usted que
20 de muchas gotitas se compone el mar. No hay orgullo en mi casa, pero sí honradez.

—Pues también la hay en la mía... ¡Vaya, vaya! Cuando se lleva el niño una verdadera joya, una mujer sin igual, un prodigio de talento, de belleza, de virtud... hija de un caballerizo...

25 —¡Hija de un caballerizo!... —repitió la ex carnicera con cierto aturdimiento—, de esos monigotes que van al lado del coche real... brincando sobre la silla... Si digo... Vivir para ver...

—Y el mejor día, sépalo usted, señora de Peña, me voy al Ministerio de Estado, revuelvo el archivo de la Cancillería y le saco a
30 mi protegida un título de baronesa como una casa... Chúpate ésa.

[1] Twin capitals of the duchy of Saxe-Coburg-Gotha in Germany; also the nobility of Saxe-Coburg [2] **gotas** Just as Sancho Panza, when he is told that "governors of isles must at least be grammarians" answers that he can "manage" the *gram*, but he doesn't understand the *marians* (*D. Q.*, II, 3), so doña Javiera, not knowing what a Coburg Gotha is, picks on the familiar word **gota** 'drop.'

—¿De veras, hombre? —dijo ella mezclando a la cólera un grano de risa—. Conque baronesa. . . [ . . . ]

—Sí, señora. . .

—Ella será todo lo baronesa que usted quiera; pero si apuesta a fea, no hay quien la gane. No la he visto más que una vez después que es profesora . . . qué alones, ¡bendito Dios! Es un palo vestido. Cosa más sin gracia no se ha visto. Parece una de esas traviatonas . . . No sé cómo mi niño ha tenido el antojo. . .

—Ha tenido muy buen gusto. La que lo tiene perverso es usted.

—No me gustan las personas sabias . . . ¡Una licenciada!, ¡qué asco! La sabiduría es para los hombres, la sal para las mujeres.

Diciendo esto, parecíame algo desenojada.

—Siga usted, siga usted —me dijo— elogiando a su ahijada. Es de las que destetaron con vinagre . . . Si la veo entrar en mi casa, creo que de un repelón. . .

—No será usted tan fiera . . . La admitirá usted, y al poco tiempo la querrá muchísimo.

—¿De veras . . . ? —exclamó con dejo chulesco.

—Qué le hemos de hacer . . . Por de pronto me hará usted el favor de mandar a su criada que me planche dos camisas. Petra está mala. . .

—¡Ay!, sí, señor —respondió con oficiosa solicitud, levantándose.

—Otro favorcito . . . Aquí tengo mi americana, a la que le faltan botones. . .

—Sí, sí, sí, venga.

Empezó a dar vueltas por la habitación como buscando quehaceres.

—Más favorcitos. Aquí tengo unas camisas que no recibirán mal un cuello nuevo.

—¡Ya lo creo! venga.

—Y aquí me tiene usted hoy, sin saber lo que he de comer. . .

—¡Virgen, no faltaba más! Baje usted . . . , o le mandaré lo que guste. . .

—Bajaré . . . Hoy no me vendría mal que subiera una chica y arreglara un poco esto . . . La pobre Petra. . .

—Subiré yo misma. ¿Qué más?

—Que es preciso dar la licencia a Manuel.

La risa, la complacencia, su deseo anhelante de servirme luchaban con su inexplicable orgullo; pero me hacía gracia oírle decir entre risueña y enojada:

—No me da la gana . . . ¡Pues me gusta! . . . [3]

—Vaya, que sí lo hará usted.

—Me llevo esto.

Recogía mi ropa con diligencia y la examinaba con ojos de mujer hacendosa.

—Subiré en seguida . . . Traeré una de las chicas para que me ayude. ¡Virgen, cómo está esta casa! Pero verá usted, verá usted qué pronto la ponemos como el lucero del alba.

Y desde la puerta me miró de un modo particular.

—Aquello . . . , aquello —le grité.

—Que no me da la gana . . . Usted tiene ganas de oírme. El buen señor es pesadito. . .

[3] **¡Pues me gusta!** Ironically: I like that!

TEMAS

1. Objeciones de doña Javiera al casamiento de su hijo.
2. Táctica de Manso para convencer a doña Javiera.

XLVI

## ¿Se casaron?

¡Pues ya lo creo! ¿No habían de casarse,[1] si esto era la solución lógica y necesaria? Conciencia y naturaleza lo pedían con diversos gritos. Yo tuve empeño particular en conseguirlo. Agradecida a mí debía vivir la tórtola profesora toda su vida, pues sin el pronto auxilio del buenazo de Manso, es seguro que no hubiera podido realizarse el salvamento que se deseaba. Porque indudablemente Manuel Peña estaba indeciso aquella noche que le amonesté, y si era poderosa su pasión, también lo eran sus perplejidades, sus preocupaciones y la influencia que sobre él tenían amigotes casquivanos y su amante mamá. Así, tengo el orgullo de haber resuelto, en sentido del bien y con sólo cuatro palabras apuntadas al corazón, aquel difícil pleito. No me gusta elogiarme, y sigo mi narración . . . Pero como no quiero atropellar los acontecimientos, retrocedo un poco para decir que no habían pasado veinte minutos desde que partió mi vecina diciendo aquello de *pesadito,* etc., cuando sonó la campanilla.

[ . . . ]

Era que la de Peña, ocupada en hacer compras para arreglar su nueva casa, no se decidía en la elección de cosa alguna sin previa consulta conmigo. Yo era para ella el resumen de toda la humana sabiduría en cuanto Dios crió y dejó de criar. Mayormente en cuestiones de gusto, mis caprichos eran leyes.

Bajé. Toda la sala estaba llena de muebles de lujo. [ . . . ]

—¿Qué le parece, señor de Manso? A ver, decida usted. . . [ . . . ]

[1] **¿No . . . casarse** Of course they got married

Sobre todo di mi opinión, y la señora, muy complacida, renunció a comprar algunos objetos de dudoso gusto, a los cuales puse mi veto.

—Si quisiera usted darse una vuelta por la nueva casa, amigo don Máximo . . . —me dijo más tarde—. Porque yo no sé lo que harán los pintores si no hay una persona de gusto que les diga . . . pues . . . [ . . . ] No entiendo estas modas nuevas. Usted me aconsejará. Lo mejor es que se plante usted en la casa y lo dirija todo a su gusto . . . [ . . . ] Mire usted, señor de Manso, se me ocurre una cosa. Esta tarde no tiene usted nada que hacer. ¿Vámonos a la casa nueva? Ahora me van a traer el coche que he comprado. Lo estreno hoy, lo estrenaremos; usted me dirá si es de buen gusto. [ . . . ] ¿Conque vamos allá?

A todo accedí. La señora fue a vestirse. Al poco rato me mandó llamar para que viese una bata que le probaba la modista.

—Me parece muy bien, señora. Le cae a usted [2] que ni. . .

—Que ni pintada. Eso ya lo sabía yo . . . A mí todo me cae bien. ¿No es verdad, Mansito? Todavía doy yo quince y raya a más de cuatro farolonas que van por ahí.

Y al quitarse la bata probada, quedó la señora un poco menos vestida de lo que es uso y costumbre, sobre todo delante de caballeros extraños.

—¡Eh!, no se vaya usted, hombre; confianza, confianza. Ya saben todos que no soy gazmoña. ¿Qué se me ve? Nada. Ya estaba usted enterado de que por mis barrios. . .

Al decir *por mis barrios,* se pasaba suavemente las manos por los hermosos, blancos y redondos hombros. Y continuó la frase así:

— . . . no se usan almacenes de huesos . . . Eso se deja para ciertas sílfides que yo me sé . . . ¡Qué alones! En fin, no quiero enfadarme.

Vistióse prontamente.

—Lo que es sombrero —me dijo mirándome como si se mirara al espejo—, no pienso ponérmelo. Mi cara no pide teja . . . ¿no es verdad? . . . Venga la mantilla, Andrea . . . Dáte prisa, mujer, que está el señor catedrático esperando.

[2] **Le cae a usted** It fits you

Decidido a complacerla, la acompañé, estrenando coche y dándonos mucho tono por aquellas calles de Dios. Yo me reía y ella también. Por el camino, la conversación ofrecióme oportunidad para decirle algo de la famosa licencia, y al oírme se enfadó, aunque no tanto como antes, alzando demasiado la voz. 5

—Vamos, que me está usted buscando el genio . . . Pues le tengo fuertecito. Si vuelvo a oír hablar de la maestra . . . ¿A que mando parar el coche y le pongo a usted en medio del arroyo? . . .

En la casa vi horrores. Había puertas pintadas de azul, techos por donde corrían ciervos, angelitos dorados en los zócalos, vidrios de colores por todas partes, y otras mil herejías. Para la extirpación general de ellas habría sido preciso un gran auto de fe. Era tarde ya, y sólo pude disponer algo que remendara y corrigiera el daño, pero sin dejar de hacer a mi vecina cumplidos elogios del decorado de su suntuosa vivienda. 10 15

También estuvimos a ver la que me destinaba, que me pareció muy bonita. Doña Javiera hizo la distribución previa, anticipándose a mis gustos y deseos.

—Aquí el despacho; la librería en este testero; allí la cama del señor de Manso, bien resguardada del aire y lejos del ruido de la escalera; acá el lavabo. Voy a ponerle tubería con grifo para más comodidad. [ . . . ] 20

En verdad, yo estaba profundamente agradecido a mi cariñosa y providente vecina. No pude menos de manifestárselo así . . . Pero en cuanto tocaba, aunque de soslayo, la temida cuestión, ya estaba la señora hecha un basilisco. No obstante, al día siguiente encontréla más amansada. Ya no decía *la maestra de escuela,* sino *esa pobre joven* . . . Por la tarde, cuando la señora y sus criadas estaban arreglando mi cuarto, volví a la carga; y me dijo sin irritarse: 25 30

—Es usted más sobón . . . Lo que usted no consiga con su machaca, machaca, no lo consigue nadie . . . Pero no, no me dejo engatusar . . . No hablemos más de ello. [ . . . ]

—Pero, señora. . .

—Callarse la boca. Si me enfado, cojo el zorro . . . y por la puerta se va a la calle. 35

Me amenazaba con echarme de mi propia casa. Y parecía que

había tomado posesión de ella, mirándola como suya, y disponiendo de todo a su antojo. [ . . . ] Nunca había visto en derredor mío tanto arreglo y limpieza. Daba gusto ver mi ropa y mis modestos ajuares. En varias partes de la casa, sobre la chimenea
5 y en mi lavabo, sorprendí algunos objetos de lujo y de utilidad que no me pertenecían. La señora de Peña los había subido de su casa, obsequiándome discretamente con ellos.

A medida que su amabilidad me proporcionaba nuevas ocasiones de complacerla, disminuían sus *voladuras* con motivo de
10 la licencia, y al fin tuve tal maña para agradarla y complacerla, ora dándole dictamen sobre sus aprestos de lujo, ora dejándome cuidar y atender, que una tarde me dijo:

—Para no oírle más, Mansito . . . , que se casen . . . Lo que usted no consiga de mí . . . Tiene usted la sombra de Dios para proteger
15 niñas.

### TEMAS

1. Doña Javiera consulta a Manso.
2. La nueva casa de doña Javiera.

XLVII

# No me dejaba a sol ni sombra [1]

Bendiciones mil a mi cariñosa vecina, que sin duda se había propuesto hacerme agradable la vida y reconciliarme con lo humano. ¡Ley de las compensaciones, te desconocerán los que arrastran una vida árida en las estepas del estudio; pero los que una vez entraron en las frescas vegas de la realidad . . . ! Abajo las metafísicas, y sigamos. 5

Fatigadillo estaba yo una mañana, cuando . . . tilín. Era Ruperto, que me pareció más negro que la misma usura.

—Mi ama que vaya luego. . .

—Ya me cayó qué hacer. ¿Qué ocurre? Voy al instante. 10

Hallé a Lica muy alarmada porque en el largo espacio de tres días no había ido yo a su casa. En verdad era caso extraño; me disculpé con mis quehaceres, y ella me puso de [2] ingrato y descastado. [ . . . ]

—Pues verás para lo que te he llamado, chinito. Es preciso que acompañes a don Pedro. . . 15

—¿Y quién es don Pedro?

—¡Ay, qué fresco! Es el padre de Robustiana, ese señor tan bueno . . . Es preciso que le busques papeleta para ver la Historia Natural. 20

—¡Qué más Historia Natural que él y toda su familia!

—No seas sencillo. Es un buen sujeto. Acompáñale a ver Ma-

[1] **No . . . sombra** She kept at me day and night; She never let me be
[2] **me puso de** she called me; she treated me as

drid, pues el buen señor no ha visto nada. A uno de los chicos hay que colocarlo...

—A todos los colocaremos ... en medio de la calle.

—¡Chinchoso! El ama es muy buena. Máximo, buena mano tu-
5 viste ... ¡Si no hay otro como tú! ...

—¿Y José María?

—¿Ése? Otra vez en lo mismo. Ya no se le ve por aquí. Parece que lo del marquesado está ya hecho.

—Saludo a la *señá* marquesa.

10 —A mí ... esas cosas...

No obstante su modestia y bondad, lo de la corona le gustaba. La humanidad es como la han hecho, o como se ha hecho ella misma. No hay nada que la tuerza.

—Yo quiero mi tranquilidad —añadió—. José María está cada
15 vez más *relambido* ... ; pero con unas ausencias, chinito ... Ya se acabó lo de la Comisión de melazas, y ahora entra lo de la Comisión de mascabados.

A poco [3] vimos aparecer a mi hermano, y lo primero que me dijo, de muy mal talante, fue esto:

20 —Mira, Máximo, tú que has traído aquí esa tribu salvaje, a ver cómo nos libras de ella. Esto es la langosta, la filoxera; no sé ya qué hacer. Me vuelven loco. [ ... ] Encárgate tú, que los trajiste, de sacudir de aquí esta plaga.

—Los pobres —murmuró Lica—, son tan buenos...

25 —Pues ponerlos en la calle —indiqué yo.

—¡No, no, que se le retira la leche! —exclamó con espanto Manuela—. Habla bajo, por Dios ... Pueden oír...

Hablando bajito, quise dar una noticia de sensación, y anuncié la boda de Manuel Peña. Manuela se persignó diferentes veces.
30 Mi hermano, atrozmente inmutado, no dijo más que:

—Ya lo sabía.

Disimulaba medianamente su ira tomando un periódico, dejándolo, encendiendo cigarrillos. Después, como al ir a su despacho tropezara en el pasillo con el célebre don Pedro, que, sombrero
35 en mano, le pedía no sé qué gollería, montó en súbita cólera, sin poder contenerse...

[3] **A poco** Shortly

—Oiga usted, don espantajo, ¿cree usted que estoy yo aquí para aguantar sus necedades? A la calle todo el mundo; váyase usted al momento de mi casa, y llévese toda su recua...

¡Dios mío la que se armó! [4] El titulado don Pedro o tío Pedro, pues sólo mi cuñada le daba el *don,* dijo que a él no le faltaba nadie; su digna esposa se atrevió a sostener que ella era tan señora como la señora; los chicos salieron escapados por la escalera abajo, y Robustiana empezó a llorar a lágrima viva.[5] Muerta de miedo estaba Lica, que casi de rodillas me pidió que pusiera paz en aquella gente, y librara a mi ahijado de un nuevo y grandísimo peligro. En tanto, sentíamos a José María dando patadas en su cuarto, en compañía de Sáinz del Bardal, a quien llamaba idiota por no sé qué descuido en la redacción de una carta.

"Al fin se le hace justicia" —pensé, y no tuve más remedio que amansar a don Pedro y a su mujer, diciéndoles mil cosas blandas y corteses, y llevándoles aquella misma tarde a ver la Historia Natural. A los chicos tuve que comprarles botas, sombreros, petacas y bollos. Lica hizo un buen regalo a la madre del ama. Yo llevé al café por la noche al hotentote del papá; y por fin, al día siguiente, con obsequios y mercedes sinnúmero, buenas palabras y mi promesa formal de conseguir la cartería y estanco del pueblo para el hijo mayor, logramos empaquetarlos en el tren, pagándoles el viaje y dándoles opulenta merienda para el camino.

¡Cuándo acabarían mis dolorosos esfuerzos en pro de los demás!

"Esto es una cosa atroz —dije para mí, parodiando a doña Cándida—. Bienaventurado el que enciende una vela a la caridad y otra al egoísmo."

[4] **¡Dios mío . . . armó!** Heavens, what a to-do there was! [5] **llorar . . . viva** shed bitter tears

TEMA

1. Nueva crisis en casa de José María.

XLVIII

# La boda se celebró

Era un martes . . . Como me agrada poco hablar de esto, lo dejaré por ahora. Algo hay, anterior al acto de la boda, que no merece el olvido. Por ejemplo: doña Cándida, enterada de los proyectos de Manuel por éste mismo, vio los cielos abiertos, y en ellos un delicioso porvenir de parasitismo en casa de los Peñas. Con todo, no podía contravenir mi cínife la ley de su carácter, que exigía farsas extraordinarias en aquella ocasión culminante, y así había que verla y oírla el día en que fue a casa de Lica "a desahogar su pena, a buscar consuelos en el seno de la amistad. . .".

Porque la sola idea de que iba a vivir separada de la inocente criatura la llenaba de congoja. ¿Qué sería de ella ya, a su edad, privada de la dulce compañía de su queridísima sobrina . . . única persona que de los García Grande quedaba ya en el mundo? Pero el Señor sabía lo que se hacía al quitarle aquel gusto, aquel apoyo moral . . . Nacemos para padecer, y padeciendo morimos . . . Por supuesto, ella sabía dominar su pena y aun atenuarla, considerando la buena suerte de la chica. ¡Oh! sí, lo principal era que la Irene se casara bien, aunque su tía se muriera de dolor al perder su compañía . . . ¡Y que no lloraría poco la pobre niña [1] al separarse de ella para irse a vivir con un hombre! . . . Era tan tímida, tan apocadita . . . Una cosa no le gustaba a mi cínife, y era el origen poco hidalgo de Peña. Reconocía las buenas prendas de

[1] **¡Y que . . . niña** And you can bet the poor girl would cry a lot

Manuel, su talento, su brillante porvenir; pero, ¡ay!, la carne, la carne... Irene se casaba con uno de los tres enemigos del alma. No se puede una acostumbrar a ciertas cosas, por más que hablen de las luces del siglo, de la igualdad y de la aristocracia del talento... En fin, era una cosa atroz, y la señora, que por bondad 5 y tolerancia trataría a Manuel como a un hijo, estaba resuelta a no tragar a doña Javiera, porque realmente hay cosas que están por encima de las fuerzas humanas... Ella transigía con el chico; pero con la mamá..., ¡imposible! [...]

Por lo demás, excusado es decir [2] que todo cuanto la señora de 10 García Grande tenía era para su sobrina. Hasta las preciosidades y objetos raros y artísticos, que conservaba como recuerdo de la familia, pensaba cedérselos... ¿Para qué quería ella nada ya?... [...] Y el sobrante de sus rentas... también para ellos. ¡Válganos Dios!, su sobrina necesitaría de ella más que ella de su so- 15 brina. [...]

Oyendo esto Lica se puso triste, y *la niña Chucha* se secó una lágrima. Quedóse a almorzar doña Cándida, y desde aquel día reanudó la serie de sus visitas diarias a la casa, entrando en una era de parasitismo, que no acabará ya sino con la funesta exis- 20 tencia de aquel monstruo de los enredos y cocodrilo de las bolsas.

Yo me había propuesto no ver más a Irene, porque no viéndola estaba más tranquilo; pero un día se empeñó Manuel en llevarme allá, y no pude evitarlo. La que fue maestra de niños y después lo había sido mía en ciertas cosas, se alegró mucho de verme, y 25 no lo disimulaba. Pero su gozo era del orden de los sentimientos fraternales, y no podía ser sospechoso al joven Peñita, que, a su modo, también participaba de él. Hablamos largo rato de diversas cosas: ella me mostraba la variedad y extensión de sus imperfecciones, encendiendo más en mí, al apreciar cada defecto, el vivo 30 desconsuelo que llenaba mi alma... [...]

Un gran escozor sentía yo en mí desde el famoso descubrimiento; sospechaba y temía que Irene, dotada indudablemente de mucha perspicacia, conociese el apasionamiento y desvarío que tuve por ella en secreto, con lo cual y con mi desaire, recibido en 35 la sombra, debía estar yo a sus ojos en la situación más ridícula

[2] **excusado es decir** it is needless to say

del mundo. Esto me acongojaba, me ponía nervioso. A ratos me decía:

"¿Qué haré yo para quitarle de la cabeza esa idea? Y de que tiene tal idea no me queda duda . . . [ . . . ] Y si lo comprendió, ¡cómo se reirá del pobre Manso, cómo se reirán los dos en la intimidad de sus soledades deliciosas! Si me fuese posible arrancarle ese pensamiento, o al menos sembrar en su mente otros que, al crecer, lo ahogaran y comprimieran."

Y ella, cuando hablaba conmigo, bondadosa hasta no más,[3] me miraba con ojos que a mí me parecían llegar hasta lo más lejano y escondido de mi ser. Luego tenían sus labios una sonrisita irónica que confirmaba mi temor y me inquietaba más. Cuando me miraba de aquel modo, yo creía oírla hablar así en su interior:

"Te leo, Manso; te leo como si fueras un libro escrito en la más clara de las lenguas. Y así como te leo ahora, te leí cuando me hacías el amor a estilo filosófico, pobre hombre. . .".

Pensar esto, y sentir que subía toda la sangre a mi cerebro, era todo uno. Buscaba coyuntura de destruir, aunque fuera con sofismas, la *tremenda* idea de mi amiga, y al fin . . . No sé cómo vino rodando la conversación. Creo que Peñita dijo que yo debía casarme. Ella lo apoyó. Vi el único cabello de una feliz ocasión; me agarré a él.

—¡Casarme yo! . . . No he pensado nunca tal cosa . . . Los que nos consagramos al estudio vamos adquiriendo desde la niñez el endurecimiento . . . Quiero decir que nos encontramos curas sin sospecharlo . . . La rutina del celibato acaba por crear un estado permanente de indiferencia hacia todo lo que no sea los goces calmosos de la amistad.

Poco seguro de la idea, yo no podía encontrar bien tampoco las frases.

—Porque . . . llegamos a no conocer otro sentimiento que el de la amistad . . . Es que el estudio toma para sí todas las fuerzas afectivas, y nos apasionamos de una teoría, de un problema . . . La mujer pasa a nuestro lado como un problema que pertenece a otro mundo, a otra rama del saber, y que no nos interesa. He intentado a veces cambiar la constitución de mi espíritu, incitán-

[3] **hasta no más** to the utmost

dole a beber en los manantiales de donde para otros afluyen tantas corrientes de vida, y no he podido conseguirlo . . . Ni quiero ni me hace falta. Me considero en la falange del sacerdocio eterno y humano. También el celibato es humano, y ha servido en todos los siglos para demostrar la excelencia del espíritu. 5

¿Conseguí algo con estas paparruchas? Buscando mayor efecto, hablé con Irene del tiempo en que ella daba lecciones a mis sobrinitas y del cariño paternal que me había inspirado. Ya se ve . . . , la semejanza de nuestras profesiones, el compañerismo . . . Nada, nada, no pasaba. 10

Yo la veía mirarme, y podía jurar que decía para sí:

"No cuela, Mansito; no cuela. Conste que perdiste la chaveta como el último de los estudiantes, y ahora, ni con toda la filosofía del mundo me has de hacer creer otra cosa. Las maestras de escuela sabemos más que los metafísicos, y éstos no engañan ya a 15 nadie más que a sí mismos."

### TEMAS

1. Reacción de doña Cándida al casamiento de su sobrina.
2. A Manso le atormenta una sospecha.

## XLIX

# Aquel día me puse malo

¡Qué casualidad!... Me refiero al día de la boda. Yo no quise ir... Convengamos en que me entró un fuerte pasmo que me retuvo en cama. Llovía mucho. [ ... ] Por doña Javiera, que subió a verme, cuando concluyó todo, supe que no había ocurrido nada
5 de particular, más que la obligada ceremonia, los latines, la curiosidad de los concurrentes, el almuerzo en la casa nueva y la partida de los dichosos para no sé dónde... Creo que para Biarritz, o para Burgos, o Burdeos. Ello era cosa que empezaba con B. [ ... ] Me levanté en seguida, completamente restablecido, con
10 asombro de doña Javiera, que me notificó su resolución de vivir desde el siguiente día en la nueva casa. Hablamos de Irene, y mi vecina me confesó que empezaba a serle agradable, que yo tenía quizás razón al elogiarla, y que, si su hijo era feliz, poco le importaba lo demás. Contóme que a Manolo le miraban todas las chicas
15 con envidia... ¡Vanidad materna que no hacía daño a nadie! Después de almorzar se habían ido los dos solos a la estación, en su coche, tan bien agasajaditos, entre pieles... ¡Manolo estaba tan guapo... ! Valía infinitamente más que ella. *Manolo daba la hora.*[1] La pícara maestra debía tener más talento que Merlín,
20 porque había sabido pescar al muchacho más bonito y de más mérito de todas las Españas.

¡Virgen, y cuánto lloró doña Cándida!... Mi hermano José también había cogido un pasmo aquel día y no pudo ir. Estaba la

[1] **Manolo ... hora** Manolo set the pace

*señá* marquesa, Lica por otro nombre, con su mamá y hermana, y además otras muchas personas notables. [ . . . ]

No recuerdo cuánto más charló su expedita, incansable lengua. Para consolarse de su soledad, empezó a disponer la mudanza desde aquel día. Aprovechando dos que estuve de expedición en Toledo con varios amigos, la misma doña Javiera hizo la mudanza de todos mis muebles, libros y demás enseres, con tanta diligencia y esmero, que al volver encontré realizada la instalación y ocupé sin molestia de ningún género mi nueva vivienda. En realidad, yo no tenía con qué pagar tantos beneficios y aquella creciente adhesión, que parecía salirse ya de los comunes términos de la amistad. Y como, por desgracia, mi antigua sirvienta seguía paralizada de una pierna y de la otra no muy sana, mi casa continuaba en manos de la señora de Peña, que a todo atendía con extremada solicitud, dando motivo a murmuraciones de maliciosos amigos y vecinos. Yo me reía de estas picardihuelas, y un día hablé francamente de ellas.

—Déjeles usted que hablen —me dijo con menos desparpajo del que solía tener, antes bien algo turbada—. Riámonos del mundo. A usted no le hacen los honores que merece, ni le aprecian en lo que vale . . . Pues a mí me da la gana de hacerlo y de traer a mi señor don Máximo a qué quieres boca.[2] Es justicia, nada más que justicia, y estoy por decir que es indemnización . . . ; ¿se dice así? Estas palabras finas me ponen siempre en cuidado por temor de soltar una barbaridad. . .

Lo que mi vecina me dijo me afectó mucho, hízome pensar y sentir, y ha quedado por siempre grabado en mi memoria. ¿Provenía su afecto de esa admiración secreta, inexplicable, que suele despertar en la gente ordinaria el hombre dedicado al estudio? [ . . . ] Doña Javiera había puesto en circulación un extraño apotegma: *La sabiduría es la sal de los hombres.* Cualquiera que fuese el sentido de tal dicharacho, yo atribuía los obsequios de la vecina a su temperamento un tanto acalorado, a su sensibilidad caprichosa, que tomaba vigor de la renovación de los afectos. Por eso me decía yo: "Le pasará esto, y llegará día en que no se acuerde de mí." Pero no pasaba, no; por el contrario, la veía yo

[2] **traer . . . boca** satisfying my master Máximo's every wish

buscando la intimidad, y apropiándose cada vez mayor parte de todo lo mío, principalmente en los órdenes moral y doméstico, que son la llave de la familiaridad. Y acostumbrado a su blanda compañía, a su diligente cooperación en todo lo más importante 5 de mi vida, llegué a considerar que si me faltaba la amistad fervorosa de mi vecina, había de echarla muy de menos. Por eso, insensiblemente arrastrado, me dejaba llevar por la pendiente, sin ocuparme de calcular adónde llegaría.

No quiero dejar de contar ahora el regreso de Manuel y su 10 esposa, después de haberse divertido de lo lindo [3] en su excursión de amor. Según me dijo doña Javiera, no se les podía aguantar de [4] empalagosos y amartelados. Tanto se habían hartado de la famosa miel. En consecuencia yo deseaba que les durara aquel dulce estado todo lo más posible. Irene me pareció más guapa, 15 más gruesa, de buen color y excelente salud. Doña Javiera, que todo lo confiaba, me dijo un día:

—Parece que hay nietos por la costa.[5] En cuanto yo vea que los menudea, pongo casa aparte. No quiero hospicios en la mía.

Irene me trataba siempre con la consideración más fina. Aun-20 que nada debía sorprenderme, yo me admiraba de verla tan conforme al tipo de la muchedumbre, de verla cada vez más distinta, ¡Dios mío!, del ideal . . . [ . . . ] Para que nada faltase, un domingo por la tarde la vi graciosamente ataviada de negra mantilla, peina y claveles. Iba a los toros, y preguntándole yo si se divertía en esa 25 fiesta salvaje,[6] me contestó que le había tomado afición y que, si no fuera por el triste espectáculo de los caballos heridos, se entusiasmaría en la plaza como en ninguna parte. . .

Sentencia final: era como todas. Los tiempos, la raza, el ambiente no se desmentían en ella. Como si lo viera . . . : desde que 30 se casó no había vuelto a coger un libro.

Pero hagámosle justicia. En su casa desplegaba la que fue maestra cualidades eminentes. No sólo había introducido en la mansión de los Peñas un gusto desconocido, teniendo que sostener

[3] **de lo lindo** magnificently [4] **de** because they were so; for being so
[5] **nietos . . . costa** grandchildren on the way. Based on **moros por la costa** 'niggers in the woodpile,' 'trouble coming,' 'strangers roaming around.'
[6] On various occasions Galdós refers to bullfighting with disdain, a typical attitude of intellectuals toward such a 'barbaric' sport; cf. pp. 54-5.

más de una controversia con su suegra, sino que también supo mostrarse altamente dotada como señora de gobierno. Con esto y su tacto exquisito, unas veces cediendo, otras resistiendo, supo conquistar poco a poco el afecto de su mamá política. Tenía, sin género de duda, grandes dotes de manejo social y arte maravilloso de tratar a las personas. Manuel empezó a recibir en su salón, por las noches, a varias personas de viso y a otras que aspiraban a tenerlo.

Cómo trataba Irene a los distintos personajes; cómo atraía a los de importancia; cómo embaucaba a los necios; cómo sacaba partido de todo en provecho de su marido, era cosa que maravillaba. Yo veía esto con pasmo, y doña Javiera estaba asustada.

—Es de la piel del diablo —me dijo un día—; sabe más que usted.

¡Verdad más grande que un templo y que todos los templos del mundo! Lo más gracioso es que doña Javiera, que siempre había dominado a cuantos con ella vivían, fue poco a poco dominada por su nuera... Casi casi le tenía cierto respeto parecido al miedo. A solas, la señora y yo hablábamos de las recepciones de Irene. [ . . . ]

—Ésta nació para hacer gran papel.

—Buena adquisición la de Manolito; ¿no lo dije?

—Como siga así y no se tuerza. . .

—¡Oh, si ella es buena, es un ángel! . . .

Y a veces nos consolábamos mutuamente con tímidas murmuraciones.

—Veremos lo que dura. No me gustan tantos tés, tanto recibir, tanto exhibirse.

—Pues ni a mí tampoco . . . Quiera Dios. . .

—Se ven unas cosas. . .

¡Execrable ligereza la nuestra! Ella y él se amaban tiernamente. El amor, la juventud, la atmósfera social cargada de apetitos, lisonjas y vanidades criaban en aquellas almas felices la ambición, desarrollándola conforme al uso moderno de este pecado, es decir, con las limitaciones de la moral casera y de las convivencias. Esto era natural como la salida del sol, y yo haría muy bien en guardar para otra ocasión mis refunfuños profesionales. [ . . . ] Y no digo nada tratándose de la vida política, en la cual entró Manuel con pie derecho desde que recibió de sus electores el acta de diputado. Mi discípulo, con gran beneplácito de sus enemigos y secreto entusiasmo de su esposa, entraba en una esfera en la 5 cual el devoto del bien, o se hace inmune cubriéndose con máscara hipócrita, o cae redondo al suelo, muerto de asfixia.

### TEMAS

1. El día de la boda de Irene y Manuel.
2. Después de la luna de miel.

L

## ¡Que vivan, que gocen! Yo me voy

Para ellos vida, juventud, riquezas, contento, amigos, aplausos, goces, delirio, éxito . . . ; para mí vejez prematura, monotonía, tristeza, soledad, indiferencia, tormento y olvido. Cada día me alejaba más de aquel centro de alegrías, que para mí era como ambiente impropio de mi espíritu enfermo. Me ahogaba en él. 5 Además de esto, cada vez que veía delante de mí a la joven señora de Peña, mujer de mi discípulo, aunque no discípula, sino más bien maestra mía, me entraba tal congoja y abatimiento que no podía vivir. Y si por acaso la conversación me hacía encontrar en ella un nuevo defectillo, el descubrimiento era combustible aña- 10 dido a mi llama interior. Cuanto menos perfecta más humana, y cuanto más humana más divinizada por mi loco espíritu. [ . . . ] Todos los días buscaba mil pretextos para no bajar a comer, para no asistir a las reuniones, para no acompañarles a paseo, porque verla y sentirme cambiado y lleno de tonterías y debilidades era 15 una misma cosa. El influjo de estos trastornos llegó a formar en mí una nueva modalidad. Yo no era yo, o por lo menos, yo no me parecía a mí mismo. Era a ratos sombra desfigurada del señor Manso, como las que hace el sol a la caída de la tarde, estirando los cuerpos cual se estira una cuerda de goma. 20

—¿Pero qué tiene usted? —me dijo un día doña Javiera.

—Nada, señora; yo no tengo nada. Por eso precisamente me voy. Entre dos vacíos, prefiero el otro.

—Se queda usted como una vela.

—Esto quiere decir que ha llegado la hora de mi desaparición de entre los vivos. He dado mi fruto y estoy de más.[1] Todo lo que ha cumplido su ley, desaparece.

—Pues el fruto de usted no lo veo, amigo Manso.

5 —Es posible. Lo que se ve, señora doña Javiera, es la parte menos importante de lo que existe. Invisible es todo lo grande, toda ley, toda causa, todo elemento activo. Nuestros ojos, ¿qué son más que microscopios?

—¿Quiere usted que llame a un médico? —me dijo la señora 10 muy alarmada.

—Es como si cuando una flor se deshoja y se pudre llamara usted al jardinero. Coja usted unas tijeras y córteme. Ya la luz, el agua, el aire, no rezan conmigo. Pertenezco a los insectos.

—Vaya usted a tomar baños.

15 —De eternidad los tomaré pronto.

—Nada, nada; yo llamo a un médico.

—No es preciso; ya siento los efectos del gran narcótico; voy a tomar postura...

Doña Javiera se echó a llorar. ¡Me quería tanto! Aquel mismo 20 día vino Miquis acompañado de un célebre alienista, que me hizo varias preguntas a que no contesté. Cuando les vi salir, me reí tanto, que doña Javiera se asustó más y me manifestó de un modo franco el vivísimo afecto con que me honraba. Yo la oía cual si oyera mi elogio fúnebre pronunciado en lo alto de un púlpito y 25 enfrente de mi catafalco... Y tal era mi anhelo de descanso, que no me levanté más. Prodigóme sin tasa mi vecina los cuidados más tiernos, y una mañana, solitos los dos, rodeados de gran silencio, ella aterrada, yo sereno, me morí como un pájaro.

El mismo perverso amigo que me había llevado al mundo sa- 30 cóme de él, repitiendo el conjuro de marras y las hechicerías diablescas de la redoma, la gota de tinta y el papel quemado, que habían precedido a mi encarnación.[2]

—Hombre de Dios —le dije—, ¿quiere usted acabar de una vez conmigo y recoger esta carne mortal en que para divertirse me 35 ha metido? ¡Cosa más sin gracia...!

[1] **estoy de más** I'm in the way; I'm not needed here [2] Cf. p. 17.

Al deslizarme de entre sus dedos, envuelto en llamarada roja, el sosiego me dio a entender que había dejado de ser hombre.[3]

Los alaridos de pena que dio mi amiga al ver que yo había partido para siempre despertaron a todos los de la casa; subieron algunos vecinos, entre ellos Manuel, y todos convinieron en que era una lástima que yo hubiese dejado de figurar entre los vivos ... Y tan bien me iba en mi nuevo ser, que tuve más lástima de ellos que ellos de mí, y hasta me reí viéndoles tan afanados por mi ausencia. ¡Pobre gente! [ ... ] En cuanto lo supo Sáinz del Bardal, agarró la pluma y me enjaretó, ¡ay!, una elegía, con la cual yo y mis colegas de Limbo nos hemos divertido mucho. Aquí llegan todas estas cosas y se aprecian en su verdadero valor.

A mi hermano, Lica, Mercedes, doña Jesusa y Ruperto les duró la aflicción qué sé yo cuántos días. Manuel se puso tan amarillo, que parecía estar malo; Irene derramó algunas lágrimas y estuvo dos semanas como asustada, creyendo que asomar me veía por las puertas, levantar las cortinas y pasar como sombra por todos los sitios oscuros de la casa. Ni que la mataran entraba de noche sola en su cuarto. ¡También supersticiosa!

Pero todos se fueron consolando. Quien se quedó la última fue mi doña Javiera del alma, tan buena, tan llanota, tan espontánea. Según datos que han llegado a mi noticia, más de una vez fue a visitar el sitio donde está enterrado el que fue mi cuerpo, con una piedra encima y un rótulo que decía que yo había sido muy sabio.

De doña Cándida sé que oyó algunos centenares de misas, y que siempre que entraba en casa de Peña, donde diariamente desempeñaba el papel de langosta en los feraces campos, me había de nombrar suspirando, para mantener vivo el recuerdo de mis virtudes. A mi noticia ha llegado, por no sé qué chismografía de serafines, que no se puede calcular el dinero que le han dado para misas por mi reposo, el cual dinero suma tanto, que si se aplicara por los demás, ya estaría vacío el Purgatorio. [ ... ] No necesito decir que todos los que estamos aquí celebramos el fecundo ingenio de Calígula.

Y a medida que el tiempo pasa se van olvidando todos de mí,

[3] Cf. p. 17, final sentence.

que es un gusto. Lo más particular es que de cuanto escribí y enseñé apenas quedan huellas. [...] El olvido es completo y real, aunque el uso inconsiderado de las frases de molde dé ocasión a creer lo contrario. Diferentes veces he descendido a los cerebros (pues nos está concedida la preciosa facultad de visitar el pensamiento de los que viven). [...] Poco, y no de lo mejor, ha sido lo descubierto en estas inspecciones encefálicas. [...]

De conocimientos experimentales he hallado grandísima copia en Manuel Peña. Lo que yo le enseñé apenas se distingue bajo el espeso fárrago de adquisiciones tan luminosas como prácticas, obtenidas en el Congreso y en los combates de la vida política. [...] Manuel hace prodigios en el arte que podríamos llamar de mecánica civil, pues no hay otro que le aventaje en conocer y manejar fuerzas, [...] en vencer pesos, [...] en dar saltos arriesgados y estupendos. También he dado una vuelta por el vasto interior de cierta persona, sin encontrar nada de particular, más que el desarrollo y madurez de lo que ya conocía. En cierta ocasión sorprendí una huella de pensamiento mío, de algo mío, no sé lo que era, y me entró tal susto y congoja, que huí como alimaña sorprendida en inhabitados desvanes. Después vine a entender que era un simple recuerdo frío. [...] Por el teléfono que tenemos me enteré de esta frase:

—No, tía, ya no más misas. Decididamente borro ese renglón.

Rara vez hacía excursiones hacia la parte donde está el pensar de mi hermano José. No encontraba allí más que ideas vulgares, rutinarias y convencionales. Todo tenía el sello de adquisición fresca y pegadiza. [...] Como etiqueta de un frasco, estaba allí el lema de *Moralidad y economías*. José no pensaba más, ni sabía hablar de otra cosa.

Como si hubiera encontrado la piedra filosofal, se detiene aún en aquel punto supremo de la humana sabiduría. ¡Moralidad y economías! Con esta receta ha reunido en torno suyo un grupo de sonámbulos que le tienen por eminencia, y lo más gracioso es que entre el público que se ocupa de estas cosas sin entenderlas ha ganado mi hermano simpatías ardientes y un prestigio que le encamina derecho al poder. ¿Será ministro? Me lo temo. Para llegar más pronto ha fundado un periodicazo, que le cuesta mucho dinero y que no tiene más lectores que los individuos del grupo sonambulesco. Sáinz del Bardal lo dirige y se lo escribe casi todo, con lo cual está dicho que es el tal diario de lo más enfadoso, pesado y amodorrante que puede concebirse. De los grandes atracones que ha tomado el miasmático poeta para cumplir su tarea, contrajo una enfermedad que le puso en la frontera de estos espacios. Cuando lo supimos, se armó gran alboroto aquí y nos amotinamos todos los huéspedes, conjurándonos para impedirle la entrada por cuantos medios estuvieran en nuestro poder. Dios, bondadosísimo, dispuso alargarle la vida terrestre, con lo que se aplacó nuestra furia y los de por allá se alegraron. Propio de la omnipotente sabiduría es saber contentar a todos.

Un día que me quedé dormido en una nube, soñé que vivía y que estaba comiendo en casa de doña Cándida. ¡Aberración morbosa de mi espíritu, que aún no está libre de influencias terrestres! Desperté acongojadísimo, y hubo de pasar algún tiempo antes de recobrar el plácido reposo de esta bendita existencia, en la cual se adquiere lentamente, hasta llegar a poseerlo en absoluto, un desdén soberano hacia todas las acciones, pasos y afanes de los seres que todavía no han concluído el gran *plantón* del vivir terrestre, y hacen, con no poca molestia, la antesala del nuestro.

¡Dichoso estado y regiones dichosas [4] éstas en que puedo mirar a Irene, a mi hermano, a Peña, a doña Javiera, a Calígula, a Lica y demás desgraciadas figurillas, con el mismo desdén con que el hombre maduro ve los juguetes que le entretuvieron cuando era niño!

Madrid, enero-abril de 1882.

[4] Cf. Don Quixote to the goatherds: "Dichosa edad y siglos dichosos...", 'Happy the age and happy the times ...,' I, 11.

### TEMAS

1. ¡Manso se va!
2. Reacciones a la ausencia de Manso.
3. Manso se divierte.
4. ¿Existió Manso?

# Vocabulary

## ABBREVIATIONS

| | | | |
|---|---|---|---|
| *Amer.* | American Spanish | *Lat.* | Latin |
| *coll.* | colloquial | *lit.* | literally |
| *Cub.* | Cuban | *n.* | noun |
| *fig.* | figurative | *pl.* | plural |
| *Fr.* | French | *p.p.* | past participle |
| *Gr.* | Greek | *rv.* | reflexive verb |
| *inf.* | infinitive | *tv.* | transitive verb |
| *impers.* | impersonal | *var.* | variant |
| *iv.* | intransitive verb | | |

### A

**abalanzarse** to rush on impetuously
**abanico** fan
**abarca** sandal
**abasto** supply, provisioning, wholesale cattle-selling
**abatido, -a** discouraged, downcast
**aberración** mental deviation, delusion, aberration
**abofeteado, -a** slapped, struck, beaten
**abolengo** ancestry, descent, lineage
**abollado, -a** dented
**abono** credit, subscription, voucher, guarantee, fertilizer
**abordar** to take up, bring up (a subject), accost, approach
**aborrecer** to hate, detest, loathe
**abrasado, -a** afire, aflame, burning
**abrazarse** to embrace
**abrumador, -a** crushing, oppressing, overwhelming
**abstraído, -a** withdrawn, absorbed, distracted
**abur** good-bye
**aburrimiento** boredom
**aburrir** to bore, tire
**acabado, -a** perfect, finished, polished, accomplished
**acalorado, -a** warm, excited
**acaramelado, -a** oversweet, polite, carameled
**acariciar** to fondle, caress
**acaudillar** to lead, command, direct, head
**accionar** to gesticulate
**acerado, -a** steely
**acertar (ie)** to hit it right, succeed
**aciago, -a** unlucky, unhappy, ominous
**acierto** accuracy, dexterity, knack, lucky hit, good shot
**aclaración** clearing up, explanation
**acogida** reception, welcome, asylum
**acogotar** to kill with a blow on the back of the neck, conquer, subdue

**acometer** to undertake, attempt, attack, overcome, assault
**acomodar** *tv.* to arrange, fix, accommodate, usher; *iv.* to suit, befit, be convenient to; *rv.* to fit, adjust, make oneself comfortable
**acontecimiento** happening, occurrence
**acopladura** joining
**acoquinar** to intimidate
**acosar** to harass, pursue relentlessly
**acostumbrarse** to become accustomed, get in the habit of
**acribillar** to riddle with wounds, bites, stings, etc., harass, plague, pester
**acta** minutes of proceedings, credentials
**actual** present, present-day
**actualidad** current event, question of the moment, present time
**actualmente** at the present time
**acudir** to come, go, approach, present oneself, respond (to a call), apply
**acuerdo** agreement, memory, remembrance; **buen —** good sense
**acuñado, -a** coined, minted, 'coiny'
**acusar** to accuse, show, acknowledge, announce
**achacoso, -a** ailing, indisposed, sickly
**achaflanado, -a** beveled
**achantarse** (*coll.*) to hide away from danger, sneak off
**achaque** sickliness, complaint (physical)
**adarme** bit, 1/16th of an ounce
**adecentar** to make decent, proper
**adelantar** *tv. and iv.* to advance, accelerate, progress, move forward, go fast (a watch); *rv.* to get ahead, jump the gun, outstrip
**ademán** attitude, gesture; *pl.* manners
**adentro** inside; *pl. n.* insides; **para mis —s** to myself
**adepto, -a** follower
**adestrar (ie)** to guide, instruct
**adhesión** attachment
**adivinar** to guess, prophesy, foresee, solve
**adminículo** legal proof, evidence, gadget, aid, accessory
**admitir** to admit, allow, accept
**adquirir (ie, i)** to acquire
**advertir (ie, i)** to notice, observe, point out, call attention to, notify, advise, warn
**afamado, -a** famous, noted
**afán** anxiety, eagerness, worry
**afanoso, -a** harassed, pressed, anxious, worried, eager, zealous
**afectar** to affect, feign, assume
**afectivo, -a** affective, sentimental
**afecto** affection
**afeitar** to shave
**afianzar** to fasten, grasp, support, guarantee
**afición** fondness, liking, affection, ardor
**afligir** to afflict, grieve
**afluir** to flow, flow in
**afrentado, -a** insulted, disgraced
**afrontar** to confront, face, defy
**agarrar** to grab, grasp, take hold, stick
**agasajo** attention, show of affection, favor, kindness, treat, refreshment
**agio** speculation (on the stock market), agio
**agiotista** broker, usurer, money changer
**agolparse** to throng, crowd together
**agotar** to exhaust, wear out, use up, drain
**agraciado, -a** graceful, charming
**agraciar** to grace, honor, favor
**agradable** agreeable, pleasant
**agradar** to please
**agradecer** to thank, be grateful
**agrado** liking, pleasure, agreeableness
**agravio** offense, wrong
**agregarse** to join, intrude
**agreste** rustic, countrified
**agridulce** bittersweet
**agrio, -a** bitter, acrid, sour
**aguaita** (*coll.*) wait, stop, hold on, look
**aguantar** to bear, stand, tolerate, endure, withstand
**aguardar** to wait, await
**aguardiente** liquor usually distilled from grapes, brandy, rum
**agudo, -a** sharp, keen, pointed

**agüero** omen, sign; **de mal —** of evil portent, that augurs ill
**aguja** needle
**agujero** hole
**aguzar** to sharpen, whet
**ahijado, -a** godchild
**ahogar** to drown, suffocate
**ahuyentar** to scare off, drive away *or* out, put to flight, banish
**airecillo** air, tone, manner
**airoso, -a** grand, successful, elegant, majestic, airy
**aislar** to isolate
**ajado, -a** mussed, rumpled, withered
**ajeno, -a** belonging to another, foreign, alien
**ajetreo** bustle
**ajiaco** (*Amer.*) chili sauce
**ajuar** furnishing, furnishings
**alabar** to praise, extol
**alabarda** halberd, claque
**alambicar** to distill, overrefine, strain
**alambre** wire
**alarde** show, display, boasting
**alargar** to extend, lengthen, stretch out
**alarido** yell, howl
**albor** dawn, whiteness, youth, childhood
**alborotador, -a** noisy, causing commotion, clatter
**alcanzar** to reach, attain, realize
**alcázar** palace, fortress, temple
**alcoba** bedroom
**aldea** village, hamlet
**alegar** to allege, bring to bear
**alejamiento** removal, withdrawal, estrangement, act of moving away
**alentar (ie)** to encourage, animate
**alfiler** pin
**alfombra** carpet, rug
**algazara** tumult, uproar, din
**algodón** cotton, cotton wadding
**alhaja** jewel, gem
**alienista** psychiatrist
**aliento** breath, spirit, inspiration; **de poco —** of small dimensions, of small scope
**alimaña** any small predatory animal
**alimentarse** to feed on
**alivio** relief, alleviation
**almacén** store, department store; **— es de huesos** bags of bones
**almacenado, -a** stored up, hoarded, piled up, accumulated
**almidonado, -a** starched
**almohada** pillow, cushion
**almoneda** auction, clearance sale
**almorzar (ue)** to have lunch
**alón** plucked chicken wing
**alquilado, -a** rented, leased
**alquitrán** tar, pitch
**alrededor** around
**alterarse** to be altered, disturbed, upset, agitated, irritated
**altivo, -a** proud, haughty, arrogant
**altura** height, altitude
**alumbrar** to illuminate, light the way, enlighten, clear
**alza** rise, boost
**alzar** to raise, lift, hoist, elevate
**ama** mistress, owner, wet nurse; **— de casa** housewife; **— de cría** wet nurse; **— de llaves** housekeeper
**amanecer** to dawn, awaken
**amargar** *tv.* to embitter; *iv. and rv.* to become bitter, embittered
**amargo, -a** bitter
**amarillento, -a** yellowish
**amartelado, -a** love-making, lovey-dovey
**ambiente** surroundings, atmosphere; **medio —** environment
**ámbito** scope, range, limit, boundary line, contour, ambit
**ambos, -as** both
**amenazar** to threaten, menace
**amenguar** to lessen, decrease, diminish
**amenidad** pleasantness, agreeableness, amenity, congeniality
**americana** jacket, sack coat
**ametrallar** to machine-gun, (*fig.*) bombard
**amodorrante** numbing, soporific
**amonestación** admonition, warning
**amoratado, -a** livid, black and blue, purplish

**amoscarse** to fly into a rage, get one's temper up
**amotinarse** to riot, mutiny, rise up
**amparar** to protect, shelter, help
**ampuloso, -a** pompous, bombastic
**amueblar** to furnish (a room)
**analogía** analogy, study of the parts of speech
**ancho, -a** wide, broad; **a sus —as** in comfort, at ease, to one's heart's content
**andante** walking, errant; **caballero —** knight-errant
**andanza** fate, fortune, happening, adventure
**andar** to walk, roam, act, behave, run, work (of a machine); **— en** to be engaged in, involved in; **malos andares** troubles
**anfitrión, -ona** host, hostess
**anguila** eel, slippery person
**anheloso, -a** desirous, eager
**anilloso, -a** curled, in ringlets
**ánimo** will, courage, spirit, valor, moral strength, fortitude
**aniquilarse** to destroy, annihilate oneself
**anochecer** to grow dark, for night to fall; nightfall
**ansia** desire, longing, yearning, anxiety
**ansiedad** anxiety, desire
**ante** before, in front of, in the face of
**antecedente** past, previous action, antecedent; **estar en —s** to know what has gone on before
**antepalco** small antechamber of a theater box
**antepecho** railing, guardrail, parapet, breastwork
**antes** before, rather, formerly; **— bien** rather; **— de** previously; **— que** rather than, before (position)
**anticipadamente** beforehand, in advance
**antojársele** to get a notion, have a sudden desire
**antojo** whim, caprice, passing fancy
**antorcha** torch
**añadir** to add
**apabullarse** to squelch, crush oneself
**apacible** affable, gentle, placid, quiet, peaceful
**apagado, -a** dull, weak, dim, extinguished, spiritless, timid
**aparato** device, apparatus, display, ostentation, show, exaggeration
**apartado** separated, apart, withdrawn, set aside
**apartarse** to keep away, stand aside, withdraw, retire, turn away
**apasionado, -a** devoted, fond, passionate, impulsive
**apestado, -a** plague, pest; nauseated, pestilential
**apetecer** to crave, hunger for, thirst for, desire, long for
**apetitoso, -a** appetizing, desirous
**aplacar** to placate, appease, calm; **— el resuello** to stop one's breathing, kill
**aplanamiento** leveling, smoothening, collapse
**aplastar** to smash, flatten
**aplazar** to put off
**aplicación** industry, diligence, studiousness, dedication, application
**apocadito, -a** humble, of little courage, irresolute
**apócrifo, -a** false, doubtful, apocryphal
**apoderarse** to take hold, seize, grasp, take possession
**apodo** nickname
**aposentarse** to take lodging, settle
**aposento** room, lodging
**apostar (ue)** to bet, wager, compete; **— a** to bet on
**apotegma** short instructive saying, apothegm
**apoyar** to lean, rest, support, hold up, back up, abet
**apreciación** appreciation, appraisal, opinion
**aprendiz** apprentice
**apresto** outfit, equipment
**apresuramiento** haste
**apretar (ie)** to squeeze, fit tight, press, pinch, hug, harass, beset
**aprisa** fast, quickly, hurriedly

**aprovechamiento** making use of, profit, advantage, benefit, cleverness
**aproximarse** to near, get close, approach, approximate
**apuntar** to point at, mark, indicate, aim, note down
**apunte** note, character, rascal, annoying creature
**apurado, -a** upset, worried, rushed
**apurar** to purify, refine, drain, use up; **— la ropa** to get wear out of one's clothes
**apuro** difficulty, tight spot, fix, want, need
**aquel** charm, appeal
**aquende** on this side of
**arañar** to scratch, scrape
**arena** sand
**argumentar** to explain, give reasons, argue
**aridez** dryness, dullness, barrenness
**armado, -a** armed, assembled, set up, equipped, contrived, cooked up
**armar** to arm, assemble, put together, establish, cause, stir up
**armazón** assemblage
**arquita** small chest, coffer, wooden box
**artífice** artisan
**artificioso, -a** fake, tricky, deceptive, cunning, artful
**artimaña** trick, cunning, trap
**arramblar** to carry off, grab up, sweep away
**arrancar** to pull off, out, from, up
**arrastrado, -a** dragged, drawn, led
**arrebatador, -a** enrapturing, breathtaking
**arrebujado, -a** wrapped, enveloped
**arregladito, -a** orderly, neat, moderate
**arreglar** *tv.* to arrange, adjust, settle, regulate; *rv.* to manage, fix oneself up
**arreglo** arrangement, order, rule, settlement, solution, care, neatness
**arrepentido, -a** sorry, repentant, regretful
**arribo** arrival
**arriesgado, -a** bold, daring, risky, dangerous
**arrimado, -a** parasite, sponger
**arrojado, -a** thrown, cast
**arroyo** stream, brook, street gutter
**arrugarse** to become wrinkled, rumpled, shriveled
**arrumaco** caress, flattery, pretense, display of affection
**asado, -a** roasted
**asalariado, -a** salaried, with a salary
**asalto** assault, attack, invasion
**asco** disgust, nausea, disgusting thing
**ascua** ember; **estar sobre —s** to be on edge, worried; **tener sobre —s** to worry to death, keep one wondering
**aseado, -a** neat, tidy, clean
**asechanza** snare
**asegurar** to claim, assure, insure
**asentar (ie)** to seat, place, fix, establish, found, affirm
**aseo** cleanliness, neatness
**asiduo, -a** persistent, assiduous, frequent
**asignatura** academic subject, course
**asomar** *tv. and iv.* to show, stick out, appear; *rv.* to lean out, peer over
**asombrado, -a** amazed, surprised, astonished, frightened, wondering
**aspaviento** fuss, ado, excitement, agitation
**aspereza** harshness, roughness, asperity
**astucia** cunning, astuteness
**asturiano, -a** Asturian, from the province of Asturias in northern Spain
**asunto** matter, affair, business, subject
**atar** to tie, fasten
**atareado, -a** busy, occupied, overworked
**atascado, -a** stopped, clogged, stuck
**ataviarse** to dress, adorn, outfit oneself
**atemperante** tempering, moderating, softening, soothing
**atender (ie)** to pay attention, attend, consider, listen, look after, take care, need
**ateneísta** person who frequents the Atheneum
**aterrado, -a** frightened, terrified
**atezado, -a** tan, black

**atolondrado, -a** stunned, stupefied, confused, perplexed
**atónito, -a** astonished, amazed
**atontado, -a** stunned, stupefied, confused, bewildered
**atosigar** to poison, embitter, harass, oppress
**atracarse** to stuff oneself, overeat
**atracón** stuffing, excess
**atragantarse** to choke, get stuck
**atrapar** to catch, trap, snare
**atrás** back, behind
**atrasado, -a** behind, slow, late; **— de noticias** behind the times, not up on things
**atraso** backwardness, lag, slowness, delay
**atravesar (ie)** to go through, across, pierce
**atrevimiento** boldness, daring, imprudence, rashness, impudence
**atril** lectern, music stand
**atronar (ue)** to deafen
**atropellado, -a** violent, reckless
**atropellar** to crowd, push, trample
**aturdido, -a** stunned, bewildered, perplexed, confused, amazed
**aturrullarse** to become bewildered, confused, perplexed
**aumentar** to increase, augment, grow larger
**aun** even, as yet
**auxiliar** assistant
**auxilio** aid, assistance, help, relief
**avalorar** to give value to, encourage
**avechucho** ugly bird
**avenido, -a** reconciled, accommodated, in agreement, paired
**avenirse** to agree, be reconciled
**aventajar** to get ahead of, excel, surpass
**aventurarse** to venture to, risk, dare
**averiguación** investigation, ascertainment
**avidez** greediness, avidity
**avinagrado, -a** sour, crabbed, vinegarish
**avisar** to inform, give notice, advise, let know
**ayudado, -a** aided, assisted, helped
**ayunas, en —** fasting, without food, ignorant (of an affair)
**azotar** to whip, beat, flail
**azufre** sulfur
**azumbre** liquid measure about 2 liters

## B

**baba** drivel, spittle; **caérsele a uno la —** to drool, (*fig.*) fall all over, be overjoyed; **llorar a moco y —** to cry like a baby
**Babia** mountainous region of León; **estar en —** to be in a fog, stargazing
**baboso, -a** slobbery, filthy, slimy
**bagatela** trinket, triviality, bagatelle
**bajeza** lowness, lowliness, baseness, meanness
**bajo, -a** low, short; under
**balancín** see-saw, balancing pole
**balbucir** stammer, stutter, garbled sound
**baldío, -a** vain, useless, unfounded, baseless, idle
**banasta** large basket, hamper
**banco** bench, bank
**bandeja** tray
**banqueta** stool, footstool
**barajado, -a** mixed, shuffled (as cards), jumbled
**barandilla** banister, railing
**baratija** trifle, trinket, junk
**baratura** inexpensiveness, cheapness
**barba** beard, chin
**barbado, -a** bearded, barbed
**barbaridad** outrage, nonsense
**barbarie** barbarism, barbarity
**barbián, -ana** dashing, bold, jolly fellow
**barnizado, -a** polished, varnished
**barullo** uproar, tumult, confusion, din
**Barrabás** Barabbas, devil
**barrera** boundaries, barrier, fence
**barriada** quarter, district, section, edge of town
**barrio** neighborhood, section
**barro** mud, clay, earthenware

**basilisco** fatal serpent, basilisk; **hecha un —** in a rage
**bastar** to suffice, be enough
**bastidor** frame, stretcher, wing (of stage); **entre —es** in the wings
**bastón** cane, staff, stick, club
**bata** robe, smock, house dress
**batida** battue, hunting party, shake down
**batir** to beat, beat down, clap (hands); **—se en retirada** backing down, withdrawing from battle, retreating
**baúl-mundo** Saratoga trunk
**bautizo** baptism
**bazofia** refuse, garbage, hogwash
**becerro** yearling calf
**bedel** beadle, warden
**Belén** Bethlehem; **estar en —** to be in a fog
**bellota** acorn, carnation bud
**bendito, -a** blessed, cherished
**beneficio** advantage, benefit, profit
**benemérito, -a** worthy, meritorious
**beneplácito** approval, consent
**berlina** kind of carriage
**berrinche** rage, tantrum
**besalamano** unsigned note, written in the third person and marked B.L.M. (*kisses your hand*)
**betún** shoe polish, bitumen
**bibelot** (*Fr.*) ornamental trifle, bric-à-brac
**bien . . . bien** either . . . or, now . . . now, at times . . . at times
**bienandanza** prosperity, welfare
**bienaventurado, -a** blessed, happy, fortunate
**bienes** goods, property, utilities
**bigotes** mustache
**blandamente** softly, gently
**blanquecino, -a** whitish
**blasonar** to emblazon, boast, brag
**blindarse** to armor oneself, shield oneself
**bobada** foolishness, folly, bit of nonsense
**bobería** nonsense, trifle
**bobo, -a** dunce, fool
**bocado** bite, mouthful, morsel
**boda** wedding
**bodega** wine cellar
**bodrio** food made of leavings, poor stew
**bogar** to row, sail
**bola** ball; **no dar pie con —** not to do anything right
**bolita** little ball
**Bolsa** stockmarket
**bolsa** bag, money bag
**bolsillo** pocket
**bollo** a kind of bun
**bondadoso, -a** good-natured, kind
**bordar** to embroider
**borracho, -a** drunk, drunkard
**borrar** to erase, blot, blur, obscure, eliminate
**borrego** lamb
**bosque** wood, forest
**bosquejo** outline, sketch
**bostezar** to yawn
**botica** drugstore, pharmacy
**botina** high shoe
**boyante** buoyant, prosperous, lucky
**bramar** to roar, bellow, storm, rage, be in a fury
**brasero** brazier, container for live coals
**bravo, -a** angry, wild, fierce, fine, excellent
**brebaje** potion, unpleasant *or* poisonous beverage
**bregar** to contend, struggle
**bribón, -ona** tramp, rogue, scoundrel
**brincar** to jump, leap, bounce
**brindarse** to offer oneself, give oneself
**brío** spirit, determination, elegance
**broma** joke, jest; **dar —** to tease; **entre —s y veras** half-joking, partly in jest and partly in earnest
**brotar** to sprout, shoot forth, spring, gush, bud
**bruma** fog, mist
**bufar** to snort, puff, huff
**buho** owl
**bulto** bundle, package, bulk, volume, mass, body, shape, bump
**bulla** noise, uproar, bustle; **meter —** to make noise
**bullanga** disturbance, riot, ado

**bullicio** tumult, hustle and bustle, excitement, roar, rumble
**buñuelo** pastry resembling a cruller
**burbuja** bubble
**Burdeos** Bordeaux
**burgués, -esa** bourgeois, middle-class
**burla** joke, trick, ridicule
**burlar** to ridicule, deceive, elude
**butaca** armchair, easy chair, overstuffed chair, orchestra seat
**butifarra** Catalonian sausage

## C

**caballerizo** stableman, groom
**caballete** prominent bridge (of nose)
**caber** to fit, be room for
**cabezada** nod, shake of the head, blow on *or* with the head
**cabriola** caper, gambol, pirouette, somersault
**cabritilla** kidskin
**cacería** hunt
**cacumen** acumen, talent
**cachivaches** broken crockery, junk, trinket, knickknack
**cadena** chain, shackle
**caer** to fall, fit; **— en la cuenta** to realize; **— que hacer** to get something to keep one busy
**cafre** Kaffir, rustic peasant, savage
**calado, -a** soaked, limy, perforated
**calamidad** calamity, mess
**calar** to perforate, pierce
**calavera** roué, reckless fellow, libertine
**calcado, -a** traced, transferred like a decalcomanium
**caldeado, -a** heated, heated up, overheated
**caldero** kettle, pot
**calderoniano, -a** in the style of Calderón, Spanish dramatist, 1600-1681, i.e. like a cape-and-sword hero
**calentarse (ie)** to warm oneself, heat up, become heated; **— el cerebro** to rack one's brains
**caletre** brains, judgment, acumen
**calificación** modifier, qualifying term, grade, judgment
**caligrafía** handwriting, penmanship, calligraphy
**caligulense** pertaining to Caligula
**calmoso, -a** calm, slow, lazy, sluggish
**calumnia** slander, calumny
**calvo, -a** bald
**calzado, -a** shod, shodden
**calzar** *tv.* to shoe, wedge, put a wedge under; *rv.* to put on shoes, get a good position
**calladita: a la —** on the quiet, secretly, unnoticed
**callarse** to keep quiet
**camaleón** chameleon, changeable person
**cambambero, -a** (*Amer.*) full of the devil
**cambiante** iridescence, changing color
**cambiar** to exchange, change, alter
**cambio** change, exchange, alteration; **en —** on the other hand
**camorra** quarrel, row, rumpus; **armar —** to raise a rumpus
**campanilla** hand bell, door bell; **de —** important, famous, prominent
**campanudo, -a** bell-like, pompous
**campestre** country
**cana** gray hair
**canalla** cur, roughneck
**cancillería** chancellery, chancery, office of public archives *or* of the keeper of the royal seal
**candilejas** footlights
**cangrejo** crab
**canónigo** canon (church official)
**cansancio** weariness, fatigue
**cansar** to tire, weary
**cante** music, singing
**canto** stone, song, canto
**cantorrio** singing, music
**caña** cane, reed, stalk
**cañamazo** hemp, canvas, burlap
**caño** tube, pipe
**capa** layer, cape
**capcioso, -a** intended to mislead *or* ensnare, captious
**capirote** hood (*see* **manga**)
**capisayo** mantelet, shirt, cover

**capitanear** to head, lead, command
**capitel** capital (of a column)
**capricho** whim, fancy, caprice
**caracolear** to prance about
**caramelo** candy, caramel; **hecho, -a un —** as sweet as honey
**carátula** mask
**carbonero** coal vendor
**carcajada** burst of laughter
**cárcel** prison
**cardenal** black-and-blue mark, knock, blow, cardinal
**cardinal** fundamental, basic, cardinal
**carecer** to lack
**carencia** lack, absence
**carga** charge, burden, load; **A la —** Charge! To battle!
**cargamento** load, shipment, cargo
**cargante** boring, annoying, tiresome
**cargar** to load, burden, charge, bore, tire; **— con** to shoulder, take upon oneself, carry off, walk away with, steal
**cargo** job, employment, office, burden, charge; **hacerse —** to take charge of, take it upon oneself, realize
**cariñoso, -a** affectionate
**carne** meat, pulp
**carnicería** butcher shop
**carnosidad** fleshiness
**cartel** poster, placard, sign
**cartería** job of letter carrier
**carrera** field of concentration, profession, career; **hacer —** to make headway, get somewhere
**carretela** kind of carriage, calash
**carrillada** smack on the cheek
**carrillo** cheek
**carro** wagon, cart, truck, car, railway car; **— fúnebre** hearse; **jugar al —** to play at being a wagon
**casamentero, -a** matchmaker; matchmaking, (*fig.*) compromising
**cascado, -a** broken, cracked, weak
**cascarón** shell, eggshell
**casco** skull, cranium, helmet, hoof
**casero** landlord; domestic, home-loving, for the house (as a dress)
**casilla** booth, cubbyhole; **sacar de sus —s** to drive crazy, infuriate
**caso** case; **darse —s** to happen; **hacer —** to pay attention
**casorio** marriage (used disparagingly)
**casquivano, -a** scatterbrained
**casualidad** coincidence, chance, accident
**catafalco** catafalque, draped platform on which a corpse lies in state, for public view
**cataplasma** plaster
**cátedra** professorship, professorial chair
**catedrático, -a** professor
**caudal** fortune, great volume, quantity, abundance, wealth
**cavilación** suspicion, doubt, caviling, meditation, thought
**caza** hunt, chase
**cazador, -a** hunter, huntress
**cazuela** casserole, food cooked in casserole
**ceder** to yield, give in, give up, surrender, hand over
**ceguera** blindness
**ceja** eyebrow; **ponérsele algo a uno entre — y —** to stick in one's mind, persist
**cejijunto, -a** frowning
**celaje** cloud effect, clouds
**celebrar** to celebrate, praise, be glad of
**celibato** celibacy, bachelorhood
**celos** jealousy; **tener —** to be jealous
**célula** cell
**cendal** gauze, veil
**cenefa** border, trimming
**ceniza** ash
**censo** census, annuity
**centenar** hundred
**céntimo** centime, cent, the hundredth part of a peseta
**cera** wax
**cerciorarse** to ascertain, find out about, make sure
**cerda** bristle, horsehair, sow
**cerdo** pig, pork
**certamen** literary contest, match
**certero, -a** accurate, sure, well-aimed

**cerril** wild, mountainous, rough, untamed
**cesta** basket
**cicatero, -a** miserly, stingy; skinflint
**cicer arietinum** (*Lat.*) chick-pea
**ciervo** deer
**cimiento** groundwork, basis, foundation
**cínife** mosquito
**cinta** ribbon
**cintura** waistline, waist
**cisne** swan; **canto del —** swan song
**cita** appointment, engagement, date, quotation
**claustro** cloister, faculty of a university
**clavado, -a** nailed, fixed
**clave** key, clue
**clavel** carnation
**cobrar** to collect payment, charge
**cobre** copper
**cocido** stew
**cocimiento** brew, concoction
**cochera** coach house, livery stable, garage, carbarn
**codicia** greed, covetousness
**codo** elbow; **comer los —s** to take advantage of, sponge on; **hablar por los —s** to talk too much, incessantly
**coetáneo, -a** contemporary
**coger** to grab, get, catch
**cognoscible** capable of being known, cognizable
**cohibido, -a** inhibited, timid
**cola** tail, train, trail, consequence, entourage; **traer —** to have serious consequences
**colar (ue)** *iv.* to come through, pass; *rv.* to sneak in, slip in, slip through
**colcha** quilt, bedspread
**colegio** primary *or* secondary school
**colegir (i)** to gather, collect, infer, conclude
**coleóptero** coleopter, insect of the beetle and weevil family
**cólera** anger, rage, choler
**coleta** braid, pigtail, short pigtail worn by bullfighters
**colgar (ue)** to hang
**cólico** colic; **— miserere** a severe form of colic, usually fatal
**colindante** next-door neighbor; adjacent, neighboring
**colmar** to heap, mount, shower
**colmo** peak, crown, end, completion, height
**colocar** to place, situate, put, locate, set, get someone a job
**coloquio** talk, conversation, dialogue, conference, colloquy, colloquium
**columbrar** to discern, make out, see at a distance
**comedimiento** courtesy, politeness, moderation
**comezoncilla** itch, desire, longing
**comilón, -ona** voracious, big eater
**comisión** errand, commission, committee
**comistrajo** hodgepodge, mess, strange and inferior meal
**comitiva** retinue, cortege, followers, committee
**como** how, like, since; if
**cómoda** bureau, dresser, commode
**comodidad** comfort
**compadecerse** to pity, feel sorry
**compartir** to share, divide
**compás** beat, rhythm, measure
**compendio** condensation, summary, compendium
**complacencia** pleasure, satisfaction, agreeableness, complacency
**componedor, -a** composer, typesetter, repairer, arbitrator, arbiter
**componérselas** to manage, make out, arrange things
**compostura** repair, adjustment, alteration, composure, neatness, structure
**comprimir** to compress, repress, restrain
**comprobar (ue)** to verify, confirm, prove, check
**comprometido, -a** involved, committed, obligated
**compromiso** engagement, appointment, commitment, compromising situation
**compuesto, -a** composed, calm, compound, composite

**concepto** concept, conception, idea, opinion; **por todos —s** from every aspect, in every sense, unreservedly
**concienzudo, -a** conscientious
**concordar (ue)** to harmonize, agree
**concurso** backing, support, co-operation, participation, attendance, contest, competition
**concurrente** contender, member of a gathering
**concurrir** to convene, gather together, concur, agree, coincide
**condena** sentence
**condenado, -a** devil; condemned, damned, perverse, clever, astute
**condición** condition, quality, state
**conducto** canal, passage, pipe, channel, means of transmission, conduit
**confeccionar** to make, concoct, manufacture
**confesonario** cell *or* compartment where a priest hears confession, confessional
**confianza** confidence, intimacy, secret, familiarity, informality
**confiar** to confide
**confitería** confectionery store, candy shop
**conformación** form, conformation, disposition
**conforme** according
**congoja** anguish, grief
**conjunto** ensemble, entirety, overall effect
**conmover (ue)** to move, affect, excite
**conocimiento** knowledge, understanding, consciousness, acquaintance
**conque** so, so then
**consabido, -a** well-known, aforementioned
**consagrado, -a** consecrated, devoted, dedicated
**consagrar** *tv.* to devote; *rv.* to devote oneself
**conseguir (i)** to attain, acquire, obtain, achieve
**consejo** advice, counsel, council, board
**consignar** *tv.* to consign, assign, indicate; *rv.* to be consigned, deposited, entrusted
**consiliario** adviser, counselor
**consolarse (ue)** to console oneself; **no — de** not to be able to stand, not to get over
**consonancia** harmony, consonance
**constar** to be on record, be known, clear, stated
**consternado, -a** dismayed, terrified
**constiparse** to catch cold
**constituirse** to be constituted, established
**consuelo** consolation
**contado, -a** scarce, rare; *pl.* few
**continente** mien, countenance, air, continent
**contingencia** accident, chance occurrence, contingency
**contorno** outline, contour
**contrabajo** double bass, contrabass
**contrahecho, -a** fake, counterfeit, deformed
**contrariar** to oppose, go against, provoke, thwart
**contrariedad** annoyance, bother, interference, obstacle
**contravenir** to be in contradiction, act contrary to
**contuso, -a** bruised
**convecino, -a** neighbor
**conveniencia** convention, propriety, fitness, suitability
**convenir (ie, i)** to be convenient, agreeable, advisable; **— en** to agree, coincide
**convidado, -a** guest
**convidar** to invite, treat
**copa** goblet, stemmed glass, wine *or* liquor glass; **sombrero de —** top hat
**copia** abundance
**coraje** spirit, mettle, nerve, anger, temper
**corazonada** hunch, presentiment, feeling
**corcel** steed, charger
**cordero** lamb
**cornúpeto, -a** horned, horny

**coronado, -a** crowned, topped
**corte** cut
**cortedad** shortness, scantiness, dullness, shyness, lack
**corto, -a** short, brief; **—a edad** young age, youth
**correctivo** corrective, correcting agent *or* element
**corredera** track, rail, street
**correo** mail
**correría** excursion, raid, racing about
**corresponder** to reciprocate, correspond
**corrido, -a** continuous, unbroken, flowing, in sequence
**corriente** ordinary, common, well-known, current
**corrillo** clique, huddle, group, circle
**corroído, -a** corroded
**corruptela** corruption, abuse
**coser** to sew
**cosquilleo** tickling sensation
**costado** side, flank
**costar trabajo** to be hard, take a lot of effort, have a hard time
**costumbre** custom, habit; **comedia de —s** comedy of manners
**costura** seam, sewing
**cotidiano, -a** daily, every day
**cotorrona** (*coll. formed on* **cotorra** talkative woman) chattering
**coyuntura** juncture, joint, opportunity
**crecer** to grow, increase, bud
**crepúsculo** twilight
**criadera** wet nurse
**criandera** nurse, wet nurse
**criar** to rear, bring up
**criatura** child, youngster, creature
**cristal** crystal, glass, windowpane
**crucecilla** little cross, decoration
**crudeza** bluntness
**crujir** to crackle, rustle, creak
**cuadrar** to please, be pleasing, be effective
**cuadrilla** gang, crew, troop, band
**cuadro** painting, scene
**cual** like; **— si** as if; **a —** each . . . than the others
**cualquiera** anybody
**cuantía** quantity, importance, distinction
**cuarta: tabaco de a —** tobacco by the span (of a hand)
**cuartilla** page
**cuartito** small coin
**cuarto** room, apartment
**cubierto** a setting of silverware; *pl.* silverware
**cuchicheo** whispering
**cuello** neck, collar
**cuenta** account, bill; **caer en la —** to realize, dawn on one; **dejar de la — de** to leave it to someone; **en resumidas —s** in short, to sum up; **hacer —s** to sum, do arithmetic; **hacer la —** to assume, count on, make out the bill; **más de la —** more than is good, convenient; **tomar por su —** to take into one's charge, take under one's wing
**cuerda** cord, rope, string, spring (of a watch); **dar —** to wind
**cuerno** horn
**cuero** skin, leather, pelt, rawhide, wineskin
**cuidado** care, attention, worry; **— con** beware of, watch out for; **— que** you'd be surprised, you ought to see; **tener buen —** to be very careful
**cuidarse** to take care of oneself
**cuita** trouble, worry, sorrow
**culebrear** to wiggle, wriggle, curve
**culpa** fault, blame, guilt
**cumbre** peak, height, summit, pinnacle
**cumplido, -a** full, complete, plentiful, polished, courteous
**cumplir** to carry out, fulfill, comply with, accomplish, complete
**cundir** to spread, swell, increase, multiply
**cuneo** rocking, swinging
**cuñado, -a** brother-in-law, sister-in-law
**cura** priest
**curial** attorney, court clerk
**cursilería** flashiness, cheapness, bad taste, vulgarity, commonness

## CH

**chabacano, -a** crude, cheap, clumsy, awkward
**chacina** pork seasoned for sausages, dried beef
**chaleco** vest; **— de fuerza** strait jacket
**chambergo** broad-brimmed soft hat
**chamusquina** scorching, (*coll.*) wrangling, scrapping
**chancearse** to joke, jest, tease
**chanza** joke, jest
**chapa** plate, sheet (of metal or wood)
**chaparrón** downpour, shower
**charla** chat, conversation, talk
**charol** patent leather
**chasco: dar un —** to play a trick on, surprise
**chato, -a** flat, broad
**chaveta** cotter, forelock; **perder la —** to lose one's head
**chico, -a** young boy, girl, youngster; small
**chillar** to shriek, screech, squeak
**chinchoso, -a** pest, nuisance; boring, tiresome, dull
**chinito, -a** term of endearment
**chiqueado, -a** (*Cub.*) spoiled, coddled
**chismografía** gossiping
**chispa** spark, wit, flash, bit
**chispeante** sparkling
**chistar** to mumble, mutter, say a word, make a sound
**chistera** top hat
**chita: a la — callando** in silence, quietly, secretly, stealthily
**chitito** hush, quiet, mum
**chocante** shocking, irritating, disagreeable
**choque** shock, impact, collision
**choricero, -a** sausage maker *or* vendor; of sausage
**chorrear** to spout, spurt, gush, flow, drip, trickle
**chorro** stream, spurt, flow
**chuchería** bauble, trinket, curio, toy
**chulesco, -a** pert, sporty, flashy (as of a certain type in Madrid), somewhat ordinary
**chuleta** chop, cutlet
**chupar** to suck, sponge, drain, sap, chew; **chúpate ésa** what do you think of that?
**churro** kind of fritter of rolled dough, fried and covered with sugar

## D

**daga** dagger
**dañino, -a** harmful
**dato** fact, information, material
**deambulatorio, -a** ambulatory, walking about
**debajo** below, beneath
**deber** duty, obligation; to owe, be obliged to
**débil** weak
**decaimiento** decay, decline, weakness
**decano** dean
**decidor, -a** fluent, witty, talkative
**decoro** decorum
**defender (ie)** to defend, protect, uphold, maintain, prohibit, resist
**deferencia** respect, deference, attention
**definitiva: en —** after all, decidedly
**degollación** massacre, throat-cutting, slaughter
**degüello** throat-cutting, massacre, slaughter
**dehesa** meadow, pastureland
**dejar** to leave, let, allow; **— de** to stop, cease, let up
**dejo** accent (of a region), trace, aftertaste
**delante** in front
**delantera** lead, headstart, advantage
**deleite** pleasure
**delgado, -a** thin, slim, fine
**delicia** delight, pleasure
**delito** sin, crime
**demagógico, -a** factious, demagogic, artificially contrived in order to sway
**demás** rest; other; besides; **por —** in vain, useless, to no purpose

**demoledor, -a** demolisher, destructive person
**demostrar (ue)** to demonstrate, show, prove
**denominar** to name, call
**dentadura** set of teeth
**dentro** inside
**denunciar** to proclaim, reveal, denounce
**deparar** to provide, furnish
**dependiente** clerk, salesclerk, employee
**depurar** to purify, refine, cleanse
**derecha** right hand, right side
**derramar** to shed, pour out, spill
**derredor** circumference; **en — de** around
**derrengado, -a** twisted, bent, crooked, lame, out of shape
**derribar** to demolish, throw down, bring down *or* lower (the bull's head, as done by the picadors)
**derribo** demolition
**derrochar** to squander
**derrotado, -a** defeated, vanquished, worn out, routed
**desabrido, -a** insipid, dull, flat
**desafío** challenge, dare
**desafuero** outrage, excess
**desagradar** to displease
**desagraviado, -a** relieved, satisfied (by an offender's explanation)
**desahogo** comfort, ease, outlet, relief, unburdening, brazenness
**desairar** to slight, rebuff, snub, disregard
**desaliño** carelessness, neglect, slovenliness
**desalmado, -a** cruel, heartless, inhuman, merciless
**desamparado, -a** abandoned, forsaken, deserted, helpless
**desapacible** unpleasant, disagreeable
**desarmarse** to disassemble, dismount, disarm, fall apart
**desarraigar** to uproot, root out, extirpate, exterminate, evict, throw out, eliminate (bad habits)
**desarreglado, -a** disorderly, disorganized, slovenly, unruly
**desarrollarse** to develop
**desasosiego** uneasiness, restlessness
**desatarse** to unleash, loosen
**desazón** uneasiness, ill-humor, state of being out-of-sorts, distaste
**desbarajuste** disorder, confusion
**desbastado, -a** roughly wrought *or* shaped, polished off
**desbordarse** to overflow
**descalzo, -a** barefoot, unshod, shoeless
**descanso** rest, relaxation
**descaro** effrontery, impudence
**descartar** to reject, cast aside
**descarriado, -a** misguided, astray, out of order
**descastado, -a** ungrateful, unloyal to one's own
**descolgarse (ue)** to show up, appear unexpectedly, blurt out
**descollar (ue)** to stand out, excel
**descomedido, -a** immoderate, excessive
**descomponerse** to get out of order, spoil, lose one's serenity, get excited, change
**descomunal** extraordinary, enormous, monstrous
**desconcertar (ie)** to disturb, dislocate, put out of order, baffle, disconcert
**desconfiado, -a** distrustful, suspicious person
**desconforme** disagreeing, not in accord, out of line
**desconsolar (ue)** to distress, grieve
**descontar (ue)** to deduct, subtract, cash
**descontentadizo, -a** squeamish, easily dissatisfied *or* disgusted, hard to please, critical
**descorrer** to draw, open, raise (a curtain)
**descosido, -a** unsewn, ripped
**descuido** carelessness, negligence, forgetfulness, lack of attention
**desde luego** of course, from that time, immediately
**desdén** disdain, scorn
**desdicha** misfortune, misery
**desdoblar** to unfold, spread open

**desdoro** dishonor, shame, blot, stain (on one's reputation)
**desempeñar** to fulfill, discharge (a duty), carry out, accomplish, perform, play (a role), redeem, recover, take out of pawn
**desencajado, -a** dislocated, out of joint, disconnected
**desenfado** freedom, naturalness, ease
**desenfreno** unruliness, licentiousness, lack of control, abandon
**desengaño** disillusionment, disappointment, disenchantment
**desenlace** outcome, ending, denouement
**desenojarse** to get over one's anger
**desentono** dissonance, false note
**desenvoltura** ease, forwardness, brazenness
**desenvolverse (ue)** to get along, develop, evolve
**desfallecimiento** fainting, languor, weakening, dejection
**desfilar** to parade, march in line, file by, march out
**desganado, -a** not hungry, indifferent
**desgarrar** to tear, rend, rip
**desgracia** misfortune
**desgraciado, -a** unfortunate, unhappy, miserable
**deshecho, -a** worn out, in despair
**deshojar** to strip the leaves off, defoliate, lose the leaves
**deshonra** disgrace, dishonor; **tener a —** to consider it a disgrace
**designio** design, purpose
**desilusión** disappointment
**desinteresado, -a** unselfish, impartial, disinterested
**deslizarse** to slip away, by, out
**deslucirse** to become tarnished, discredited, deprived of charm
**deslumbrar** to dazzle, baffle, bewilder
**desmayarse** to faint
**desmedido, -a** excessive, limitless, boundless, extra large
**desmejorado, -a** spoiled, deteriorated, in decline
**desmentir (ie, i)** to contradict, belie
**desmerecer** to lose worth, compare unfavorably
**desnudo, -a** naked, bare, nude
**desorientado, -a** confused, having lost one's bearings
**despabilado, -a** wide awake
**despachar** *tv.* to dispatch, discharge, attend to; *rv.* to dispatch oneself, unburden oneself
**despacho** office, study
**desparpajo** pertness, flippancy, impudence, effrontery
**despavorido, -a** terrified, frightened, aghast
**despecho** despair, spite
**despedazar** to break into pieces, tear to bits, ruin
**despedir (i)** *tv.* to emit, hurl, throw, send out, send forth, discharge; *rv.* to take leave of, say good-bye
**despejado, -a** clear, bright, uncluttered, unobstructed
**despejar** to clear up
**despeñar** to push, hurl, cast, fling over a cliff
**despiadado, -a** merciless, pitiless, ruthless
**desplegar (ie)** to unfold, open, display, spread out
**desplomarse** to fall flat on the ground, crumble, collapse, tumble down
**despojado, -a** divested, stripped, dispossessed
**desposeído, -a** divested, bereft, dispossessed, lacking
**despreciar** to despise, scorn, slight, reject, disdain
**despreocupadísimo, -a** unconventional, nonconforming
**desprevenido, -a** unprepared
**despuntar** to begin to sprout *or* bud, dawn, stand out, show a tendency *or* aptitude, manifest talent *or* ability
**desquiciamiento** unhinging, upset, disorder, madness
**desquitarse** to win back, retrieve, recoup, take revenge, get even
**destacamento** detachment (of soldiers), (*fig.*) army

**destacarse** to stand out
**destaconado, -a** with worn-down heels
**destapar** to uncover, uncork, open
**desternillarse de risa** to split one's sides laughing
**desterrar (ie)** to exile, banish
**destetar** to wean
**destornillado, -a** unscrewed, rash, wild
**destreza** skill, dexterity
**desusado, -a** uncommon, out of use
**desvalido, -a** destitute, helpless
**desvalijar** to rob, plunder, steal the contents of a valise
**desván** attic
**desvanecerse** to disappear, disintegrate, become blurred
**desvarío** delirium, craziness, wild idea, extravagance
**desvelado, -a** wakeful, sleepless, awake, vigilant
**desvencijar** to break, take apart, loosen
**desviación** detour, deviation, dissuasion, deflection, side-tracking
**desvivirse** to outdo oneself, be crazy about, eager
**detener** *tv.* to stop, check, arrest; *rv.* to stop, tarry, linger, pause
**detenido, -a** lengthy
**determinación** determination, particular aspect *or* function
**determinarse** to decide, take shape
**detrás** behind
**deuda** debt
**deudor** debtor
**devocionario** prayer book
**devolver (ue)** to return
**diablillo** little demon
**diablura** deviltry, mischief
**diatriba** bitter criticism, diatribe
**dictamen** judgment, opinion, dictum, statement
**dicha** luck, happiness, good fortune
**dicharacho** vulgar saying, expression, vulgarity, obscenity, silly saying
**dicho, -a** aforementioned
**dichoso, -a** fortunate, happy, prosperous, (*coll.*) tiresome, darned
**diente** tooth, cog
**dies irae** (*Lat.*) day of wrath, beginning of the passage sung for the dead
**diestro, -a** right, skillful, dexterous, handy, artful
**dificultoso, -a** troublesome, ugly
**difundirse** to be diffused, disseminated, spread, divulged
**difunto, -a** deceased
**digno, -a** worthy, deserving, meritorious
**dilatado, -a** vast, extensive, extended, numerous
**diligencia** diligence, speed, stagecoach, caution, errand, need
**diputado** deputy, delegate, representative
**dirección** direction, address, course, office, administration
**director-gerente** managing director, executive manager
**disciplina** discipline, whip, scourge
**disciplinazo** lash
**discípulo** student, scholar, disciple
**díscolo, -a** unmanageable, difficult, ungovernable, wayward
**disconforme** disagreeing, out of harmony
**discreto, -a** witty, sagacious, clever, discreet, sensible
**disculpa** excuse, apology
**discursejo** speech, discourse (derogatory)
**discurrir** to roam, ramble, think, reason
**disertar** to discourse upon
**disfrutar** to enjoy, benefit
**disgustar** to displease
**disgusto** sorrow, grief, disappointment, displeasure, misfortune
**disimular** to pretend, hide, tolerate, distort
**disimulo** disguise, excuse; **con —** furtively, unnoticed
**disipador, -a** spendthrift, squanderer
**disonar (ue)** to be discordant, out of tune, objectionable
**disparado, -a** discharged, fired, shot off, scattered, unleashed
**disparate** nonsense, absurdity, blunder

**dispensar** to dispense, excuse, absolve, grant a dispensation
**displicente** disagreeable, peevish
**disponer** *tv.* to arrange, dispose, prepare; *rv.* to get ready, arrange
**disposición** disposal, position, arrangement
**dispuesto, -a** disposed, ready, willing
**disputarse** to fight over, compete for
**distraerse** to be distracted, diverted, led astray
**divagación** rambling, wandering, digression
**docto, -a** learned, scholarly, erudite
**dolerse (ue)** to regret, feel sorry, complain
**dolor** pain
**dolorido, -a** sore, aching, painful, heartsick, grieving, disconsolate
**domar** to tame, subdue, master, break in
**domeñar** to tame, make tractable
**don** gift, attribute, talent, quality; **— de gentes** way with people, savoir-faire
**doncella** maiden, young girl, virgin, housemaid
**dormitar** to doze, nap
**dotado, -a** blessed, endowed
**dote** talent, gift, endowment, dowry
**duelito** duel, mourning, grief
**dueño, -a** master
**durar** to last, endure, continue
**duro** Spanish coin worth five pesetas

## E

**echar** *tv.* to throw, cast, emit, let out, recline; *rv.* to lie down; **— a, —se a** to begin to, burst out, set out; **— a perder** to spoil, go bad, be wasted; **— de menos** to miss; **— de ver** to notice; **— el pie adelante** to get ahead, beat, surpass; **— flores** flatter, compliment; **— por tierra** to knock down, overthrow; **—se encima** to fall upon, be at hand, be near (in time); **—'selas** to claim, boast; **— un pitillo** to have a cigarette
**eficaz** effective, efficient
**eje** axis, axle, shaft, center
**ejemplar** copy, model
**elegir (i)** to elect, select, choose
**elogio** praise
**emanar** to spring, emanate, emerge
**embargado, -a** restrained, impeded, loaded down, weighed down
**embaucar** to deceive, trick, bamboozle, be taken in
**embebido, -a** absorbed, enraptured
**embestir (i)** to attack, charge, accost, rush upon, assault
**embobecido, -a** stupefied, stunned, amazed
**emboscada** ambush, trap
**embotar** to blunt, debilitate, dull
**embozado, -a** bundled, wrapped up, with a muffler *or* cloak covering the face
**embriaguez** drunkenness, intoxication
**embrionario, -a** rudimentary, embryonic
**embrollar** to embroil, entangle, involve
**embrutecer** to stupefy, brutalize
**embuste** fraud, trick, lie, falsehood, deceit
**embutido, -a** inlaid, stuffed, incased
**emético, -a** medicine to provoke vomiting, emetic; vomit provoking
**emoliente** emollient; softening, soothing, relaxing
**empachar** to hinder, impede, overload, surfeit, give indigestion
**empalagoso, -a** sickening, oversweet, cloying
**empalme** junction, connection
**empañar** to dim, dull, fog, blur, tarnish
**empapado, -a** soaked, saturated, drenched
**empaquetar** to pack
**emparentar** to marry into, become related
**empedernido, -a** incorrigible, hardened
**empeñarse** to insist, persist, set one's heart

**empeño** pledge, obligation, persistence, insistence, determination, perseverance, effort
**empinado, -a** elevated, raised, steep
**empirismo** empiricism, the acquisition of knowledge by personal experience, without due regard to history, science, reason
**emplazamiento** summoning, location, site
**empleo** job, position, employment
**emprender** to undertake, start, set out
**empresa** undertaking, enterprise
**empujar** to push, shove, urge on
**enaltecimiento** exaltation, extolling
**enardecerse** to get excited, become inflamed
**encabezado, -a** fortified (of wine)
**encabritarse** to rear (of a horse), to shoot up
**encadenamiento** linking, chaining together
**encajar** to fit in
**encallar** to run aground, be checked in the progress of something, get stuck
**encaminar** to show the way, set on the way, direct
**encanecido, -a** white-haired
**encanto** charm, delight, pleasure
**encargarse** to take charge
**encargo** charge, commission, order, request, errand, task; **hacer de —** to make to order; **venir como de —** to be made to order, hit the spot, fit the bill
**encariñado, -a** fond, attached
**encarnarse** to become incarnated, embodied, incorporated
**encefálico, -a** of the brain, encephalic
**encendido, -a** inflamed, alight, aglow, high-colored
**encierro** pen for bulls before fight, enclosure
**enciguatar** (*var. of* **aciguatar**) *tv.* to spy on, observe, watch, (*fig.*) poison; *rv.* to be sick from fish poisoning, (*fig.*) become poisoned
**encima de** over, above, on the top of
**encocorar** to annoy greatly
**encoger** to contract, shorten, shrink
**encolerizarse** to become angry
**encomendarse (ie)** to commend, commit, entrust oneself
**encomienda** knight's cross of a military order, land and Indian inhabitants granted to a Spanish colonist in America, charge, commission
**encrespado, -a** curled, ruffled
**endecha** dirge, seven-syllable assonanced quatrain
**endemoniado, -a** bedeviled, possessed, furious, violent
**enderezar** to straighten, stand up, fix, direct
**endiablado, -a** devilish, complicated, involved
**endurecido, -a** hardened
**enervante** weakening, debilitating, enervating
**enfadarse** to get angry, annoyed
**enfadoso, -a** annoying, vexatious, troublesome
**enfriar** to cool, chill, temper
**engaño** trick, deceit, fraud, mistake, misunderstanding, error
**engastar** to encase, set, mount
**engatusar** to wheedle, coax
**engolosinar** to allure, tempt
**engrosar (ue)** to fatten, make stout
**engullir** to swallow, gulp down, gobble
**enhorabuena** congratulations
**enjaretar** to string *or* stitch together, force something on (a person), pass off as good
**enlace** connection, linking, relationship, linkage
**enmarañado, -a** entangled, mixed up, confused
**enmascarar** to mask, disguise
**enmendarse (ie)** to correct oneself, reform
**enojar** to anger, annoy, vex
**enredar** to tangle, entangle, involve, romp around, be mischievous, scheme, meddle
**enredo** entanglement, complication
**enroscarse** to twist, coil, curl, roll

**ensalzar** to extol, exalt, elevate
**ensanchar** to broaden, widen, increase, extend, dilate, augment
**ensayo** trial, test, exercise
**enseres** household goods, utensils, equipment
**ensimismado, -a** self-absorbed, engrossed in thought
**ente** entity, being
**enteco, -a** sickly, weak
**entendederas** brains
**entendido, -a** skilled, learned, trained
**enterado, -a** aware, informed, acquainted
**enterarse** to find out, learn
**entereza** entirety, perfection, integrity, firmness, fortitude, rigor
**enterrado, -a** buried
**entidad** entity, being
**entornar** to half-close
**entorpecer** to dull, obstruct, slow up
**entrañablemente** intimately, profoundly, affectionately
**entrañas** entrails, intestines, core, heart, insides
**entreabrir** to half-open, open slightly
**entrecortado, -a** intermittent, broken, choppy
**entregar** *tv.* to hand in, hand over, give; *rv.* to surrender, give up, give in, abandon oneself, turn oneself in, give oneself over
**entremetimiento** meddlesomeness, intrusion
**entre tanto** in the meanwhile
**entretenimiento** entertainment, diversion
**entrometerse** to meddle, intrude, butt in, interfere
**entroncar** to be *or* become related, connected
**envalentonarse** to become brave, pluck up, get one's nerve
**envejecer** to make old
**envenenar** to poison, embitter
**envidiar** to envy
**envolver (ue)** *tv.* to wrap, envelop; *rv.* to wrap oneself up, get involved
**enzarzarse** to get involved, entangled
**equivocarse** to be mistaken, err
**ermitaño** hermit; lonely
**erudito** scholar, erudite person
**errático, -a** wandering, erratic
**esbelto, -a** slender, slim, graceful
**esbozo** outline, sketch
**escala** ladder, scale
**escalera** stair; **— arriba y abajo** up and down the stairs
**escalofrío** chill
**escalón** step
**escapado, -a: salir —** to leave in a hurry, run out
**escapatoria** flight, escape
**escape: a —** in a hurry
**escarbar** to scratch at *or* up, poke, pick at, pry into
**escarlata** scarlet, bright red
**escarmiento** punishment, penalty
**escasez** scarcity, want, scantiness, shortness
**escatimar** to lessen, curtail, hold back, haggle, scrimp, skimp
**escenario** stage, setting
**esclavitud** slavery
**escolar** pupil
**esconder** to hide
**escopeta** shotgun
**escoria** dross, trash, dregs, slag
**escozor** smarting *or* stinging sensation, sorrow, grief
**escrito** writing, publication
**escritura** writing, deed (of property)
**escudo** shield, coat of arms
**escudriñar** to scrutinize, pry into
**escueto, -a** bare, dry, unadorned, plain, free, unencumbered
**escupir** to spit, blurt out
**escurridizo, -a** slippery
**escurrir** to drain, wring, drip, ooze, trickle, slip
**esfinge** sphynx
**esfuerzo** effort
**esguízaro, -a** wretch, ragamuffin
**eslabonar** to link, interlink, string together, follow in sequence
**esmero** care, carefulness, neatness

**espalda** back
**espantable** frightful, terrible, atrocious
**espantado, -a** frightened
**espantajo** scarecrow
**espantoso, -a** frightful, awful, astounding
**esparcir** to scatter, spread, disperse
**especulativo, -a** speculative, reflective
**espejo** mirror
**espeluznar** to horrify
**esperanza** hope; **estado de buena —** interesting condition, pregnant
**espeso, -a** thick
**espiga** spike
**espolear** to spur, urge on, stimulate
**esquelita** note, announcement
**esquina** corner (of a street); **a la vuelta de la —** around the corner, easily, a dime a dozen
**esquivez** aloofness, scorn, gruffness
**estafar** to defraud, swindle, cheat, trick, cheat out of
**estallar** to burst, break out
**estameña** tammy cloth
**estampa** print, engraving, stamp, illustration
**estanco** government store *or* stall for sale of stamps, cigarettes, matches
**estantería** shelves
**estepa** steppe, barren plain
**estiércol** manure, dung
**estimación** esteem, respect
**estirado, -a** stiff, outstretched, vain, haughty, stingy
**estirar** to stretch
**estofado** stew; **carne —a** stew
**estorbar** to hinder, obstruct, annoy, inconvenience
**estornudo** sneeze
**estratégico** strategist; **— de gabinete** armchair general
**estrechar** to clasp, tighten, hug, embrace
**estrecho, -a** narrow, tight, close, intimate
**estrellado, -a** starry, star-studded
**estremecerse** to quiver, shudder, shiver, shake
**estrenar** to use, wear, perform, show for the first time, inaugurate
**estrepitoso, -a** noisy, boisterous, deafening, notorious
**estruendo** noise, uproar, crash
**estrujar** to squeeze, crush, press
**estucado, -a** stuccoed
**estuchito** small box, case, sheath
**estufa** stove
**etapa** stage, step
**etiqueta** label, tag
**evitar** to avoid, shun, prevent
**exacción** exaction, demand, tribute
**excederse** to go too far, overdo
**excelso, -a** lofty, elevated, sublime, extreme
**excitar** to arouse, evoke, excite, urge
**execrable** abominable, execrable
**exequias** obsequies, funeral rites *or* ceremonies, exequies
**exigencia** need, requirement, demand, exigency
**exigente** demanding, exigent
**exigir** to require, demand
**eximirse** to exempt oneself, excuse oneself
**exordio** beginning
**expansión** expansiveness, expansion
**expansionarse** to open up, open one's heart
**expectativa** expectancy; **en —** on the lookout, on the alert
**expeditísimo, -a** very prompt, quick, ready, expeditious
**explanar** to grade, level, do by gradual steps, elucidate, explain
**explayar** to extend, spread out, explain
**exprimir** to squeeze out, wring
**extirpar** to outroot, stifle, extirpate
**extrañar** to find strange, be surprised at, surprise
**extraño, -a** strange, alien, foreign, unconnected
**extravío** error, wrong, going astray, getting off the track, wandering
**extremar** *tv.* to carry to the limit; *rv.* to strive hard to, go to extremes, do one's utmost

## F

**fábrica** fabrication, factory, construction
**facción** physical feature, faction
**facultativo, -a** doctor; academic, professional, referring to a faculty
**faja** sash, band, strip, girdle, zone, lane, bellyband
**falange** army, unit, phalanx
**falda** skirt
**faldón** coattail, shirttail, skirt, tail, flap, saddle flap
**falta** lack, failing, fault; **hacer —** to be lacking, necessary; **sin —** without fail
**faltar** to be missing, lacking, short, absent, impudent; **—le a uno** to offend, insult; **—le a uno tiempo** to be in a hurry; **no — más** the very idea! don't be silly!
**fallecer** to die
**fama** reputation, fame
**fango** mud, mire
**fantasías** string of pearls, imitation jewelry
**fantasioso, -a** vain, conceited
**fantasmagoría** gathering of figures, shadows, illusive images, phantasmagoria
**Faraón** Pharaoh
**farmacéutico** pharmacist, druggist
**faro** lighthouse, beacon, lantern, headlight
**farol** lantern, street lamp, light
**farolón, -ona** braggart; boasting, bragging
**farsante** faker, humbug
**fárrago** hodgepodge, confusion
**fastidiar** to annoy, bore, sicken, disappoint
**fastidioso, -a** annoying, tiresome, vexing
**fatal** inevitable, inexorable, unfortunate
**fatigar** to tire, weary, fatigue, harass
**fealdad** ugliness
**febril** feverish
**fecundo, -a** fruitful, fertile, fecund
**fecha** date
**felicísimo, -a** most fortunate, felicitous, happy
**felicitar** to congratulate
**feraz** fertile
**festejar** to entertain, fete, woo, court, honor
**fiambre** cold-cut, cold food
**fiarse** to trust, confide
**fiereza** fierceness, cruelty
**fiero, -a** savage, wild, fierce, terrible, cruel, tremendous, proud, haughty
**figurar** *tv. and iv.* to figure, depict, trace, represent, participate, appear, be in the limelight, be conspicuous, appear in society, play a role; *rv.* to imagine, fancy
**fijar** to fix, set
**fijo, -a** fixed, permanent, stationary, firm, solid
**fila** row, line, tier, file, rank; **de —** rank and file, common
**filigrana** filigree, delicate work
**filípica** speech full of invective, philippic, spiel; **echar una —** to deliver, utter a philippic
**filo** edge, ridge
**filoxera** plant louse which destroys vines
**finca** property, ranch, country place
**fineza** favor, kindness, little gift
**fingir** to pretend, feign, fake
**finitud** limitedness, state of being finite *or* limited, finitude
**fiscal** fiscal, of the treasury
**fisonomía** face, countenance, physiognomy
**flaco, -a** thin, weak, skinny
**flagelante** lashing, whipping
**flaqueza** weakness, failing, thinness, frailty, flagging
**flechar** to draw (the bow), wound with an arrow
**flema** calm, phlegm
**flojo, -a** weak, loose, lax
**florescencia** blooming, florescence
**fluxionado, -a: estar —** to have a head cold, congestion
**foco** center, focal point

**folletito** little pamphlet, brochure
**fonda** inn, restaurant
**fondo** background, basis, bottom, back, fund; **mar de —** something brewing
**forjarse** to forge, think up, dream up
**forma** form, shape, way; *pl.* manners
**formal** proper, serious, settled, reliable
**fortalecer** to fortify, strengthen, encourage
**forzarse (ue)** to make an effort, force oneself
**forrado, -a** lined, covered
**fósforo** match
**frac** dress coat, tails
**fraguado, -a** forged, constructed, hatched, schemed
**francote, -a** frank, open
**frasco** bottle, flask
**fraterna** sharp reprimand
**fregar (ie)** to scrub, scour, rub, mop
**fregotear** to scrub up, mop around, scour away
**freír** to fry; **— los sesos** to rack one's brain
**freno** brake, curb, control, restraint
**frente** forehead; **de —** full face, front view
**fresco, -a** fresh, cool, calm, unruffled, bold, forward
**friso** frieze
**frivolité** (*Fr.*) tatting
**frotarse** to rub
**fruncimiento** frowning, wrinkling, contracting
**fruslería** trifle, junk, trinket, gadget
**fuego** fire; **dar — a** to set fire to
**fuente** fountain, spring, platter, tray
**fuera de sí** beside oneself
**fuero** law, statute, power, jurisdiction, code of laws
**fugaz** fleeting, transitory, volatile
**fulgor** splendor, brilliance
**fulminante** serious, grave, sudden, fulminant
**fumar** to smoke (tobacco)
**función** function, duty, performance; **— gorda** whopping show
**fundarse** to base oneself, ground oneself
**fundir** to smelt, fuse
**fúnebre** gloomy, funereal
**funesto, -a** ill-fated, fatal, sad, deplorable, dismal, disastrous
**furibundo, -a** furious, frenzied
**fusilar** to shoot, execute, kill
**futuro, -a** fiancé, fiancée

## G

**gabinete** study, office, bedroom
**gafas** framed eyeglasses
**gala** ceremony, elegant dress, gracefulness of expression
**galán** attractive young man
**galantear** to court, woo, flirt with
**galoneado, -a** trimmed with braid, stripes *or* galloons
**gallardo, -a** elegant, graceful
**galleta** cookie, slap in the face; **andar a —s** to have a fight
**gana** desire, appetite; **tener —s de** *or* **darle la — de** to feel like, be in a mood for
**ganado** cattle, livestock
**ganar** to win, earn, gain
**gandul, -a** loafer, idler, crafty, sly one
**ganga** bargain
**gangoso, -a** nasal, snuffling
**gansada** stupidity
**ganso, -a** dope, dullard, goose, gander
**garabato** scrawling, scribbling, hook
**garbanzo** chick-pea
**garbo** grace, elegance, gallantry, fine bearing, jaunty air
**garganta** throat
**gárgola** decorative spout of a drain on a roof, gargoyle
**garito** gambling den, card-house
**garra** claw
**gastar** to spend, wear, use, show
**gastrónomo** gourmet, epicure
**gaveta** drawer
**gazmoño, -a** priggish, strait-laced, demure
**gaznate** gullet, throttle
**gemelo, -a** twin; *pl.* twins, cuff links, binoculars, opera glasses
**gemido** groan, moan, wail, cry, howl

**genio** genius, temper, nature, talent, disposition, character, genie, spirit, charm
**gentío** crowd, throng, multitude
**gesto** gesture
**girasol** sunflower
**giro** turn, gyration, rotation, course, expression, draft, money order
**gobernador, -a** governor, director, ruler, regulator, leader
**golosina** goody, tidbit, sweet
**golpe** stroke, hit, blow, touch; **— de gracia** coup de grâce, finishing stroke; **— de vista** perception; **de — y porrazo** suddenly
**gollería** delicacy, favor
**goma** rubber
**gomoso, -a** dandy, dude; gummy, stuck-up
**gordiflón, -ona** chubby, pudgy
**gordo, -a** stout, fat, important, whopping, hard to believe, amazing
**gorra** cap
**gorrión** sparrow
**gorrón** sponger, parasite
**gota** drop
**gozar** to enjoy, possess
**gozo** pleasure
**grabado** engraving, illustration
**gracia** grace, humor, charm; **hacer —** to amuse, strike as funny *or* pleasant
**gradación** gradation, progression, sequence
**grado** degree, rank, step, will, pleasure
**granel** heap of grain; **a —** in bulk, in hordes
**grato, -a** pleasing, pleasant
**graznar** to croak, cackle, gaggle
**grifo** faucet
**grillete** shackle, fetter
**gritar** to shout, cry out, scream, clamor
**gritería** shouting, uproar, noise
**groseramente** crudely, coarsely, rudely
**grueso, -a** thick, big, bulky, stout, heavy
**gruñón, -ona** grumbly, grumpy
**guante** glove
**guapo, -a** handsome
**guarecerse** to take shelter, refuge
**guarnecido, -a** garnished, adorned, trimmed
**guía** guide
**guinda** sour cherry; **dulce de —** jelly, preserves made from sour cherries
**guindarse** to hang oneself up, string oneself up
**guiñapo** tatter, rag
**guiño** wink
**guirnalda** garland, wreath
**guisote** hash, poor dish
**gusto** taste, liking, pleasure

## H

**haba** bean
**haber de** to be to, have to; **he de salir** I shall rush to
**hábil** able, skillful, apt, clever
**hábito** habit, custom, habit (of a religious order)
**hacendoso, -a** diligent, industrious
**hacer de** + *inf.* to try to; — + *n.* to serve as
**hacienda** income, property, possessions, treasury, farm
**hacinamiento** piling, heaping, stacking
**hache** letter h
**hada** fairy
**halagado, -a** flattered, gratified
**hallazgo** find, discovery
**harapo** tatter, rag
**haricots à la sauce provençale** (*Fr.*) beans with Provençal sauce
**hartarse** to satiate, stuff oneself, get one's fill, tire, get bored, fed up
**hartazga** feeding, filling up
**harto, -a** full, satiated, satisfied; quite, very, enough, plenty
**hasta** even, also; till, until, up to
**hechizo** spell, charm, enchantment, magic
**hecho** deed, act, fact
**hechura** make, making, creation, cut, build
**hembra** female animal
**heredero, -a** heir, heiress
**herejía** heresy

**herida** wound
**hervir (ie, i)** to boil, seethe
**hervor** vigor, force, boiling, burning, fire, seething
**herramienta** implement, tool
**heterogéneo, -a** mixed, heterogenous
**hez** dregs, dross
**hidalgo, -a** nobleman, noblewoman; noble, illustrious
**hiel** gall, bile, bitterness
**hielo** ice
**hiena** hyena
**hierro** iron
**higienista** specialist in hygiene, hygienist
**hilacha** shred
**hilo** thread
**hinchazón** swelling, conceit, vanity, pomp
**hiperbólico, -a** exaggerated, hyperbolic
**hipo** hiccup
**hipotético, -a** conditional, assumed, supposed, conjectural, hypothetical
**hociquillo** little snout, muzzle, mouth, face
**hoja** leaf
**hojalata** tin
**hojarasca** fallen *or* dead leaves
**hojear** to leaf through, thumb through
**holgado, -a** roomy, comfortable, unoccupied
**holgazán, -ana** loafer, idler, lazy one
**holgura** ease, comfort
**hombro** shoulder
**hombruno, -a** mannish
**hondo, -a** deep, profound
**honorario** fee, honorarium
**honorífico, -a** honorary
**honrado, -a** honest, reputable, respectable
**hospicio** orphanage, poorhouse
**hostigado, -a** troubled, molested, galled
**hotelito** villa, mansion, hotel
**hoyo** hole, pit; **irse todo al —** for everything to go down the drain
**hueco, -a** hollow, hole; empty, vain, resounding, affected
**huelga** recreation, strike
**huella** trace, mark, track
**huérfano, -a** orphan
**huero, -a** barren, empty, rotten
**hueso** bone
**huésped** guest, host; **casa de —es** boarding house
**huir** to flee, escape
**humedecer** to dampen, moisten, wet
**humildísimo, -a** very humble
**humo** smoke, air, conceit
**humorada** pleasantry, bit of humor, sally
**hundirse** to sink, cave in, collapse
**hurgarse** to poke, stir up, stoke

## I

**idealidad** capacity to conceive an ideal, quality of being ideal, ideality
**idem** (*Lat.*) the same
**idilio** love affair, idyll
**ignominia** disgrace, dishonor, ignominy
**ilusionado, -a** having illusions, impressed
**ilustración** enlightenment, culture, illustration, learning
**impacientarse** to lose one's patience, grow restless, impatient, irritated
**imperar** to rule, command, reign, prevail
**imperio** empire, dominion, sway
**imperioso, -a** haughty, imperative
**ímpetu** impetus, impulse
**impío, -a** pitiless, cruel, impious, irreverent
**imposibilitar** to prevent, make impossible
**imprecación** curse, imprecation
**impregnado, -a** permeated, impregnated
**impreso** printed matter, imprint
**improvisado, -a** sudden, new, improvised
**improviso: de —** unexpectedly, suddenly
**impulsar** to impel, drive
**inagotable** infinite, endless
**inaguantable** unbearable, intolerable, insufferable

**inapetencia** lack of appetite
**inaudito, -a** unheard of, astounding, extraordinary, outrageous
**incomodarse** to get annoyed, become vexed, be inconvenienced
**inconsiderado, -a** excessive, thoughtless
**inconveniente** obstacle, difficulty
**increpar** to chide, reprehend, scold
**incuria** negligence, abandon, carelessness
**incurrir** to commit (an error), merit, draw upon oneself (a punishment, wrath)
**indecible** unutterable, unspeakable, inexpressible
**indemnización** compensation, reimbursement, indemnification
**indigencia** poverty, destitution, penury, want, need, indigence
**indigesto, -a** indigestible
**índole** nature, disposition, temper, kind, class
**indolente** apathetic, lazy, indolent
**indomable** uncontrollable, untamable, indomitable
**indómito, -a** unruly, untamable, indomitable
**inducir** to infer, induce, suggest, lead to
**indultar** to pardon, free, exempt
**influir** to influence, affect
**informar** to shape, give form to, fill, inform
**informe** report, piece of information
**infundir** to infuse, instill, inspire with
**ingenio** ingenuity, cleverness, cunning, skill
**ingénito, -a** innate, inborn, natural
**ingestión** the act of consumption by the stomach, digestion
**inicuo, -a** unjust, unfair
**iniquidad** injustice, iniquity
**injerir (ie, i)** to insert, inject, introduce
**injuria** offense, insult, abuse, wrong
**inmejorable** unimprovable, unsurpassable, superb, perfect
**inmensurable** immeasurable
**inmolar** to sacrifice, offer in sacrifice
**inmutado, -a** changed, altered
**inopinado, -a** unexpected
**inoportunidad** untimeliness, inopportuneness
**insensible** insensitive
**insigne** notable, famous, illustrious
**instar** to press, urge, insist
**institutriz** governess
**instruído, -a** educated person
**intachable** impeccable, flawless, irreproachable, faultless
**intentar** to attempt, intend, try
**interlocutor, -a** person taking part in a dialogue *or* conversation, person with whom one speaks, interlocutor
**internarse** to intern oneself, penetrate
**interpelación** questioning, demand of explanation, interpellation
**inutilizarse** to become disabled, useless
**inverosímil** unlikely, improbable, unreal
**inveterado, -a** confirmed, inveterate, chronic, longstanding
**invierno** winter
**involucrado, -a** jumbled, enveloped, wrapped up
**iracundo, -a** wrathful, angry, ireful
**izquierda** left hand, left side

## J

**jabalí** boar
**jactancia** bragging, boasting
**jadeante** panting, out of breath
**jamás** never
**jamón** ham
**jaqueca** headache
**jarana** fun, spree, rumpus
**jarras: en —** with arms akimbo, with hands on hips
**jaula** cage
**jerarquía** hierarchy, rank, standing
**jeremiada** jeremiad, exaggerated tale of woe, of grief, of sorrow *or* complaint
**jollullo, -a** (*Amer.*) silly
**jornada** journey, march, way

**jota** letter j, jot, iota; **no saber ni —** not to know a thing about
**joya** jewel
**juego** game, joke, set; **— floral** poetry contest
**juez** judge; **— de primera instancia** judge of a court of first instance, in England, judge of a county court, judge who hears the case
**jugada** play, stroke, gamble
**jugarreta** bad play, trick
**juguetón, -ona** playful, frisky
**juicio** sense, judgment
**junta** assembly, council, board
**jurar** to swear
**jurisprudencia** science of laws, knowledge of rules, jurisprudence
**justiciable** actionable, subject to legal action, punishable
**juventud** youth
**juzgarse** to judge oneself

## L

**labia** fluency, smoothness, expressive speech
**labor** work, needlework, embroidery
**labrado, -a** wrought, cultivated, tilled, plowed, carved, fashioned, built, worked, cut out (a career)
**lacayo** lackey, footman, coachman
**lácteo, -a** lactic, milky
**lactobutirómetro** lactobutyrometer, a device for ascertaining the percentage of butterfat in milk
**lactoscopio** lactoscope, an instrument for determining the opacity of milk (for estimating its cream content)
**lado** side
**ladrido** barking, bark
**ladrón** thief, robber
**lámina** print, engraving, picture, plate
**lana** wool
**lance** incident, episode, adventure, cast, throw, play, move, turn
**lancha** launch, barge
**langosta** locust
**lanzadera** shuttle (for tatting)
**lanzar** to throw, cast, dart, launch, fling, eject, emit
**lápida** flat stone, tombstone
**largarse** to get out, leave, scram
**lástima** pity, compassion
**lastimado, -a** hurt, offended, bruised
**lastimosamente** pitifully, poorly
**lavabo** washstand, washbasin
**lazo** bow, knot, trap, snare, bond
**lector** reader (the person)
**lectura** reading, reading material
**lecho** bed
**legado** legacy
**legua** league; **a la —** a league away, a mile away; **actriz de la —** variety actress, cheap actress
**lejos** far; distance
**lelo, -a** silly, dull, stupid, dumb
**lema** motto, slogan
**letra** handwriting, letter (of the alphabet), words (of a song *or* poem), draft
**letrado** lawyer
**letrero** sign, inscription, label, poster
**levadura** yeast, leavening
**leve** light, insignificant, trifling
**ley** law; **de pura —** genuine; **tener —** to be fond of, have affection for, respect
**liar** to tie, bind, wrap, roll (a cigarette), embroil, involve
**librarse** to free oneself, liberate oneself, rid oneself
**librea** livery
**licencia** permission, license, permit
**licenciado, -a** person with a master's degree
**lidiar** to fight, battle
**lienzo** canvas, painting, linen
**ligadura** tie, bond
**ligero, -a** light, fickle, flighty, flippant, lightheaded
**lima** file, erosion, wearing
**limítrofe** bordering
**limosna** alms, charity
**limpidez** transparency, lucidity, clearness, limpidity
**limpieza** cleanliness
**lindar** to adjoin, border on

**lío** bundle, parcel, mess, mix-up, conspiracy
**lírico** lyric poet
**lisonja** flattery
**listo, -a** ready, clever, bright
**loba** she-wolf
**local** premises, quarters, place
**localidad** theater seat, ticket, locality
**logro** achievement, attainment, gain, success
**loza** crockery, earthenware, china
**lozano, -a** vigorous, exuberant, proud, haughty, verdant, luxuriant
**lucerna** chandelier
**lucero** Venus, bright star; **— del alba** morning star, Venus
**lucido, -a** gracious, brilliant, successful
**lucir** to illuminate, light up, show, display, shine
**luchar** to fight, struggle, wrestle
**luego** afterwards, soon, at once; **— que** as soon as
**lujo** luxury
**lumbre** light, fire
**luminoso, -a** illuminating
**lustre** gloss, shine, splendor; **darse —** to put on airs, put up appearances
**lustro** lustrum (period of five years)
**lustroso, -a** shiny, brilliant
**luto** mourning

## LL

**llama** flame
**llamativo, -a** showy, flashy, conspicuous
**llaneza** plainness, openness, simplicity
**llanto** flood of tears, weeping, crying
**lleno, -a** full; **mirar de —** to look straight in the face
**llevar** to wear, carry
**lloriquear** to whimper, whine

## M

**macizar** to make solid, fill in, give volume to
**machacar** to crush, mash, pound
**macho** male animal
**madera** wood, lumber, slats of shutters
**maderamen** timberwork, woodwork
**madrina** godmother
**madrugador, -a** early riser; early-rising
**madurez** maturity, ripeness
**maestresala** chief waiter
**magíster** master, teacher
**majadería** nonsense, folly
**malanga** caladium, a tropical plant of the family *Araceae*, with rich foliage and edible roots
**malbaratar** to undersell, sell below value
**maldito, -a** accursed, damned
**maleficio** witchcraft, enchantment
**malestar** indisposition, discomfort, malaise
**maleta** valise, suitcase
**malhadado, -a** unfortunate, ill-starred
**maliciarse** to suspect, become suspicious
**malograrse** to turn out badly, fail, be wasted
**malparado, -a** in a bad way, in a bad light, worse off
**malva** mallow
**malla** mesh, network, mail (of armor)
**mamar** to suck, nurse
**mamarracho** botch, mess, scarecrow, ridiculous fool
**mamífico, -a** nursing
**manantial** natural spring
**manchado, -a** stained
**mandar** to order, send
**manejar** to manage, handle
**manga** sleeve; **hacer —s y capirotes** to rush on heedlessly *or* foolishly, turn topsy-turvy
**mangonear** to meddle, loiter, dabble, maneuver profitably
**manía** habit, way, mania
**maniatado, -a** manacled, with hands tied, bound
**manjar** choice dish *or* food, delicacy
**manotada** slap, blow, fisticuff
**manso, -a** meek, gentle, mild, tame
**manta** blanket

**manteca** lard, butter
**mantel** tablecloth
**manto** cloak, mantle
**mantón** shawl, large veil
**maña** habit, way, skill, cunning
**mañoso, -a** skillful, clever, sophisticated, crafty, tricky
**maquinista** machinist, engineer
**marasmo** depression, stagnation, wasting away
**marco** frame
**marchito, -a** faded, withered, languid, past one's prime
**marear** to molest, make dizzy, confuse
**marfil** ivory
**marisabidilla** blue-stocking, know-all, a woman who displays literary and pedantic knowledge
**mármol** marble
**marmóreo, -a** marble-like, marmoreal
**martillazo** hammer blow
**marras: de —** well-known, aforementioned
**marrullería** knavery, cunning, astuteness, trick
**mas** but
**más allá** beyond, further over
**mascabado** unrefined sugar
**materialidad** material need
**matiz** shade, tone
**mayoría** majority
**mayormente** especially, chiefly
**mecedora** rocking chair
**mecerse** to rock
**medianamente** moderately, halfway, fairly well, so-so, to a point
**medianía** moderation, mediocrity
**mediar** to intervene, take place, mediate
**medida** size, measurement, step; **a — que** as, in proportion as
**medio** means, medium
**mediodía** noon, midday, south
**medir (i)** to measure, calculate
**meditabundo, -a** pensive
**medroso, -a** fearful, timorous
**mejilla** cheek
**melaza** molasses
**melenudo, -a** bushy-haired, having a mane
**melosidad** sweetness, mildness, mellowness
**mella** nick, dent; **hacer —** to have an effect on, harm
**memoria** memory, report
**mendigo, -a** beggar
**menester** need, want, employment, job, occupation
**menesteroso, -a** needy person; needy
**menestral** artisan, laborer, worker, mechanic
**mengua** lack, diminution, discredit
**menos** less; **ni mucho —** far from it; **no poder —** not to be able to help; **poco — que** practically, almost, little short of
**menosprecio** contempt, scorn
**mentar (ie)** to mention, name
**mentecato** simpleton, fool
**mentir (ie, i)** to lie
**menudear** to do frequently, become frequent, repeat, come down in abundance, abound
**menudencia** detail, trifle, minuteness
**menudo, -a** minute, small, insignificant, slight; **familia —a** small fry, children, young members of the family
**mercado** market
**merced** favor, grace, mercy
**merecedor, -a** worthy, deserving
**merecer** to deserve, merit
**merendar (ie)** to have a snack, to lunch lightly
**merendona** fine layout, fine spread
**mérito** merit, desert, worth, value, due; **hacer —** to deserve, earn respect, win confidence
**merma** waste, shortage
**mesocrático, -a** pertaining to government by the middle class
**mesura** dignity, moderation, politeness, serious manner
**metafísico** metaphysician
**metálico** metal, money, cash; metallic
**metamorfoseado, -a** transformed

**miasma** noxious *or* infectious air from putrefying bodies, miasma
**milagro** miracle
**millonada** about a million; *pl.* millions
**mimo** pampering, petting, indulgence, fussiness
**mimoso, -a** pampered, spoiled, fussy
**miopía** nearsightedness, myopia
**mirada** look, glance, stare
**miramiento** consideration, regard, misgiving, circumspection
**misa** Mass
**miseria** poverty, wretchedness, misery, stinginess, trifle, pittance
**mitra** miter, bishop's hat, (*fig.*) bishopric
**mocica** young girl
**mocoso, -a** brat, young sniveler
**moda** fashion, mode, style
**modales** manners
**modalidad** way, manner, nature, kind, modality
**modo** manner, way; **de tal —** to such an extent, so much
**mohín** grimace, face
**mojar** to wet, drench, soak, dampen
**molde** pattern, model, mold, form, frame; **de —** conventional, commonplace
**mole** massiveness, huge mass
**moler (ue)** to grind, pound, vex, molest
**molestia** nuisance, annoyance, irritation, problem
**molinete** twirl, flourish, ventilating fan
**molino** mill; **— de viento** windmill
**moniato** (*var.* **buniato**) sweet potato, yam
**monigote** boob, sap
**mono, -a** cute, nice
**montante** transom, post, strut, broadsword
**montar** to mount, get on, set up, establish, rise, flare up
**montaraz** untamed, wild, crude
**morboso, -a** morbid, pathological
**morcilla** blood sausage, blood pudding
**mordaza** gag, clamp
**morder (ue)** to bite
**mortífero, -a** fatal
**moscón** large fly, sly fellow, pest
**mostillo** mustard sauce
**mostrador** counter
**movedizo, -a** moving, shaky, unsteady, shifting, inconstant
**mozalbete** young fellow, lad
**mozo, -a** young man, young girl
**mozuco** darkie
**muchedumbre** crowd, mass
**mudanza** change, moving, objects moved
**mudar** *tv.* to change, move; *rv.* to move (residence), change (clothes)
**mudo, -a** mute, silent
**muebles** furniture, furnishings
**muelle** pier, dock, wharf, spring, coil
**muestra** sample, model, specimen
**muñeca** doll, wrist
**muñeco** doll, puppet, manikin, dummy, figure, figurine
**muñidor, -a** beadle, henchman *or* woman, (*coll.*) heeler, one who rigs up
**murmullo** murmur, gossip
**muro** outer wall
**mustio, -a** withered, musty

## N

**nacer** to be born
**naciente** incipient
**naranjo** orange tree
**natural** nature, disposition, temper, character
**naturalista** naturalist, botanist
**naufragio** shipwreck
**navío** ship, vessel
**necedad** foolishness, folly, nonsense, stupidity
**necio, -a** fool; foolish
**negar (ie)** to deny, disclaim, disown, refuse, prohibit
**negociante** trader, dealer, businessman
**nene, -a** baby
**nido** nest
**nieto, -a** grandchild, grandson, granddaughter
**nimbo** halo

**niñez** childhood
**nivel** level
**nocivo, -a** harmful, noxious
**nodriza** wet nurse
**nombrar** to name
**noramala** (*var.* **enhoramala**) in an evil hour, unluckily; **ir —** to go to the devil
**notar** to notice
**noticiero** newsman, news program
**notoriedad** fame, renown, notoriety
**novedad** novelty, fad, news
**novia** fiancée, bride
**noviazgo** courtship
**novillo** young bull
**nube** cloud; **poner en las —s** to praise highly
**nublar** to cloud, cloud over
**nudo** knot
**nuera** daughter-in-law
**nuevo, -a** new; **de —** again, anew
**nulidad** nonentity, nullity, nobody
**numen** inspiration, spirit, deity
**nutrido, -a** nourished; **bien —** robust

## Ñ

**ñame** yam
**ñoñería** dotage

## O

**obeso, -a** stout, obese
**obra** work
**obrero** worker, laborer
**obsequiar** to present, give, flatter
**obstante: no —** nevertheless, however, in spite of
**ocasión** opportunity, chance, occasion; **de —** used, secondhand, by chance
**ocasionar** to cause, occasion, produce
**ocioso, -a** unoccupied, lazy; **ser —** to be useless, unnecessary
**oficiala** craftswoman, skilled female worker
**oficioso, -a** kind, attentive, obliging, officious
**ofrenda** offering, gift
**ojal** buttonhole, eyelet
**ojeada** glance
**ojeroso, -a** with rings under one's eyes
**ola** wave
**olor** odor, promise, hope, whiff, scent
**olvidadizo, -a** forgetful
**olla** stew
**ontología** science of being, ontology
**oportuno, -a** witty
**oprimir** to oppress
**opulento, -a** rich, opulent
**ora . . . ora** now . . . now
**oráculo** wise person, oracle
**oreja** outer ear
**orgullo** pride
**oropel** tinsel, ornament, (*fig.*) flowery speech
**ortográfico, -a** spelling, orthographic
**osar** to dare, venture
**oso** bear; **hacer el —** to make a fool of oneself
**otroísmo** altruism, opposite of egoism
**ovillo** ball of yarn, tangle

## P

**pacer** to graze, pasture
**pachorra** sluggishness, calm
**padecer** to suffer, endure
**padrazgo** paternalism
**padrino** godfather, second (in a duel), best man
**padrote** father, sire, solon
**pagarse de** to boast of, be proud of
**pago** payment, reward
**paja** straw
**pajizo, -a** straw, straw-colored
**paladar** palate
**palco** theater box; **— proscenio** box on either side of the stage; **palcucho** (disdainful term)
**paleto, -a** country bumpkin, rustic person
**palidecer** to turn pale
**pálido, -a** pale
**palio** canopy
**palmada** clap, clapping, slap
**palmeta** ferule, stick used to punish children on the hand

**palmetazo** slap, blow with a ferule
**palmo** palm, span; **— a —** inch by inch; **abrir un — de boca** to open wide one's mouth, gape
**palo** stick, wood; **dormir como un —** to sleep like a log
**palotada** stroke; **no entender —** not to know a fig about
**palote** stick, drumstick, scribbled downstroke
**palpablemente** plainly, obviously, grossly, manifestly, in a way one can touch
**palpitante** burning, of the moment, throbbing, thrilling
**panegírico** elaborate praise, eulogy, panegyric
**pantalla** shade, screen
**paño** cloth, wool cloth
**pañolón** shawl
**pañuelo** handkerchief, kerchief, scarf, bandana, shawl
**papada** double chin
**papagayo** parrot
**paparrucha** trifle, hoax, nonsense
**papaveráceo, -a** pertaining to the poppy family *Papaveraceae,* plants with sleep-inducing qualities
**papel** paper, role, part; **hacer —** to figure, play a part; **hacer un mal —** to come out badly, fail, look ridiculous
**papeleta** slip, card, ticket
**papiráceo, -a** of paper *or* papyrus
**par** pair; **de — en —** wide, wide open
**parar** to stop, check; **— de contar** to be all, nothing more
**pardo, -a** brown
**parecer** look, mien, countenance, opinion; **al —** apparently, seemingly, to all appearances
**parecido, -a: bien —** good-looking
**pared** wall
**pareja** pair, couple, partner; **correr —s** to match, equal, be abreast
**parentesco** relationship
**parir** to give birth
**parné** (*gypsy slang*) money
**paroxismo** fit, paroxysm
**participar** to inform, communicate
**partícipe** participant
**particular** detail, subject; special, peculiar, private
**particularidad** specific circumstance, detail
**partidillo** small, insignificant party (political)
**partido** party, opportunity, match; **sacar —** to derive profit from, make the most of
**partir** to part, divide, share, cut, break, leave; **— de** to come from, originate, begin
**pasa** raisin
**pasajero, -a** passing, temporary, fleeting
**pasamanos** handrail
**pasar** *tv.* to pass, surpass, swallow; *iv.* to spend; *impers.* to happen; *rv.* to get along; **— por alto** to overlook
**paseante** strolling
**pasearse** to stroll around, promenade
**pasillo** passage, corridor, hall
**pasito** step, pace; **— corto** limitation
**pasmado, -a** astounded, amazed, startled
**pasmo** cold
**pasmoso, -a** startling, astounding
**paso** step, passage, way, path, incident, happening; **andar en malos —s** to be mixed up in something wrong, in trouble; **de —** in passing, on the way, briefly; **salir del —** to get out of a difficulty *or* spot
**pasta** paste, dough, noodle, spaghetti, macaroni; stuff, nature; **— de ángeles** kind, well-disposed, good-natured
**pastel** cake, pie
**pastora** shepherdess
**pastorear** to shepherd
**pata** paw, foot, leg; **—s delanteras** forepaws
**patada** kick, stamp
**patíbulo** scaffold (for executions)
**patinar** to skate, skid; **— con ruedas** to roller-skate
**patraña** fake, humbug, hoax

**patria** native land
**patrimonio** inheritance, patrimony
**patrocinar** to sponsor, favor, patronize
**patrón** pattern, owner, boss
**paulatinamente** slowly, gradually
**pavero** Andalusian broad-brimmed hat
**pavito** little turkey; **— real** little peacock
**pavo, -a** dumb, dull, stupid
**pavor** fear, terror
**pazpuerca** slut
**pe** letter p; **— a pa** p plus a is pa, the alphabet, three r's
**pecado** sin, shame
**pecaminoso, -a** sinful
**peculio** small funds, savings, personal cash
**pecuniario, -a** financial, pecuniary
**pechera** shirt front, bib
**pecho** breast, chest, bosom, courage
**pedantuelo, -a** pedant, eager-beaver (of a student)
**pedigüeño, -a** soliciting person; demanding, begging
**pedrominio** (*mistaken form of* **predominio**) predominance, superiority
**pegadizo, -a** sticky, clammy
**pegajoso, -a** sticky, catching, tempting, gentle, oversweet, mushy
**pegar** to hit, strike, beat, stick, paste; **— un brinco** to jump up, take a jump
**peina** ornamental comb worn in back of hair
**pelagatos** ragamuffin, wretch
**peleíta** small fight, argument, quarrel
**peligro** danger, risk
**pelota** ball
**pelotera** brawl, row
**peludo, -a** hairy, shaggy, furry
**pellizco** pinch
**pendiente** slope, inclination, tendency, earring; pending, awaiting, hanging
**penoso, -a** arduous, difficult, painful
**pensamiento** thought, pansy
**pentagrama** staff (in music)
**penumbra** half-shade, penumbra
**pepino** cucumber; **no valer dos —s** not to be worth a fig
**percance** misfortune, mishap
**perdis** scatterbrain, good-for-nothing, rake, roué, reckless fellow
**peregrino, -a** foreign, rare, strange, singular, wandering
**perfil** profile, outline; *pl.* finishing touches, courtesies
**peripatético, -a** itinerant, peripatetic, Aristotelian (pertaining to his philosophy)
**permanecer** to stay, remain
**pero** objection, fault, defect
**perseguir (i)** to haunt, pursue, persecute, harass
**persignarse** to cross oneself, make the sign of the cross
**personarse** to appear in person, present oneself
**perspicacia** discernment, insight, perspicacity
**perspicuo, -a** clear, lucid, transparent
**pesadez** heaviness, gravity, fatigue, fretfulness, annoyance
**pesadilla** nightmare
**pesado, -a** heavy, dull, boring, tiresome
**pesar** to weigh, cause regret
**pescar** to fish, catch
**pescuezo** neck
**pesebre** crib, manger
**peso** weight
**pestañeo** blinking, winking, fluttering of eyelashes
**peste** plague
**pestífero, -a** stinking, noxious, pestiferous
**petaquilla** cigarette case, cigar case, tobacco pouch, leather case *or* box
**petitorio** tiresome and repeated demand, request
**petrarquista** Petrarchan; **a la moda —** as Petrarch (1304-74) loved Laura
**picadero** riding school, place where picadors train their horses
**picado, -a** staccato, choppy
**picante** biting, stinging, piquant, racy
**picaporte** knocker, latch-key
**picardía** knavery, mischief

**pícaro, -a** knave, rogue, rascal; roguish, mischievous, merry, gay, vile
**picazón** itch
**pico** beak, bill, peak, (*fig.*) mouth, pick, pickax
**picotazo** jab, peck
**pichón** young pigeon
**pie** foot, basis, base, foundation
**piedra** stone
**piel** skin, hide, fur; **ser de la — de Satanás** *or* **de Barrabás** *or* **del diablo** to be the very devil, difficult, hard to handle, clever
**pieza** piece, thing, part, room
**pillar** to pillage, plunder, seize, catch
**pillastre** rogue, rascal
**pillería** band of rogues *or* rascals
**pillo, -a** rascal, rogue
**pimpollo** shoot, sprout, bud, handsome youngster
**pincelada** brush stroke, touch
**pinchar** to pinch, prick, jab, pierce, puncture
**pingo** rag
**pintoresco, -a** colorful, picturesque
**piñón** pinion nut; **partir un —** to be lovey-dovey, on good terms
**piporro** bassoon
**piquillo** small beak, small amount
**pisar** to step on, tread, trample
**piso** floor, story; **— bajo** first floor
**pitillo** cigarette
**placa** plaque, tablet, plate, slab
**pláceme** congratulation
**placentero, -a** pleasant, pleasing, agreeable
**plana** page of penmanship
**planchar** to iron, press
**plano** plan, map, plane; **de —** clearly, flatly, plainly
**planta** plant, sole (of the foot), foot, floor (story of a building)
**plantado, -a** planted, fixed, (*coll.*) jilted, abandoned
**plantarse** to land, arrive, appear, stand
**plantear** to state, pose, set up, expound
**plantillero, -a** bully
**plantón** long wait
**plañidero, -a** weeping, mournful, whining
**plástico, -a** having form, plastic; **artes —as** visual arts
**plata** silver, money
**plática** talk, chat, conversation
**plaza** place, job, seat, public square, arena (bullfighting); **sentar —** to enlist
**plazo** term, payment, installment
**plegar (ie)** to fold, pleat, pucker (lips); **— la boca** to keep quiet, keep one's mouth shut
**pleito** lawsuit, litigation, dispute
**pleno, -a** full
**plétora** excess, fullness, superabundance, repletion
**pliegue** pleat, fold, crease
**poblado, -a** populated
**pócima** potion, concoction
**poder** power, power of attorney, proxy
**poderoso, -a** powerful, strong
**polizonte** cop, policeman
**polvo** dust
**pólvora** gunpowder
**pollo, -a** chicken, young person
**poma** apple, perfume bottle
**ponderar** to ponder, exaggerate, praise highly, stress
**pontificio, -a** relating to a bishop, archbishop *or* pope
**ponzoña** poison
**pormenor** detail
**porrazo** blow, bang
**portador, -a** bearer
**portal** vestibule, entrance hall, arcade
**portamonedas** pocketbook, change purse
**portarse** to behave
**portera** janitress, doorman's wife
**porvenir** future
**posteriormente** later, afterwards
**postizo, -a** false, artificial, detachable
**postre** dessert
**postulante** petitioner, postulant
**postura** attitude, stand, posture, pose
**potente** powerful, potent, strong

**potestad** power, potentate; **patria —** patria potestas (in law), paternal authority
**potrero** colt tender, cattle ranch
**preciso, -a** necessary, precise, exact
**preconizar** to commend, proclaim, sanction
**predicador, -a** preacher
**predilecto, -a** favorite, preferred
**premio** prize, award
**premioso, -a** slow, dull, heavy, tight, close, rigid
**prenda** article, item, piece of jewelry, gift, talent, quality, anything dearly loved
**prensa** press, printing press, vise
**preñado, -a** impregnated, full, pregnant
**preocupación** concern, worry, preoccupation
**presa** prey, booty, capture, seizure
**presagiar** to sense, forebode, presage
**presbítero** priest in charge of a church, presbyter
**prescindir** to leave aside, disregard, dispense with
**presenciar** to witness, see
**presentir (ie, i)** to sense, have a presentiment of
**presidio** penitentiary, prison
**prestar** to lend, loan, render, pay (attention); **—'sele a** + *inf.* to agree to, offer to
**presteza** promptness, speed
**presunción** presumption, conceit, snobbery, presumptuousness
**presunto, -a** supposed, presumptive
**presupuesto** budget
**presuroso, -a** hasty, hurried, speedy, quick
**pretender** to pretend, claim, expect
**pretensión** pursuit, claim, request, pretension, presumption
**prevención** preparation, prevention, jail, guardhouse
**prevenirse** to be prepared, get ready
**previo, -a** previous, prior, preceding
**previsor, -a** farseeing, farsighted, foreseeing, foresighted
**primacía** first place, top position, primacy
**primeriza** primipara, a woman who has just had her first child
**primor** elegance, beauty, (*fig.*) cream, excellence, skill, care, jewel
**principal** main *or* second floor (by Spanish standards, first floor *or* one flight up)
**principio** principle, tenet, beginning; **dar —** to begin
**pringoso, -a** greasy
**privar** to deprive, prohibit, be in vogue, favor
**pro** profit, advantage; **en — de** in behalf of, in favor of
**probatura** fitting, tryout, attempt, trial
**probidad** integrity, probity
**procedencia** origin, source
**proceder** to issue, originate, proceed
**procedimiento** procedure, process
**prócer** dignitary, leader, hero
**procurar** to try, strive, procure
**prodigar** to lavish
**prodigio** miracle, wonder, prodigy
**pródigo, -a** lavish, prodigal
**prójimo** fellow man
**promover (ue)** to promote, further, advance
**pronto, -a** ready, quick
**propiamente** really
**propina** tip
**propio, -a** proper, self, myself, yourself, etc., own, personal, characteristic, suitable; **amor —** pride
**proponerse** to intend, plan, determine
**proporcionar** *tv.* to furnish, supply, give, provide; *rv.* to get, acquire, provide oneself
**propósito** aim, ambition, desire, purpose, intention; **a —** fitting, suitable, apropos, by the way; **hacer —** to determine, decide
**proseguir (i)** to continue
**provecho** benefit, advantage, profit
**proveerse** to provide, supply oneself
**provenir (ie, i)** to arise, originate, stem

**próvido, -a** watchful, provident, propitious
**proxenetes** (*Gr., stress on last syllable*) procurer, go-between
**próximo, -a** next, near
**proyectar** to project, plan
**prueba** proof, trial, test
**prurito** itch, eagerness, urge
**psicogénesis** the development of the mind as manifested by consciousness, genesis through inborn vitality, psychogenesis
**pucherito** puckering, pouting
**pudoroso, -a** modest, shy
**pudrir** to rot, putrefy, decay
**puesto** stand, stall, booth; put, set, placed; **— de** dressed, decked out; **— que** since, although
**pugnar** to fight, struggle, strive
**pujante** vigorous, mighty
**pulcro, -a** clean, tidy, neat
**pulimentado, -a** polished
**pulmón** lung; **a — lleno** freely
**pulmonía** pneumonia
**pulsar** to play, sound out; **— la lira** to write verse
**puntería** aim, marksmanship, aiming
**puntiagudo, -a** sharp, pointed
**punto** point, stitch, period, (*coll.*) character; **— y aparte** new paragraph; **a — fijo** exactly; **buen —** (*coll.*) a real character, a clever one, something to contend with; **en — a** on the subject of, as for
**punzar** to prick, puncture, punch
**puñada** punch
**puñal** dagger
**puño** fist

## Q

**quebrantarse** to weaken, fatigue, break, crack
**quedar** to remain, be left; **— en que** to agree that, settle on; **—se como una vela** to get as thin as a rail (*lit.* candle)
**quehacer** chore, task
**queja** complaint
**querencia** liking, fondness
**querida** beloved, mistress
**quevedos** pincenez glasses
**quia** oh no, don't be silly, nonsense
**quicio** hook, hinge; **sacar de —** to drive one mad, enrage
**quincena** fortnight, two-week period
**quintilla** verse form consisting of a five-line stanza of eight-syllable lines with two rhymes
**quinto: a lo —** crew cut, like a draftee
**quisquilloso, -a** difficult, touchy, peevish, irritable
**quitar** to take away, remove; **—'sele** to get rid of (an ache, stain, etc.)
**quizás** perhaps

## R

**rabiar** to rave, rage, be angry; **— por** to die to, itch to
**rabillo** little tail
**raciocinio** reasoning
**racionar** to ration, serve rations to troops
**racha** gust (of wind), squall, (*coll.*) streak, spell of luck, string
**raicilla** part of seed which becomes root, radicle, rootlet
**raíz** root; **echar —ces** to take root
**rajar** to split, cleave, crack, slice
**ralea** kind, ilk, breed
**rameado, -a** branched, flowered design
**ramo** branch
**rampante** unchecked, wild, excessive, rampant, upright (in heraldry)
**rancio, -a** rancid, old
**rancho** mess, camp *or* army food
**raquitismo** rickets
**ras** lashing, cracking sound
**rasgar** to tear, rip
**rasgueado** arpeggio, strumming, thrumming, twanging
**rasguño** scratch
**raso: soldado —** buck private
**rato** while, short time, long time; **tener para un —** to have one's hands full
**ratonera** trap, mousetrap

**raya** stripe, dash, line, part (of hair); **dar quince y —** beat, out-do; **poner a —** to keep within bounds
**rayar** to line, rule, stripe, border; **— en** to border on
**real** Spanish coin worth ¼ of a peseta; royal
**realce** luster, splendor, enhancement; **dar —** to highlight, bring out
**realeza** royalty
**reanudar** to resume
**rebajamiento** lowering, diminishing
**rebaño** herd, flock
**rebeldía** rebelliousness, disobedience
**reblandecimiento** softening
**rebuscado, -a** affected, unnatural, recherché, studied
**rebuscar** to search, inquire, examine closely, look for
**rebuscón, -ona** hair-splitting, fault-finding
**recado** message
**recalentar (ie)** to reheat, excite again
**recamado, -a** embroidered in relief
**recargado, -a** overloaded, overadorned
**recatarse** to hide, be reserved, afraid to take a stand, be timid, cautious, modest, circumspect
**receloso, -a** mistrustful, uncertain, doubtful, suspicious
**recetar** to prescribe
**recibimiento** reception, reception room *or* hall
**recinto** place, enclosure, nook
**recio, -a** stout, strong, robust, rude, arduous, rigid
**reclamar** to demand, claim, call, protest, resound
**recogerse** to withdraw, retire, go to bed, take shelter
**recóndito, -a** hidden, recondite
**reconocer** to recognize, acknowledge, examine closely, inspect
**recorrer** to travel over, peruse, run through
**recrudecer** to flare up again, get worse, break out again
**recto, -a** straight, forthright, just, righteous
**rector** rector, president (of a university), principal, superior
**recua** drove of mules
**recubrir** to cover up, conceal
**recuerdo** memory, recollection
**red** web, net, mesh, snare, trap
**redactar** to word, write up, edit, compose
**redoma** bottle; **poeta de redomilla** popular versifier, poetaster, a-dime-a-dozen poet
**redondear** to round out, complete
**refajo** short petticoat
**reflejo** reflection, reflex
**reforzar (ue)** to reinforce, strengthen, assist, encourage, boost, intensify
**refractario, -a** rebellious, refractory, unwilling
**refrenar** to check, curb, restrain
**refresco** refreshment
**refunfuñar** to grumble, growl
**regalarse** to treat, regale oneself
**regalo** gift
**regañón, -ona** grumbler, scolder, nag
**regateo** bargaining, haggling
**régimen** (*pl.* **regímenes**) system, order, performance, regime, diet
**regio, -a** royal, regal
**registrar** to examine, inspect, search, record
**regla** rule, law, ruler, yardstick; **en toda —** according to the rules, in order
**regocijo** joy, elation, cheer, rejoicing
**regresar** to return
**reinar** to reign, govern, rule
**reincidencia** relapse, recurrence, backsliding, repetition of an offense
**relambido, -a** (*rustic for* **relamido**) prim, overnice
**relámpago** lightning, flash
**relato** narrative, tale, narration, story
**reloj** clock, watch
**relojera** watchcase
**relucir** to glitter, shine, excel, be brilliant; **sacar a —** to bring up, adduce; **salir a —** to come up
**relumbrón** flash, glare, brightness; **de —** flashy, showy

**relleno** filling, stuffing, padding
**remachar** to confirm, stress, rivet
**rematado, -a** topped off, finished off, hopeless, complete
**remate** end, finishing off, topping
**remedio** remedy; **no tener más —** not to have any way out
**remendar (ie)** to patch, mend, repair
**remilgo** affectation, affected politeness
**remontado, -a** elevated, lofty
**remordimiento** remorse, regret
**rencor** grudge, rancor, spite; **guardar —** to bear a grudge
**rendido, -a** worn out, exhausted, tired, overcome, weary
**renglón** line, item of an account
**renta** income
**reñido, -a** bitter, hard-fought, heated
**reñir (i)** to scold, fight, quarrel, be at odds
**reo, -a** criminal; **— en capilla** criminal in the death house *or* death chamber
**reparar** to notice, observe, take account of, restore, repair
**reparillo** slight observation, objection, doubt, bashfulness, fault
**reparto** distribution
**repelón** fit
**repicar** to ring out, peal, resound
**replicar** to answer back, retort
**reposo** rest, repose, calm, composure
**repuesto** stock, provision, supply, refill, spark; **—, -a** restored, recovered, calmed down
**requetebién** extremely well
**requiebro** flattery, flirtation
**requisito** requirement, requisite
**res** beast, head of cattle
**resabio** vice, bad habit, unpleasant aftertaste
**resbaladizo, -a** slippery, skiddy, evasive
**reseña** review
**resguardado, -a** protected, shielded, defended
**resollar (ue)** to breathe hard, pant, (*fig.*) say a word
**réspice** sharp reply *or* reproof
**resplandecer** to shine, flash, glitter, stand out
**restar** *iv.* to remain, be left; *tv.* to subtract
**restituirse** to return, come back
**resto** remains, leftover, wreck, derelict
**resucitar** to resurrect, revive, resuscitate, bring up again
**resuelto, -a** resolved, resolute, determined
**resuello** breathing, hard breathing
**retahila** string, line
**retemblar (ie)** to quiver, tremble, shake
**retinto, -a** dark, dark-chestnut color
**retorcer (ue)** to wring
**retozar** to frolic, gambol, romp
**retraimiento** withdrawal, solitude, reserve, shyness, retreat
**retrato** portrait
**retroceder** to back up, out, away, down, recede
**retruécano** pun, play
**retumbante** resounding, bombastic, high-flown
**reventa** resale (by speculators)
**reventar (ie)** to smash, burst, explode, bore, annoy, make sick
**revés** reverse side; **al —** backward, inside out, wrong way round
**revestido, -a** dressed, donned, attired, adorned, coated
**revista** review, journal, magazine; **pasar —** to look through, examine, review, survey, go over
**revistero** reviewer, magazine writer; **— de salones** society columnist
**revolcarse (ue)** to roll over, tumble, wallow
**revolver (ue)** *tv.* to stir, disarrange, mix up, disturb; *rv.* to get mixed up, stir about
**reyerta** dispute
**rezar** to pray, say a prayer; **— con** to concern, have to do with
**rezón, -ona** one who prays a great deal
**ridiculez** absurdity
**rielar** to twinkle

**rienda** rein; **dar — suelta** to give free rein, let go
**rifar** to raffle
**ripio** refuse, rubble, debris, padding (in writing); **no perder —** not to miss a word *or* a trick
**risa** laughter; **dar —** to make one laugh, be absurd
**risueño, -a** smiling, pleasant
**robustecer** to strengthen
**roce** rubbing, friction, contact
**rociar** to sprinkle
**rocío** dew
**rodar** to roll, roll around, shoot *or* film (a picture)
**rodear** to surround, go around
**rodeo** detour, subterfuge
**rodilla** knee
**rogar (ue)** to beg, pray, entreat; **hacerse de —** to like to be coaxed
**rollizo, -a** plump, chubby, stocky, round, cylindrical
**rollo** roll, curl, roller
**romance** Spanish language
**romancesco, -a** romantic, novelistic
**romper** to break; **— a** to burst out
**ronco, -a** hoarse
**rondar** to go around, patrol, prowl around, serenade
**rondón: de —** brashly
**ronquillo, -a** hoarse, raucous
**ronzal** halter
**ropa** clothes
**ropilla** doublet
**rostro** face
**roto, -a** broken
**rótulo** title, label, tag, lettering, inscription
**roturar** to plow, break
**roturilla** slight opening, break, tear
**rozamiento** friction, rubbing, contact, chaffing
**rozar** to scrape, brush, graze by, hobnob, deal
**rubor** flush, blush, bashfulness, redness, glow
**rudeza** coarseness, roughness, crudeness
**rueda** wheel; **hacer la —** to keep after, flatter, play up to
**rugoso, -a** wrinkled
**ruido** noise
**rumiar** to meditate on, ruminate
**rumor** murmur, buzz, rumble, rumor

## S

**sabiduría** knowledge, wisdom
**sabio, -a** sage, wise one, savant; wise, intelligent
**sablazo** saber cut, blow
**sablote** saber, cutlass
**saborear** to enjoy, relish, savor
**sabroso, -a** tasty, savory, delicious, delightful
**sacerdote** priest
**sacudida** jolt, jar, shake, shaking off, shock
**sagaz** wise, sagacious
**sagrario** sanctuary (of church), ciborium
**sahumerio** smoking, perfuming, incense, aromatic smoke
**sainetón** bad one-act farce
**sajar** to cut, make an incision in
**sal** salt, charm
**salida** exit, issue, sudden idea *or* unexpected statement
**salmodiar** to say in a singsong manner
**salmuera** brine, pickle
**salpicar** to splash, sprinkle, spatter
**salsa** sauce
**saltar** to jump, leap, pop out
**salto** jump, leap, spring, bound, skip
**salud** health
**salvar** to save, salvage, clear, cover (distance)
**salvo: a —** out of danger, safe
**salle à manger** (*Fr.*) dining-room
**sambeque** (*var. of* **zambeque**)
**sandez** folly, nonsense; **oír llover —ces** to hear a pack of nonsense
**saneado, -a** clear, unencumbered, guaranteed
**sanguinario, -a** bloodthirsty, sanguinary

**sanguíneo, -a** warm, ardent, hopeful, sanguine
**sanidad** sanitation, healthfulness, healthiness
**sano, -a** healthy, well
**santo, -a** saint; **todo el — día** the livelong day, all day long
**santurrón, -ona** apparently saintly, sanctimonious person
**sarampión** measles
**sarao** evening party, dance
**sastre** tailor
**sazón** season, time, occasion, ripeness, maturity
**seboso, -a** greasy, tallowy, fatty
**secar** to dry
**secretero, -a** secretive, given to secrecy
**secuestrador, -a** captivating, ensnaring
**sed** thirst
**segoviano, -a** Segovian, from Segovia
**según** according to, as, judging from; according as
**selva** forest, woods, jungle
**sellar** to seal, stamp, imprint
**semblante** face, mien, countenance, look
**sembrar (ie)** to sow, seed, spread
**semejante** fellow man, equal; similar, such, such a
**semejanza** resemblance, likeness
**sencillez** simplicity
**senda** path
**sendero** path
**seno** breast, bosom
**sensato, -a** sensible, sane
**sentencia** judgment, sentence
**sentido** meaning, sense, feeling
**seña** sign, indication; *pl.* address, evidence, proof; **por más —s** to be more exact *or* specific
**señá** (*short form of* **señora**)
**septentrional** northern, Nordic
**sequedad** dryness, surliness
**sequía** drought
**ser** being
**seráfico, -a** angelic, sublime, seraphic
**servicial** obliging, helpful, accommodating
**servidumbre** servants, help, servitude
**servilleta** napkin
**sesión** session, meeting, account of a session
**sesudo, -a** brainy, wise, intelligent
**seudomorisco, -a** pseudo-Moorish
**si bien** although
**sibilino, -a** prophetic, sibylline
**sidra** cider
**sien** temple
**sierra** mountain range
**siglo** century
**sigilosamente** with reserve, secretly
**sílfide** slender one, sylph
**silvestre** wild, uncultivated, rustic
**sillón** armchair, overstuffed chair
**simiente** seed
**simpatía** attraction, affection, liking
**simpatizar** to get along well together, be congenial, hit it off
**síncope** fainting spell
**singular** unusual, rare, special
**sinsabor** displeasure, unpleasantness, trouble, worry
**sinsonte** mockingbird
**sinvergüenza** scoundrel, shameless person
**sitiador** besieger, surrounder, one who hems in
**sitio** place, space
**soba** beating
**soberanamente** supremely
**soberanía** sovereignty, rule, sway, haughtiness
**soberano** sovereign; **—, -a** supreme
**soberbio, -a** haughty, arrogant, superb, magnificent
**sobón, -ona** malingering, fresh, mushy
**sobornar** to bribe, suborn
**sobrar** to remain, be left over, be in excess
**sobrellevar** to ease, alleviate, tolerate, suffer
**sobremanera** exceedingly, beyond measure
**sobremesa** conversation at table after eating, after-dinner chatting
**sobreponerse** to superimpose oneself, master

**sobresalto** start, shock, scare, fright
**sobriedad** moderation, temperance, sobriety
**socaliña** cunning, extortion, bribery, swindle
**socarrón, -ona** sly, cunning, crafty
**socorro** help, aid, assistance, succor
**sofisma** sophism, fallacious argument, ingenious statement and arrangement of propositions for the purpose of misleading
**sofístico, -a** fallaciously subtle, not sound, sophistic
**soflama** glow, firecrackle, deceit, (*coll.*) speech, discourse
**sofocar** to smother, suffocate, blot out, extinguish; *p.p.* bothered, harassed
**solapa** lapel, flap
**solapado, -a** concealed, underhanded, sneaky
**solas: a —** alone
**solaz** consolation, solace, recreation, pleasure
**soledad** solitude, privacy
**solemnidad** formality, solemnity, important occasion
**soler (ue)** to be accustomed to, in the habit of, be usual
**solicitación** wooing, courting, solicitation, request, invitation
**solícito, -a** careful, kind, solicitous
**solidez** solidity, soundness
**soltar (ue)** to loosen, set free, let out, let loose; **— los trastos** to give the whole thing up
**soltero** bachelor
**solterón** confirmed bachelor
**soltura** fluency, ease, freedom
**sollozo** sob
**sombra** shade, shadow; **de mala —** unlucky, bringing bad luck
**sombrío, -a** somber, gloomy
**someter** to subject, subdue, submit
**somnífero, -a** sleep-inducing, somniferous
**sonajeo** jingle, rattle
**sonarse** to blow one's nose
**sondear** to probe, sound
**sonoro, -a** resounding, sonorous
**sonrojado, -a** blushing, pink
**sonsonete** sing-song, singsong tone *or* rhythm
**soñador, -a** dreamy, dreaming
**soñoliento, -a** sleepy, drowsy, somnolent
**sopera** soup tureen
**soplo** puff of wind, blow
**soportar** to stand, tolerate
**sorbo** sip, gulp, swallow
**sordidez** sordidness, nastiness, dirtiness
**sordomudo** deaf-mute
**sorna** cunning, sluggishness
**sosada** foolishness, nonsense, silliness, insipidness
**sosegado, -a** quiet, calm, peaceful
**soslayo: de —** obliquely, indirectly
**soso, -a** insipid, dull, tasteless, inane
**subalterno, -a** subordinate, inferior
**subrayar** to underline, emphasize
**sucederse** to follow upon each other
**sucedido** event, occurrence, happening
**suceso** event, occurrence, happening
**sudor** perspiration
**suegro, -a** father-in-law, mother-in-law
**suelo** ground, soil
**suelto, -a** loose, flowing, isolated, unconnected, free, agile, fluent
**suerte** luck, fortune, chance, sort, kind, way
**sujetar** to hold, fasten, tighten, subject, subdue, submit, adhere
**sujeto, -a** individual, fellow, (*coll.*) egg; fastened, tied down, in tow, bound
**sulfurarse** to get angry, get furious
**sumamente** extremely
**sumar** to add, add up to, amount to
**sumiso, -a** submissive
**suntuario, -a** referring to limitation of expenditure, sumptuary law
**superar** to surpass, excel, outdo, overcome, conquer, dominate
**superficie** surface
**suplicio** torture, torment, punishment, anguish, execution

**suplir** to supply, replace, serve instead of, disguise, supplement, substitute, make up for
**suponer** to suppose; **—le a uno** to take someone for
**suprimir** to eliminate, suppress
**surgir** to rise, emerge, surge
**susceptibilidad** sensitiveness, touchiness, susceptibility
**suscitar** to provoke, stir up
**suspicacia** distrust, suspiciousness
**suspiro** sigh
**susto** fright, scare
**susurro** murmur, whisper
**sutileza** subtlety
**sutilizar** to refine, polish, perfect

## T

**tabernero** tavern keeper, bartender
**tabla** board, slab, counter
**taburete** stool
**tacha** flaw, defect, fault, blemish
**tafetán inglés** court plaster
**taimado, -a** sly one; sly
**taita** father, daddy (term of endearment)
**tal** such
**talante** appearance, aspect, mien, countenance, humor
**talla** stature
**tallar** to carve, engrave; *p.p.* wrought
**talle** shape, figure, stature, waist
**tallo** stem, stalk, shoot, sprout
**tamaño** size
**tamiz** sieve
**tanto, -a** so much, as much; **— así** the least bit; **en —** in the meanwhile, while; **otro —** again as much; **por —** therefore
**tapacabezas** head covering
**tapar** to cover, hide, conceal, plug, stop up
**tapicero** upholsterer, tapestry maker
**tapujo** cover-up, concealment, subterfuge
**taquígrafo, -a** stenographer
**tararear** to hum
**tarea** task, job, chore
**tarjeta** card, postcard, calling card
**tasa** measure, rate, value, moderation
**taumaturgo** wonder-worker, miracle-maker, thaumaturge
**tecla** key (of piano *or* typewriter)
**techo** ceiling, roof
**tegumento** membrane, covering, tegument
**teja** shovel hat, tile
**tejer** to knit, weave
**tela** cloth, material, fabric
**telar** loom, frame, sewing press
**telaraña** cobweb
**telón** curtain (of a theater)
**temerario, -a** rash, foolhardy
**temeroso, -a** fearful, afraid, timid
**temor** fear
**templado, -a** temperate, moderate
**temple** temper (of iron *or* steel), sturdiness
**temporada** season, epoch, period of time
**tenaz** firm, determined, persevering, stubborn, tenacious
**tenaza** plier, pincer, forceps, tong
**tenedor** fork, holder
**tener por** to take for
**tentar (ie)** to touch, grope, attempt, probe, examine, try out (yearlings for bravery)
**tenue** light, soft, tenuous, faint, subdued
**terciopelo** velvet
**término** limit, balance, end, term, manners; **— medio** compromise
**ternera** veal
**ternura** tenderness
**terquedad** stubbornness, obstinacy
**tertulia** informal gathering for conversation
**terremoto** earthquake
**terreno** terrain, sphere, field
**tesón** tenacity, firmness of will, perseverance
**tesoro** treasure
**testarudo, -a** obstinate, stubborn, pigheaded
**testero** front
**tétrico, -a** gloomy, sullen, dark

**tez** skin, complexion
**tiento** touch; **a —as** gropingly
**tierno, -a** young, tender, gentle, sweet
**tieso, -a** stiff, taut, tense, stubborn
**tiesto** flowerpot
**tiesura** stiffness
**tijeras** scissors
**tila** linden tea
**tilín** ting-a-ling
**timar** to snitch, swindle
**timbrado, -a** stamped
**timbre** bell
**tino** feel, knack, insight, wisdom, good sense
**tinto** red wine
**tipo** type, fellow, character
**tirada** throw, distance, stretch, stroke, edition, printing
**tirante** taut, drawn
**tirar** to throw, cast, pull, draw
**tirón** tug, pull, piece; **de un —** all at once, at one stroke, in one piece, without interruption
**titulado, -a** titled, named
**título** title, bond, share, deed
**tizón** brand (of wood)
**tocar** to touch, touch on, feel, ring, toll; **— a** to refer to, pertain to, concern, be related to; **—le a uno** to be one's turn, be one's affair
**toítas** (*rustic for* **toditas**) all
**tollina** spanking, beating
**tomeguín** hummingbird
**tonillo** singsong tone
**tontería** foolishness, nonsense
**tonto, -a** stupid, silly person; **estar — con** to be wild over
**toque** touch, ring, sound, knock
**torcer (ue)** to twist, turn, bend, go *or* lead astray, sprain
**tormenta** storm, tempest, turmoil, adversity
**torno** turn, lathe, clamp, wheel, brake; **en — a** around; **en — de** around
**torpe** dull, awkward, stupid
**tortilla** omelet
**tórtola** turtledove
**torvo, -a** stern, grim, severe, dour
**tosco, -a** coarse, rough, uncouth, unpolished, crude
**trabajoso, -a** painful, laborious, difficult
**trabar** to unite, tie; **— amistad** to make friends
**traer** to bring; **— por los cabellos** to drag something in, apply something that has no connection
**tráfago** traffic, trade
**tragar** to swallow
**traicionero, -a** treacherous, traitorous, deceptive
**traidor, -a** traitor; treacherous, deceptive
**traje** suit
**trampa** trap, snare, trick, deception
**trampantojo** sleight of hand, trick
**trampear** to trick, swindle, cheat, (*coll.*) pull through, manage to get along, sweat it out, grin and bear it
**trance** critical moment, (*coll.*) spot; **a todo —** at all costs, at any risk
**transacción** compromise, settlement
**transcurrir** to pass, elapse, transpire
**transigir** to compromise, settle
**transparentarse** to show through, be transparent
**trapiche** sugar mill
**trapicheo** scheming
**trapisonda** brawl, uproar, intrigue; **armar la —** to start *or* instigate a brawl
**trapo** rag, tatter, cloth
**traqueteo** rattle, agitation, shaking
**tras** after, behind, in addition to
**trasluz** transverse light, light coming through a transparent body
**traspasar** to transfer, move, cross, send, pierce, transgress
**trastornar** to upset, overturn, disturb
**trastrocado, -a** turned around, reversed, changed
**tratante** dealer
**tratar** to treat, deal with, associate with, try, trade; **—se de** to be a question of, deal with
**travesura** mischief, prank

**traviatesco, -a** sentimental, dramatic, like an opera hero
**traviatona** consumptive heroine as in Verdi's *La Traviata*
**travieso, -a** mischievous
**traza** looks, appearance, scheme, plan, design
**trazo** trace, line, stroke, outline
**tregua** truce, pause; **sin —** unceasingly
**trepar** to climb
**tresillo** ombre (card game)
**tribuna** rostrum, tribune, gallery, grandstand, parliament
**tricornio** three-cornered hat
**tripa** intestine, gut, belly; *pl.* insides
**trompetilla** ear trumpet, speaking trumpet, buzzing, (*fig.*) chatter
**tronada** thunderstorm
**tronchar** to rend, crack, shatter, split
**tropel** bustle, rush, hurry, hodgepodge, jumble
**tropezar (ie)** to stumble, slip; **— con** to stumble upon, bump into
**trozo** piece, fragment, block, excerpt
**trufado, -a** stuffed with truffles
**truhanesco, -a** knavish, tricky
**tubería** piping, tubing
**tufillo** warm vapor, smell, air
**tunante** rascal
**tupé** (*coll.*) nerve, gall
**tupido, -a** dense, thick
**turbación** confusion, perturbation, trouble, embarrassment
**turbado** disturbed, troubled, confused, bewildered, upset
**tutear** to use familiar form of address **tú**, be on intimate terms with

## U

**últimamente** recently, lately
**último, -a** last, final; **por —** finally
**uña** fingernail, claw
**urdimbre** warp (of woven cloth), (*fig.*) thread
**urgir** to be urgent
**usura** profiteering, usury; **la misma —** usury itself

## V

**vaciado** cast, casting, plaster cast; empty, emptied
**vacío, -a** empty; **un cabeza —a** scatterbrain
**vagar** to roam, wander, idle
**vago** idle fellow, loafer
**vaivén** coming and going, hustle and bustle, wavering, rushing about
**vajilla** dishes, table service, china, glassware
**valentía** valor, bravery, dash, boldness
**valer** *tv. and iv.* to be worth, be valid, avail, protect, defend; *rv.* to make use, avail oneself, take advantage; **— un Perú** to be worth a great deal, i.e. all the gold in Peru
**valeroso, -a** brave, valiant, courageous
**vara** stick, pole, staff, rod, wand; **tomar —s** for a woman to allow herself to be flirted with
**vascuence** Basque language
**vecino, -a** neighbor; neighboring, nearby
**vedar** to prohibit, forbid, impede
**vega** fertile plain
**vegetal** vegetable
**vela** candle, sail
**velada** soiree, evening entertainment *or* gathering
**velador** night table, pedestal table
**velar** to veil, hide, watch, guard, work late into the night
**veleta** weather vane
**velo** veil
**vencer** to conquer, vanquish, surpass, excel, surmount, overcome, win out, control, mature, come due
**vendar** to bandage, blindfold
**veneno** poison
**venta** sale, inn
**ventaja** advantage
**veraniego, -a** summery, for the summer
**verano** summer
**verdadero, -a** true
**verdinegro, -a** deep, very dark green
**verdoso, -a** greenish

**verdulero, -a** vegetable vendor
**verdura** vegetable, green
**vergüenza** shame
**vestiglo** horrid monster
**vestimenta** clothes, clothing, vestment
**vía** road, route, way, path, track, trail; **— láctea** Milky Way
**vianda** food, viand
**vicio** vice
**vidriera** glass window, glass door
**vidrio** glass; *pl.* eyeglasses
**viento** wind
**vientre** belly, bowels
**vigilar** to watch over, watch out for, keep an eye on
**vilipendio** scorn, vilification
**villa** town, country estate
**villanía** baseness, base act
**violentarse** to force oneself
**visaje** grimace, smirk, quaver
**viso** appearance, glint, prominence, importance, underskirt
**vistoso, -a** showy
**vituperar** to blame with abusive language, rail at, insult, vituperate
**viudo, -a** widower, widow
**viveza** liveliness, brightness, sparkle
**vivienda** dwelling, housing, lodging
**vocablote** big *or* long word
**volado, -a** furious, exasperated
**volar (ue)** to fly
**volcarse (ue)** to upset, turn over
**volición** will, volition
**voluntad** will, wish, desire, fondness; **mala —** dislike
**voluntariedad** willfulness, self-will
**voluntarioso, -a** willful, determined
**votivo, -a** given in offering of a vow, votive
**vuelo** flight, wing, spread, fullness, flare, projection
**vuelta** turn, spin, return
**vulgar** ordinary, commonplace
**vulgo** common man, man in the street, populace, people

## Y

**ya** already, finally, immediately, presently; **— . . . —** now . . . now, at times . . . at times
**yema** egg yolk, candied yolk
**yerto, -a** stiff, rigid
**yeso** plaster, chalk
**yuca** yucca, an odorless, but elegant, American plant of the *Liliaceae* family with edible roots
**yunque** anvil

## Z

**zahorí** diviner, clairvoyant, keen observer
**zalamería** flattery
**zambeque** (*Amer.*) quarrel, fuss, ado, hubbub, racket, uproar, din
**zambo, -a** child of a Negro and a mulatto, sambo; knock-kneed
**zambra** din, uproar, hullabaloo
**zarzuela** zarzuela, Spanish theatrical work of alternating music and dialogue, resembling an operetta
**zócalo** baseboard, woodwork at bottom of wall around room, socle
**zorro** fox, duster, dust cloth
**zumbar** *iv.* to hum, buzz, resound, ring; *tv.* to make fun of